DRESSLER KLASSIKER

MARK TWAIN wurde 1835 als Samuel Langhorne Clemens in Missouri, im Süden der USA, geboren. Bereits im Alter von zwölf Jahren begann er eine Druckerlehre und versuchte sich dann nacheinander als Journalist, Lotse und Goldgräber, bevor er 1876 mit *Tom Sawyer* als Schriftsteller zu Ruhm und Ansehen gelangte. Diesen auch internationalen Erfolg festigte das sieben Jahre später erschienene Buch *Die Abenteuer des Huckleberry Finn*. Aber finanzielle Verluste und private Schicksalsschläge ließen den großen amerikanischen Humoristen 1910 verarmt und verbittert in Connecticut sterben.

Mark Twain

Die Abenteuer des Tom Sawyer

Deutsch von
Ulrich Johannsen

Illustrationen von
Walter Trier

Mit einem Nachwort von
Sybil Gräfin Schönfeldt

Cecilie Dressler Verlag · Hamburg

Von Mark Twain ist bei den Dressler Klassikern außerdem erschienen:
Die Abenteuer des Huckleberry Finn

© Cecilie Dressler Verlag, Hamburg 1999
© Für die Illustrationen von Walter Trier: Atrium Verlag, Zürich 1986
Alle deutschsprachigen Rechte vorbehalten
Die Erstausgabe erschien 1876 bei
American Publishing Corporation, Hartford, unter dem Titel
The Adventures of Tom Sawyer
Aus dem Amerikanischen von Ulrich Johannsen
Titelbild und Illustrationen von Walter Trier
Nachwort von Sybil Gräfin Schönfeldt
Einbandgestaltung: Manfred Limmroth
Gesamtherstellung: Clausen & Bosse, Leck
Printed in Germany 2000
ISBN 3-7915-3579-X

1. Kapitel

Tom!«

Keine Antwort.

»Tom!«

Tiefes Schweigen.

»Möcht nur wissen, wo der Bengel wieder steckt! To-om!« Die alte Dame schob ihre Brille fast auf die Nasenspitze hinunter und schaute über sie hinweg im Zimmer umher; dann schob sie sie hoch hinauf und spähte unter den Gläsern hervor nach allen Seiten. Nie, niemals würde sie durch die Brille hindurch nach etwas so Unbedeutendem Ausschau gehalten haben, wie's ein kleiner Junge ist; sie war ja der Stolz ihres Herzens, ihre Staatsbrille, die nur zur Zierde diente und nicht etwa zum Gebrauch; denn durch ein paar Herdringe hätte sie ebenso gut sehen können. Sie stand einen Augenblick ratlos da, dann sagte sie, nicht allzu zornig, aber doch laut genug, dass die Möbel ringsum es hören konnten: »Na warte, wenn ich dich kriege – ich will dir …« Sie sagte nicht, was sie wollte, denn schon hatte sie sich niedergekniet, um mit dem Besen unterm Bett herumzustochern, und da brauchte sie ihren ganzen Atem, auf dass die Stöße möglichst wirkungsvoll ausfielen. Aber sie förderte nichts als die Katze zutage.

»So 'n Junge ist mir doch noch nie untergekommen!« Sie trat an die Haustür und sah über die Tomatenranken und Kartoffelkräuter hinweg, die den »Garten« vorstellten. Kein Tom zu sehen! Da erhob sie ihre Stimme, und zwar zu einer Stärke, die auf beträchtliche Entfernung berechnet war, und rief: »To-om!« Plötzlich vernahm sie ein schwa-

5

ches Geräusch und konnte sich gerade noch rechtzeitig umdrehen, um einen Jungen am Jackenzipfel zu erwischen und seine Flucht zu verhindern. »Na, da haben wir's ja! Hätt ich doch bloß gleich an die Speisekammer gedacht! Was hast du da drin wieder angestellt, he?«

»Nichts!«

»Nichts? Guck doch mal gefälligst deine Hände an! Und was hast du denn da am Mund?«

»Ich – ich weiß nicht, Tante.«

»So? Aber ich weiß es! Marmelade ist's! Hundertmal hab ich dir gesagt, wenn du die Marmelade nicht zufrieden lässt, dann gibt's was! Reich mir mal den Stock her!« Schon schwebte der Stock in der Luft – es war höchste Gefahr.

»Um Gottes willen, Tante! Guck bloß mal, was dahinten ist!«

Die alte Dame fuhr herum, raffte vor Schreck ihre Röcke zusammen und im nächsten Augenblick war der Schlingel entschlüpft. Mit einem Satz kletterte er über den hohen Bretterzaun und war im Nu verschwunden.

Tante Polly stand einen Augenblick ganz verdutzt da, dann aber musste sie lachen. Nein, so ein Junge!, dachte sie. Ich werde aber auch nie klug! Als ob er mir nicht schon Streiche genug gespielt hätte, dass ich ihm immer wieder auf den Leim gehe. Aber er erfindet ja jeden Tag was Neues, wie kann man bei dem Racker wissen, was ihm im nächsten Augenblick einfällt? Der weiß ganz genau, wie weit er's treiben darf, bis ich wütend werde, und wie er's anstellen muss, mich immer gerade dann, wenn ich zuhauen will, zum Lachen zu bringen ... Und dann ist's natürlich vorbei mit dem Hauen! Weiß Gott, ich tu meine

Pflicht nicht an dem Jungen! Wer die Rute spart, verdirbt sein Kind, heißt es, und wahrhaftig, ich bin sicher schuld dran, wenn nichts aus ihm wird. Er steckt voller Streiche, dachte sie weiter, aber er ist doch das einzige Kind meiner verstorbenen Schwester und ich hab nun mal nicht das Herz, ihn hart anzufassen. Jedes Mal, wenn ich ihn entwischen lasse, schlägt mir das Gewissen, aber wenn ich ihn wirklich mal haue – ja, dann will mir fast das dumme Herz brechen! Heut Nachmittag wird er sicher wieder die Schule schwänzen, da bleibt mir nichts anderes übrig, als ihm morgen zur Strafe irgendeine Arbeit zu geben. Es ist ja eigentlich furchtbar hart – am Sonnabendnachmittag, wenn alle Jungen freihaben, und noch dazu, wo Tom die Arbeit so verabscheut wie sonst nichts auf der Welt, aber ich muss doch meine Pflicht tun, wenigstens einigermaßen; ich muss, sonst bin ich ganz gewiss sein Verderben.

Tante Polly hatte Recht.

Tom hatte in der Tat die Schule geschwänzt und seine Zeit wundervoll verbracht. Mit größter Unbefangenheit kam er gerade noch rechtzeitig heim, um vor dem Abendbrot an seine allabendliche Aufgabe zu gehen, nämlich Jim, dem kleinen Negerjungen, beim Holzspalten zu helfen, das heißt, er benutzte die Zeit dazu, dem Kleinen von den Erlebnissen des Nachmittags zu erzählen, während Jim drei Viertel der Arbeit tat. Toms jüngerer Bruder – oder vielmehr Stiefbruder – Sid war schon mit seiner Arbeit, dem Aufsammeln der Holzspäne, fertig. Er war ein stiller Junge, der nichts von Toms unbändigen und abenteuerlichen Neigungen besaß.

Während des Abendessens, bei dem Tom jede günstige Gelegenheit wahrnahm, Zuckerstückchen zu stibitzen, stellte Tante Polly ihm Fragen – Fragen voller Arglist und Verfänglichkeit, die ihn zu verhängnisvollen Geständnissen verlocken sollten. Wie so viele schlichte und einfältige Gemüter lebte auch sie in dem unerschütterlichen Glauben, ein besonderes Talent für die schwarze, geheimnisvolle Kunst der Diplomatie zu besitzen, und selbst ihre allerdurchsichtigsten kleinen Kniffe schienen ihr wahre Wunder raffinierter Schlauheit. So begann sie also: »Tom, es war wohl ziemlich heiß in der Schule, was?«

»Hm – ja.«

»Furchtbar heiß, nicht wahr?«

»Hm – ja.«

»Hattest du keine Lust schwimmen zu gehen?«

Tom stutzte. Schöpfte sie etwa Verdacht? Er betrachtete forschend Tante Pollys Gesicht, aber es war nichts darin zu lesen. So sagte er: »Nein, hm – wenigstens nicht so sehr.« Die Tante streckte die Hand aus und befühlte Toms Hemdkragen. »Aber jetzt ist dir doch nicht mehr zu heiß?«, fragte sie. Und sie bildete sich allen Ernstes nicht wenig ein auf ihre Schläue, mit der sie sich nunmehr von dem trockenen Zustand des Hemdkragens überzeugt hatte, ohne dass auch nur eine Menschenseele ahnen könnte, dass sie von vornherein nur dies und nichts anderes bezweckt hatte. Aber Tom wusste nur zu gut, woher der Wind wehte, und beeilte sich, einer womöglich drohenden Wendung der Sachlage zuvorzukommen. »'n paar von uns haben die Köpfe unter die Pumpe gehalten. Meiner ist noch ganz feucht, guck mal!« Es stimmte Tante Polly sehr verdrießlich, dass sie diesen belastenden Beweis so ganz übersehen hatte und sich nun des Erfolges ihres scheinbar so schlauen Tricks beraubt sah. Dann kam ihr aber eine neue Eingebung: »Tom, du hast dir doch nicht etwa deinen Kragen, den ich dir an die Jacke genäht habe, abgenommen, als du den Kopf unters Wasser gehalten hast? Knöpf doch mal deine Jacke auf!« Aus Toms Gesicht war jegliche Sorge verschwunden. Er öffnete die Jacke: Der Kragen war fest und sicher angenäht. »Na, so was!«, sagte die Tante. »Also, geh schon! Ich hätte drauf geschworen, dass du heute Mittag die Schule geschwänzt hast und schwimmen gegangen bist. Na, dein Glück! Dir geht's diesmal wie der verbrühten Katze: Bist besser, als du aussiehst, aber – nur diesmal, Tom, nur diesmal!« Halb war sie ärgerlich, dass all ihre Schlauheit so ganz umsonst gewesen war, und halb freute sie sich über Toms ungewohnten Gehorsam. Da sagte Sidney: »Nanu, Tante, ich hab doch gesehen, wie du den Kragen mit weißem Faden angenäht hast, und da ist er schwarz.«

»Natürlich hab ich weißes Garn genommen. Tom!« Aber Tom wartete keine weiteren Erörterungen ab. Er hatte gerade noch Zeit, bevor er aus der Tür schlüpfte, Sid ein bedrohliches »Na, warte, das sollst du mir büßen!« zuzurufen.

In gesichertem Versteck nahm Tom zwei Nadeln unter seinem Jackenkragen hervor, wovon die eine mit schwarzem, die andere mit weißem Garn eingefädelt war, und betrachtete sie prüfend: »So 'ne Gemeinheit!«, sagte er. »Sie hätt's nie gemerkt, wenn Sid nicht gewesen wär! Verdammt! Mal nimmt sie weißes Garn und mal schwarzes, da soll der Kuckuck wissen, was gerade dran ist! Aber Sid – na warte, der kriegt was! So 'n Musterknabe, so 'n ekliger!«

Jedoch schon nach zwei Minuten oder vielleicht noch

etwas früher hatte er alle seine Sorgen vergessen. Nicht etwa, dass sie weniger auf ihm lasteten, wie sonst auf Männern Derartiges zu lasten pflegt – o nein, durchaus nicht! Nur war plötzlich ein neues, mächtiges Interesse in ihm aufgestiegen, das ihm in diesem Augenblick über seine trüben Gedanken hinweghalf – so wie eben ein Mann sein Missgeschick durch den Reiz einer neuen Unternehmung vergisst. Dieses neue mächtige Interesse stand in Verbindung mit einer unschätzbaren Neuheit auf dem Gebiete des Pfeifens, die ihm neulich ein Negerjunge gezeigt hatte und die jetzt ungestört geübt werden musste. Es war durchaus nicht so einfach; die Kunst bestand darin, einen vogelschlagähnlichen, schmetternden Triller hervorzubringen, indem man in kurzen Zwischenräumen während des Pfeifens die Zunge gegen den Gaumen schnellte. Der Leser wird schon wissen, wie's gemacht wird – sofern er je ein Junge war. Tom hatte sich mit Fleiß und Aufmerksamkeit den Trick bald angeeignet und schlenderte nun, tönenden Wohllaut auf den Lippen und stolze Genugtuung im Herzen, die Straße entlang. Es war ihm zumute wie einem Astronomen, der einen neuen Planeten entdeckt hatte. Nur bezweifle ich, dass die stolze Freude eines solchen glücklichen Entdeckers Toms Freude an Größe, Tiefe und ungetrübter Reinheit gleichgekommen wäre.

Die Sommerabende waren lang. Die Dunkelheit war noch nicht völlig hereingebrochen. Tom hörte plötzlich auf zu pfeifen, denn ein fremder Junge stand vor ihm, nicht viel größer als er selbst. Die Erscheinung eines Neuankömmlings, welchen Alters und Geschlechtes er auch sein mochte, war kein geringes Ereignis in dem armseligen kleinen Nest St. Petersburg. Noch dazu, wenn es sich um einen

sauber angezogenen Jungen handelt, man denke: sauber
angezogen an einem Werktag! Das war einfach unglaublich! Er hatte eine feine, zierliche Mütze auf, seine dunkel-
blaue Jacke war neu und tadellos und seine Hose ebenfalls.
Und Stiefel hatte er an – Stiefel! Und dabei war's doch noch
gar nicht Sonntag! Der ganze Junge hatte so etwas Städti-
sches, Zivilisiertes an sich, das Tom bis in sein Innerstes
reizte. Je mehr er dieses Wunder an Eleganz anstarrte, je
mehr er die Nase rümpfte über »so 'n Zierbengel«, desto
schäbiger kam ihm doch zu gleicher Zeit sein eigenes
Äußeres vor. Keiner der beiden sagte etwas. Wenn der eine
sich bewegte, bewegte sich der andere nach derselben Seite,
und so standen sie sich eine ganze Weile gegenüber, ohne
ein Auge voneinander zu lassen. Schließlich sagte Tom:
»Du, pass auf, ich krieg dich runter!«

»So? Na los! Versuch's doch mal!«

»Meinst du vielleicht, ich kann's nicht?«

»Nee, kannst du auch nicht!«

»Und ob ich's kann!«

»Nee, kannst du nicht!«

»Doch, kann ich wohl!«

»Kannst du nicht!«

»Doch!«

»Nee, sag ich!«

Unbehagliche Pause. Dann fängt Tom wieder an. »Wie
heißt du?«

»Geht dich gar nichts an!«

»Ich werd dir schon zeigen, ob's mich was angeht!«

»So? Dann zeig's mir doch!«

»Wenn du noch viel sagst, dann tu ich's.«

»Viel – viel – viel! Na, also, was ist? Kommst du jetzt?«

»Du meinst wohl, du bist wer weiß was? Wenn ich bloß wollte – mit einer Hand könnte ich dich runterkriegen.«

»Und, warum tust du's denn nicht, sagen kann's jeder!«

»Wenn du frech wirst, tu ich's!«

»Na, komm doch, ich warte ja schon!«

»Dummer Affe! Bild dir bloß nichts ein! – Puh, und was für 'n Hut!«

»Wenn er dir nicht gefällt, guck woandershin. Kannst ihn ja runterschlagen, wenn du Lust hast dir 'n blaues Auge zu holen!«

»Angeber!«

»Selbst einer!«

»Lügner, Feigling!«

»Du, mach, dass du wegkommst!«

»Ich sag dir, wenn du mir noch lange so frech kommst, schmeiß ich dir 'nen Stein an'n Kopf!«

»Das möcht ich mal sehen!«

»Kannst dich drauf verlassen!«

»Na, warum tust du's denn nicht? Du sagst es ja immer bloß – tu's doch! Hast wohl Angst, was?«

»Vor dir vielleicht?«

»Na klar hast du Angst!«

»Hab ich nicht!«

»Doch, hast du!«

Pause, wieder gegenseitiges Anstarren und Umkreisen. Plötzlich sind sie Schulter an Schulter: »Hau ab!«, beginnt Tom.

»Hau doch selbst ab.«

»Ich denk nicht dran.«

»Ich erst recht nicht.«

So standen sie, jeder einen Fuß als Stütze zurückge-
stemmt, und während sie sich mit aller Kraft schubsten
und stießen, starrten sie einander aus wütenden, hasserfüll-
ten Augen an. Aber keiner vermochte einen Vorteil für sich
zu ergattern. Nachdem sie in schweigender Verbissenheit
gerungen hatten, bis beide ganz heiß und glühend rot waren, ließen sie mit wachsamer Vorsicht, wie auf Verabre-
dung, gleichzeitig in ihrer Anstrengung nach, und Tom
sagte: »Bist 'n Feigling und 'n Affe! Ich werd's meinem
großen Bruder sagen, der ist so stark, dass er dich mit seinem kleinen Finger zu Mus hauen kann. Und ich sag ihm,
dass er's machen soll!«

»Dein großer Bruder ist mir ganz egal! Ich hab einen, der
ist noch viel größer als deiner; der wirft deinen – wupp! –
über den Zaun da!« (Schade, dass beide Brüder nur in ihrer
Einbildung lebten!)

»Alles gelogen.«

»Du musst's ja wissen.«

Nun zog Tom mit seiner großen Zehe einen Strich in den
Straßenstaub und rief: »Einen Schritt da rüber und ich ver-
hau dich, dass du Funken siehst!«

Ohne sich zu besinnen überschritt der Neue den Strich
und rief: »So, nun also! Tu's doch!«

»Du, reiz mich nicht, rat ich dir.«

»Na, nu mach aber endlich mal, jetzt hab ich's bald
satt.«

»Donnerwetter! Für zwei Cent tu ich's.«

Im Nu zieht der Neue ein Zweicentstück aus der Tasche
und hält es Tom herausfordernd unter die Nase. Tom
schlägt es zu Boden. Im nächsten Augenblick wälzen sich
beide im Straßenschmutz, fest ineinander gekrallt wie zwei

Katzen. Sie zerren sich an Haaren und Kleidern, sie zer-
kratzen sich die Nasen und bedecken sich mit Schmutz und
mit Ruhm. Allmählich nimmt die formlose Masse Gestalt
an, und aus dem Kampfesgewirr taucht Tom empor, der
rittlings auf dem neuen Jungen sitzt und ihn mit seinen
Fäusten bearbeitet. »Sag: Genug!«, schreit Tom. Aber der
andere ringt stumm und verzweifelt, um sich zu befreien,
und heult vor Wut und Zorn. »Sag: Genug!«, mahnt Tom
noch einmal und drischt unermüdlich weiter. Endlich stößt
der Fremde ein halb ersticktes »Genug« hervor, Tom lässt
ihn los und sagt: »So, jetzt weißt du's! Und pass 'n andermal auf, mit wem du dich anlegst.« Schluchzend und
schnaubend rannte der fremde Junge davon und klopfte

sich im Laufen den Schmutz von den Kleidern; ab und zu sah er sich um, drohte mit erhobener Faust und rief wütend zurück, was er Tom alles tun würde, wenn er ihn »nächstes Mal zu fassen kriege«. Tom hatte aber nur ein höhnisches Lachen dafür und machte sich in sehr gehobener Stimmung nach der entgegengesetzten Richtung auf den Weg. Aber kaum hatte er ihm den Rücken zugewandt, da hob der besiegte Junge einen Stein auf, schleuderte ihn Tom hinterher und traf ihn gerade zwischen den Schultern – worauf er sich geschwind wie ein Reh auf und davon machte. Tom, nicht faul, verfolgte den Verräter bis vor sein Haus, das er bei dieser Gelegenheit erkundete, postierte sich dort vor den Gartenzaun und forderte den Feind auf herauszukommen, aber der zog es vor, nicht darauf zu reagieren, und begnügte sich damit, ihm durchs Fenster Fratzen zu schneiden. Schließlich erschien die Mutter des Feindes, schimpfte Tom einen bösen, ungezogenen Jungen und jagte ihn fort. Da half ihm nichts – er musste gehen, aber dabei brummte er allerlei vor sich hin, was dem »verdammten Zieraffen« nichts Gutes versprach. Er kam sehr spät abends nach Hause. Als er vorsichtig durchs Fenster klettern wollte, stieß er auf ein Hindernis, das die Gestalt seiner Tante hatte, und sobald diese den Zustand seiner Kleider wahrgenommen, reifte ihr Entschluss, die Freiheit des Sonnabendnachmittags in eine Gefangenschaft mit schwerer Arbeit zu verwandeln, zu eiserner Festigkeit.

2. KAPITEL

Der Sonnabendmorgen brach an und die ganze sommerliche Welt draußen war hell und klar und sprühte von Leben und Bewegung. Es sang und klang in jedem Herzen und wem das Herz jung war, dem traten die Töne unversehens über die Lippen. Freude lag auf allen Gesichtern und die Schritte der Menschen schienen leichter beschwingt als sonst. Die Akazienbäume blühten und erfüllten die Luft mit ihrem Wohlgeruch. Da erschien Tom auf der Bildfläche. In der einen Hand trug er einen Eimer voll Tünche, in der andern einen langen Pinsel. Er überschaute den Gartenzaun, und da schien es ihm auf einmal, als wäre aller Glanz aus der Natur verschwunden. Tiefe Schwermut lag auf seiner Seele. Fünfzehn Meter Zaunbreite und neun Fuß Höhe! – Fürwahr, das Leben war öde und das Dasein eine Last! Seufzend tauchte er den Pinsel in den Eimer, fuhr damit über die oberste Planke, einmal und noch einmal, verglich das winzige Stückchen des übertünchten Zaunes mit der unendlichen, noch nicht gestrichenen Fläche und – sank entmutigt auf einen Baumstumpf nieder.

In diesem Augenblick trat Jim singend aus dem Hoftor, um Wasser von der Gemeindepumpe zu holen. Sonst war Tom dieses Wasserholen immer gründlich verhasst gewesen, aber jetzt schien es ihm höchst verlockend. Er dachte daran, wie viel Gesellschaft man dort immer hatte; Weiße und Mulatten, Negerjungen und Negermädchen lungerten dort stets herum und warteten, bis sie an die Reihe kamen; da wurde getauscht und gehandelt, gezankt, gerauft und Unfug getrieben. Und er dachte daran, dass Jim niemals

vor Ablauf einer Stunde mit seinem Eimer Wasser heim-
kam, obwohl die Pumpe kaum hundert Schritte vom
Hause entfernt war, und gewöhnlich musste man ihn dann
noch holen. Aus diesen Überlegungen heraus sagte er:
»Du, Jim, ich will's Wasser holen, streich du mal inzwischen hier 'n bisschen an.« Aber Jim schüttelte energisch
den schwarzen Wollkopf. »Geht nicht, Master Tom. Die
alte Misses sagt, ich soll Wasser holen gehen. Sie sagt, Master Tom wird mich wohl fragen, ob ich anstreichen will,
aber ich soll es ja nicht tun.«

»Ach, glaub doch nicht, was sie sagt, Jim. So redet sie
doch immer. Her mit dem Eimer, ich bin ja gleich wieder
da. Pass auf, sie merkt's gar nicht.«

»Oh nein, ich darf nicht, Master Tom. Die alte Misses
sagt, sie reißt mir den Kopf ab, bestimmt tut sie's.«

»Die? Die kriegt's ja gar nicht fertig ordentlich zuzu-
hauen; sie fährt einem höchstens mit der Hand so 'n bisschen übern Kopf, und ich möcht wissen, wer sich daraus
was macht. Sie redet bloß immer vom Verhauen, aber Reden tut nicht weh – das heißt – hm, wenn sie nur nicht immer dabei weinen würde. Du, Jim, ich schenk dir 'ne Murmel.«

Jim schwankte.

»'ne Murmel, Jim – aus Glas! 'ne feine, sag ich dir, guck
mal.«

»Meine Güte, ist das eine wunderschöne Glasmurmel!
Aber, Master Tom, ich hab mächtige Angst vor der alten
Misses.« Jedoch, Jim war nur ein Mensch, diese Versuchung war zu stark für ihn. Er setzte den Eimer ab, nahm
die Glasmurmel und – raste im nächsten Augenblick, als
brenne sein Hinterteil, mit seinem Eimer die Straße hinun-

ter, während Tom mit Feuereifer drauflospinselte und Tante Polly sich stolz vom Schlachtfeld zurückzog, in der Hand den Pantoffel, im Auge blitzenden Triumph. Aber Toms Eifer hielt nicht lange vor. Er musste unentwegt an all das Schöne denken, das er für heute geplant hatte, und sein Kummer nahm immer größere Dimensionen an. Bald würden die Jungens, die heute freihatten und auf ihren Wegen zu allen möglichen verlockenden Plätzen waren, vorbeikommen; und wie würden sie sich über ihn lustig machen, dass er heute daheim bleiben und arbeiten musste! Schon der Gedanke daran brannte wie Feuer. Er leerte seine Taschen und musterte seinen irdischen Besitz: zwei alte Federn, einen Bleistiftstumpf, Murmeln, Bindfaden – lauter Dinge, die höchstens dazu ausreichten, eine fertige Schulaufgabe einzuhandeln, die aber nie und nimmer genügen würden, sich damit auch nur eine halbe Stunde der ersehnten Freiheit zu erkaufen. Resigniert steckte er seine Schätze wieder ein und ließ endgültig den Gedanken fallen, bei dem einen oder andern Jungen einen Bestechungsversuch zu unternehmen. In diesem düsteren, hoffnungslosen Augenblick kam ihm plötzlich ein Einfall – ein großer, wahrhaft glänzender Einfall! Er nahm seinen Pinsel wieder auf und machte sich still und emsig an die Arbeit, denn dahinten sah er Ben Rogers auftauchen, gerade den, dessen Spott er am allermeisten fürchtete. Hopsend und springend näherte sich Ben, ein Beweis, dass er leichten Herzens und voll hochgespannter Erwartungen war. Er verspeiste einen Apfel und gab dabei ab und zu lang gezogene, höchst melodische Heultöne von sich, denen er regelmäßig ein grunzendes Ding-dong-dong-ding-dong-dong folgen ließ – denn er war ein Dampfschiff. Als er näher kam, mäßigte er seine

Geschwindigkeit, lenkte der Straßenmitte zu, wandte sich stark an Steuerbord und glitt schließlich in majestätischem Bogen und mit gewichtiger Würde und Umständlichkeit zur Seite – stellte er doch nichts Geringeres vor als den »Großen Missouri«, dessen Tiefgang von neun Fuß er anschaulich zu verkörpern wusste. Er war alles zu gleicher Zeit: Dampfer und Kapitän, Mannschaft und Schiffsglocke, und zeigte sich dieser komplizierten Aufgabe durchaus gewachsen. Von der Kommandobrücke aus erteilte er geschäftig Befehle, die er ebenso geschäftig in höchsteigener Person ausführte: »Ha-alt! Klingelingeling!« Die Fahrt war zu Ende und er legte langsam und vorsichtig am Ufer an. »Zurück! Klingelingeling! Tschu-tschu-tschu-u-tschu!« Sein rechter Arm beschrieb mächtige Kreise, denn er hatte ein vierzig Fuß großes Rad darzustellen. »Backbord wenden! Klingelingeling! Tschu-tschuu-tschtsch.« Jetzt begann der linke Arm Kreise zu beschreiben. »Steuerbord stoppen! Klingelingeling! Langsam wenden! Tschu-uu-uu. Immer lustig, Jungs! Runter mit dem Tau da! Na, wird's bald? So-o! Werft's um den Pfeiler! Anziehen! Ran an die Landungsbrücke! Maschine stoppen! Halt! Klingelingeling! Scht-scht-sch-scht!« (Die Dampfventile sind geöffnet.)

Tom pinselte unerschütterlich weiter, ohne den Dampfer eines Blickes zu würdigen. Ben hielt einen Augenblick verwundert an, dann grinste er und sagte: »Aha! Strafe, he?« Keine Antwort. Tom prüfte seinen letzten Strich mit dem Auge eines Künstlers, dann fuhr er mit dem Pinsel noch einmal elegant darüber hin und begutachtete mit ebenso kritischem Blick das Resultat von neuem. Ben pflanzte sich neben ihm auf. Tom lief das Wasser im Mund zusammen beim Anblick des Apfels, aber er schien ganz vertieft in seine Arbeit.

»Hallo, alter Junge! Musst wohl heute fest ran, was?«

»Ach, du bist's, Ben! Ich hab dich gar nicht bemerkt.«

»Du, ich geh schwimmen! Willst du mit? Ach nee, du arbeitest ja lieber, was? Kann mir's lebhaft vorstellen!«

Tom sah erstaunt auf. »Was verstehst du eigentlich unter arbeiten?«

»Na, ist das vielleicht keine Arbeit?«

Tom tauchte seinen Pinsel ein und sagte beiläufig: »Vielleicht ist's 'ne Arbeit, vielleicht auch nicht! Ich weiß nur, dass es mir Spaß macht!«

»Nanu, du willst mir doch wohl nicht einreden, dass du's zum Vergnügen tust?«

Der Pinsel war ununterbrochen in Bewegung.

»Zum Vergnügen? Ja, warum denn nicht? Meinst du vielleicht, 's gibt jeden Tag so 'nen Zaun anzustreichen?«

Das ließ die Sache allerdings in einem ganz anderen Licht erscheinen. Ben hörte auf an seinem Apfel zu knabbern, und Tom fuhr unterdessen mit seinem Pinsel schwungvoll auf und nieder, trat von Zeit zu Zeit zurück, um die Wirkung zu prüfen, tupfte hier und da verbessernd nach, betrachtete den Eindruck von neuem, während Ben kein Auge von ihm ließ und alle seine Bewegungen mit fieberhaftem Interesse verfolgte. Endlich sagte er: »Du, lass mich doch mal 'n bisschen streichen.«

Tom schien zu überlegen und nachgeben zu wollen, aber dann sagte er: »Nee, nee, 's geht nicht, Ben. Guck mal, Tante Polly ist furchtbar mit diesem Zaun – so direkt an der Straße, weißt du. Ja, wenn's der hintere wär, da wär's ihr ja egal und mir auch. Wirklich, du glaubst gar nicht, wie sie sich mit dem Zaun hat! Und 's ist verteufelt schwer, es richtig zu machen! Ich wett, dass unter tausend Jungs, was sag ich, unter zweitausend vielleicht, nicht einer ist, der's richtig machen kann.«

»Wirklich? Och du, lass mich doch bloß mal probieren! Nur 'n ganz kleines Stückchen! Ich würd dich auch ranlassen, wenn ich du wär.«

»Ben, ich würd's ja gern tun, Ehrenwort. Aber guck mal, Tante Polly ... Jim wollt's schon machen und Sid auch, aber sie hat's absolut nicht erlaubt. Du musst doch verstehen, dass ich die Verantwortung hab. Wenn du nun den Zaun anmalst und 's passiert was dran und ...«

»Ach Quatsch! Ich kann's genauso gut wie du! Na los, lass mich's mal versuchen! Hier, du kriegst auch das Kernhaus von meinem Apfel, guck; ist noch 'ne ganze Masse dran.«

»Na also ... nee, Ben, lieber nicht, ich hab Angst ...«

»Ich geb dir 'nen ganzen Apfel ...«

Da reichte Tom ihm den Pinsel hin, Widerstreben im Antlitz, Frohlocken im Herzen. Und während der frühere Dampfer »Großer Missouri« in praller Sonne schweißtriefend drauflospinselte, saß der vom Schauplatz abgetretene Künstler behaglich im Schatten auf einer Tonne, schlenkerte mit den Beinen, verzehrte mit Appetit seinen Apfel und spann listige Pläne, wie er noch mehr Opfer in die Falle locken könne. An Gelegenheit war kein Mangel, jeden Augenblick strichen Jungen vorüber. Sie kamen um zu spotten und blieben um anzustreichen. Denn als Ben mit der Zeit müde wurde, hatte Tom schon einen günstigen Abschluss mit Billy Fisher gemacht, der ihm einen noch fast unbeschädigten Papierdrachen bot; und als der abtrat,

erkaufte sich Johnny Miller dessen Rechte für eine tote
Ratte nebst einer Schnur, an der man das Tier durch die
Luft schleudern konnte. Und so ging's weiter – stundenlang. Kaum war die Hälfte des Nachmittags verstrichen, da
konnte Tom, am Morgen noch ein armer, besitzloser
Junge, sich buchstäblich in Reichtümern wälzen. Außer
den bereits erwähnten Dingen hatte er zwölf Murmeln ein-
geheimst, ferner das Mundstück einer Trompete, eine
Scherbe aus blauem Flaschenglas zum Durchgucken, eine
Garnspule, einen verrosteten Schlüssel ohne Bart, ein Krei-
destümpfchen, einen Glasstöpsel von einer Wasserflasche,
einen Zinnsoldaten, ein paar Kaulquappen, fünf Feuer-
schlangen, eine einäugige junge Katze, einen Türgriff aus
Messing, ein Hundehalsband – jetzt fehlte ihm nur noch
ein Hund –, einen Messerstiel, die Schalen von vier Apfel-

sinen und einen alten, kaputten Fensterrahmen. Außerdem
hatte er sich während der ganzen Zeit in angenehmer Gesellschaft wunderbar unterhalten, dabei behaglich gefau-
lenzt und: der Zaun hatte nicht weniger als eine dreifache
Schicht Farbe bekommen. Nur gut, dass schließlich die
Tünche zu Ende ging, sonst hätte er zweifellos sämtliche
Jungens im Städtchen bankrott gemacht. Tom fand auf einmal die Welt gar nicht mehr öde und traurig. Ohne es zu
wissen, hatte er ein tief in der menschlichen Natur wur-
zelndes Gesetz entdeckt, die Triebfeder zu vielen, vielen
Handlungen. Um nämlich einem Menschen – sei er nun er-
wachsen oder nicht – irgendetwas begehrenswert erscheinen zu lassen, braucht man ihm dieses Etwas nur als recht
schwer erreichbar hinzustellen. Wäre Tom ein tiefgrün-
diger Philosoph gewesen wie zum Beispiel der Verfasser
dieses Buches, so hätte er daraus gelernt, dass man unter
»Arbeit« alles versteht, was man tun muss, dagegen unter
»Vergnügen« das, was man aus freien Stücken unter-
nimmt. Und es wäre ihm klar geworden, weshalb zum Beispiel das Anfertigen künstlicher Blumen und die Bedienung
einer Tretmühle als »Arbeit« gelten, während man Kegel-
schieben und die Besteigung des Montblanc allgemein als
ein »Vergnügen« bezeichnet.

3. KAPITEL

Als Tom fertig war, ging er zu Tante Polly hinein, die am offenen Fenster eines gemütlichen Hinterzimmers saß, das zugleich als Schlafraum, Frühstückssalon, Esszimmer und Bibliothek diente. Die milde Sommerluft, die friedliche Ruhe, der Duft der Blumen und das Summen der Bienen – dies alles hatte seine Wirkung getan und sie war über ihrem Strickstrumpf eingenickt in Gesellschaft der Katze, die gleichfalls friedlich schlummernd in ihrem Schoße ruhte. Die Brille hatte Tante Polly vorsichtig bis fast zu den grauen Haaren hinaufgeschoben. Sie hatte geglaubt, Tom wäre längst auf und davon, und war daher nicht wenig überrascht, als er sich jetzt so unerschrocken in ihren Machtbereich wagte.

»Darf ich jetzt gehn und spielen, Tante?«

»Was? Jetzt schon? Wie weit bist du denn?«

»Ganz fertig, Tante.«

»Tom, schwindele nicht. Du weißt, das kann ich nicht vertragen.«

»Ich schwindele ja gar nicht! Ich bin ganz fertig, Ehrenwort.«

Tante Polly schien nur geringes Vertrauen zu derlei Beteuerungen zu haben, denn sie ging hinaus um selbst nachzusehen. Sie wäre schon zufrieden gewesen, wenn sie nur zwanzig Prozent von Toms Aussage bestätigt gefunden hätte, als sie aber den ganzen Zaun fertig angestrichen vorfand – und nicht nur einmal flüchtig überpinselt, sondern sorgsam mit mehreren Lagen Farbe bedeckt –, war sie fast sprachlos vor Überraschung. »Na, so was!«, stieß sie endlich hervor. »Da sieht man's wieder, Tom! Wenn du willst, kannst du arbeiten. Aber leider«, fügte sie schnell hinzu, um das Kompliment abzuschwächen, »leider willst du das nur allzu selten! Geh jetzt meinetwegen und spiel! Dass du mir aber vor Ablauf einer Woche wiederkommst, hörst du, sonst gibt's was!« Sie war aber so gerührt von seiner glänzenden Leistung, dass sie ihn zuerst noch in die Speisekammer mitnahm und ihm einen besonders schönen Apfel aussuchte, den sie ihm mit dem belehrenden Hinweis überreichte, um wie viel würziger und schmackhafter doch so ein Apfel sei, wenn man ihn, anstatt ihn sich widerrechtlich anzueignen, durch ehrliche Arbeit verdient hätte. Als sie mit einem passenden Bibelspruch schloss, stibitzte Tom schnell einen Pfannkuchen und ließ sich diese Errungenschaft sündiger Tücke nicht weniger gut schmecken als den Lohn verdienstvoller Tugend. Nachdem er sich an der Tante vorbeigedrückt hatte, sah er Sid draußen, der gerade die Steintreppe zum ersten Stock hinaufhüpfte. Im Nu waren Lehmklumpen aufgehoben, und im nächsten Augenblick war die Luft davon erfüllt. Sie sausten wie ein Hagelschauer um Sids Kopf, und bevor noch Tante Polly Herr über ihre überraschten Sinne wurde und zu Hilfe eilen konnte, hatten sechs oder sieben Geschosse ihr Ziel erreicht. Sid brüllte und Tom sah man gerade noch über den Zaun springen, obwohl es eine Tür gab – aber wie gewöhnlich hatte er es viel zu eilig, um sie zu benutzen. Nun hatte doch seine liebe Seele Ruhe, da er mit Sid abgerechnet und ihm seine Verräterei mit dem schwarzen Garn gründlich heimgezahlt hatte.

Er schlich den Zaun entlang, bis er zu einem schmutzigen Gässchen kam, das hinter Tante Pollys Kuhstall vorbeiführte; hier fühlte er sich sicher vor der drohenden Gefahr, eingefangen und bestraft zu werden. Dann wandte er sich dem Marktplatz zu, auf dem für heute eine entscheidende Schlacht zwischen den zwei feindlichen Armeen der Jungen stattfinden sollte. Tom war General der einen Armee, während sein Busenfreund Joe Harper die andere befehligte. Die beiden ruhmreichen Feldherren ließen sich jedoch nicht etwa so weit herab, in den Kampf einzugreifen – so etwas schickt sich nur für das gemeine Fußvolk –, vielmehr sahen sie aus der Ferne von einer Anhöhe zu und leiteten die kriegerischen Operationen durch Befehle, die sie von ihren Adjutanten überbringen ließen. Nach langem, heißem Kampf errang schließlich Toms Armee einen glorreichen Sieg. Nun wurden die Toten gezählt, die Gefangenen ausgetauscht, und nachdem man noch die Bedingungen für das nächste Treffen vereinbart sowie den Tag dafür festgelegt hatte, marschierten die beiden Armeen in Reih und Glied ab, während Tom sich allein auf den Heimweg machte.

Als er an dem Haus vorüberging, in dem Jeff Thatcher wohnte, erblickte er im Garten ein fremdes Mädchen – ein niedliches, zartes, blauäugiges Geschöpf mit blonden Haaren, die ihr in zwei langen Zöpfen über den Rücken hingen, in einem weißen Sommerkleid und langen Spitzenhöschen. Der ruhmgekrönte Held war getroffen, ohne dass jemand einen Schuss abgefeuert hätte. Eine gewisse Amy Lawrence verschwand aus seinem Herzen und ließ auch nicht den Schatten einer Erinnerung darin zurück. Und er hatte gemeint, sie bis zum Wahnsinn zu lieben, mit leidenschaftlicher Anbetung, und nun auf einmal wurde ihm klar, dass er nicht mehr als ein leichtes, flüchtiges Wohlwollen für sie empfand. Viele Monate hindurch hatte er sie umworben und erst vor einer Woche hatte sie ihm ihre Gegenliebe gestanden. Sieben Tage lang war er der glücklichste, stolzeste Junge der Welt gewesen, und jetzt – jetzt verabschiedete er sie aus seinem Herzen wie einen zufälligen Gast, der sich nach kurzem Besuch empfiehlt. Verstohlen warf er bewundernde Blicke auf diesen neu aufgetauchten Engel, bis er bemerkte, dass auch sie ihn entdeckt hatte. Da tat er natürlich so, als wüsste er gar nichts von ihrer Anwesenheit, und fing an, nach echter Jungenart »sich aufzuspielen«, um ihre Bewunderung zu erlangen. Er machte allerlei seltsame Verrenkungen, bis er mitten in seiner halsbrecherischen gymnastischen Übung zur Seite schielte und sah, dass die kleine Holde sich dem Haus zuwandte. Da brach er ab, lief an den Zaun und lehnte sich mit tief betrübter Miene dagegen, doch auch in der heimlichen Hoffnung, dass sie noch etwas verweilen würde. Wirklich blieb sie einen kurzen Augenblick auf der Treppe stehen, näherte sich dann aber umso schneller der Tür. Tom stieß einen tiefen Seufzer aus, als sie ihren Fuß auf die Schwelle setzte, aber im Nu hellte sich sein melancholischer Gesichtsausdruck wieder auf, denn ehe sie verschwand, hatte sie ein Stiefmütterchen über den Zaun geworfen. Der Junge rannte drauflos, blieb aber dann ein paar Schritte von der Blume entfernt stehen, beschattete die Augen mit der Hand und schaute die Straße hinunter, als entdecke er dort etwas von größtem Interesse. Nun sammelte er einen Strohhalm vom Boden auf und ließ ihn auf der Nase balancieren, indem er den Kopf weit nach hinten bog und seinen Körper vorsichtig hin und her bewegte, wobei er der Blume immer näher kam. Endlich berührte er sie mit seinem nackten Fuß, die gelenkigen Zehen erfassten sie und auf einem Bein hüpfte er mit seinem Schatz davon und verschwand um die nächste Ecke. Aber nur für eine Minute, nur bis er die Blume unter der Jacke auf seinem Herzen geborgen hatte oder auf seinem Magen, denn er war in der Anatomie nicht sehr bewandert, und außerdem nahm er's auch nicht so genau. Jetzt kehrte er an den Zaun zurück und trieb sich dort herum, bis die Dunkelheit anbrach. Alle möglichen Kunststücke machte er – aber vergebens, das Mädchen blieb unsichtbar. Er tröstete sich jedoch mit dem Gedanken, dass sie vielleicht hinter einem Fenster gestanden und so von seinen Darbietungen Notiz genommen hätte.

Schließlich ging er widerstrebend nach Hause, den Kopf voll lieblicher Bilder und Vorstellungen. Während des ganzen Abendessens war er in so übermütiger Stimmung, dass die Tante sich erstaunt fragte, was nur in den Jungen gefahren sein mochte. Er bekam ordentlich Schelte, weil er Sid mit Lehmklumpen beworfen hatte, aber davon schien er nicht die geringste Notiz zu nehmen; ja, er trieb's so weit, dass er direkt vor Tante Pollys Nase versuchte Zucker zu stibitzen. Als er dafür eins auf die Pfoten bekam, sagte er vorwurfsvoll: »Sid kriegt nie Haue, wenn er sich was nimmt.«

»Ja, Sid treibt's aber auch lange nicht so wie du. Du kämst überhaupt nicht aus der Zuckerdose raus, wenn ich nicht aufpassen würde.« Damit ging sie in die Küche, und Sid, im sicheren Gefühl seiner Straffreiheit, langte nach der Zuckerdose, mit so viel Überheblichkeit im Blick, dass es Tom schier unerträglich wurde! Oh weh! Da rutschten Sids Finger aus, die Zuckerdose fiel auf den Boden und zerbrach. Tom triumphierte – triumphierte so, dass er sich bezwang, seine Zunge im Zaum hielt und erwartungsvoll schwieg. Er nahm sich vor, kein Wort zu sagen, selbst nicht, wenn die Tante hereinkäme – nein, ganz still sitzen wollte er, bis sie fragen würde, wer das angestellt hätte. Aber dann, dann wollte er erzählen, und wahrlich – er konnte sich nichts Schöneres auf der Welt vorstellen als zu sehen, wie der »geliebte Musterknabe« auch mal was abkriegte. Er war so übervoll von Erwartung, dass er kaum an sich halten konnte, als die Tante zurückkam, entsetzt vor den Scherben stehen blieb und drohende Zornesblitze über den Rand ihrer Brille hervorschleuderte. Jetzt geht's los, dachte Tom und frohlockte innerlich, und – im nächsten Augenblick fühlte er sich gepackt, zu Boden geworfen, und schon holte eine kräftige Hand zum zweiten oder dritten Male zu neuem Schlage aus, ehe er vor lauter Verblüffung und Entrüstung Worte fand: »Halt! Lass doch los! Warum haust du mich denn? Sid hat's doch getan!« Tante Pollys erhobene Hand sank noch einmal mechanisch klatschend auf sein Hinterteil, dann hielt sie inne, erstaunt und verwirrt, während Tom vorwurfsvoll zu ihr emporstarrte und darauf wartete, dass jetzt ein selbstanklagender, tröstender Mitleidsausbruch folgen würde. Aber als sie endlich wieder zu Atem kam, war alles, was sie sagte: »Schadet nichts, wenn du auch mal einen Schlag zu viel kriegst. Bist schon so manches Mal leer ausgegangen, wenn du was Ordentliches verdient hättest.« Aber es plagten sie doch Gewissensbisse und sie hätte ihm gerne etwas Liebes und Freundliches gesagt, fürchtete jedoch, es könnte als Eingeständnis ihrer ungerechten Strafe aufgefasst werden, und so etwas verbot die Disziplin. So schwieg sie und ging bekümmerten Herzens ihrer Arbeit nach. Tom aber zog sich in einen Winkel zurück und gab sich seinem Schmerz hin. Er wusste, dass die Tante in Gedanken vor ihm auf den Knien lag, und dieser Gedanke erfüllte ihn mit grimmiger Genugtuung. Er spürte, wie ihn hin und wieder ein liebevoller Blick aus tränenverschleierten Augen streifte, aber er tat, als merke er es nicht. Er sah sich sterbenskrank auf seinem Bett liegen, die Tante beugte sich händeringend über ihn und flehte um ein einziges Wort der Verzeihung. Er aber kehrte sein Gesicht der Wand zu, ohne dieses Wort zu sprechen, und – starb. Oh, wie sie dann bereuen würde! Und wieder sah er sich, wie man ihn vom Fluss nach Hause brachte, tot, mit triefenden Haaren, die armen Glieder starr und steif und Friede in seinem wunden Herzen – Friede für immer. Wie würde sie sich dann über ihn werfen und unter Strömen von Tränen zu Gott flehen, er möchte ihr doch ihren Jungen wiedergeben, sie wollte ihm auch nie, nie wieder unrecht tun! Er läge da – kalt und weiß und starr –, ein armer Dulder, dessen Leiden nun ein Ende hatten. So schwelgte er in den schauerlichsten Vorstellungen, bis er schließlich vor lauter Mitleid mit sich selbst kaum das Schluchzen unterdrücken konnte. Seine Augen standen voll Wasser und wenn er blinzelte, floss es über, lief vorn die Nase hinunter und fiel an ihrer Spitze in einem Tröpfchen zu Boden. Und doch empfand er bei diesem Wühlen in seinem Elend eine solche Wollust, dass er sich in seinem Schmerz nicht stören lassen wollte durch irgendeinen Laut irdischer Lust oder brutaler Freude – denn er war viel zu heilig für eine Berührung mit der profanen Welt. Als daher seine Kusine Mary nach einem »furchtbar langen«, fast achttägigen Besuch auf dem Lande strahlend vor Wiedersehensfreude wie ein lachender Sommermorgen zu der einen Tür hereintanzte, schlüpfte Tom – trübselig wie drei Tage Regenwetter – durch die andere hinaus. Er ließ die Plätze, an denen sich die Jungens gewöhnlich herumtrieben, weit hinter sich und suchte nach einsamen Orten, die zu seiner Stimmung passten. Auf dem Fluss schwamm ein altes Holzfloß, darauf setzte er sich und starrte auf die weite, öde Wasserfläche. Wenn er nur ertrinken würde – aber ganz plötzlich und unbewusst und ohne all das lästige Wasserschlucken, das meistens damit verbunden sein soll! Auf einmal dachte er an seine Blume und zog sie hervor. Sie war ganz verwelkt und zerdrückt und ihr Anblick vermehrte gewaltig die süße Bitterkeit seiner Seelenqualen. Ob sie wohl Mitleid mit ihm hätte, wenn sie alles wüsste? Würde sie am Ende weinen und ihre Arme um seinen Hals legen wollen um ihn zu trösten? Oder würde auch sie sich kalt und gefühllos von ihm abwenden wie alle, alle andern? Die Vorstellung seiner trostlosen Einsamkeit versetzte ihn in einen wahren Rausch wonnigen Leidens, das er unaufhörlich zergliederte und zerpflückte und in immer neuer Beleuchtung schillern ließ. Dann seufzte er tief auf, erhob sich und schlich in der Dunkelheit davon. Gegen halb zehn oder zehn Uhr kam er durch die wie ausgestorben daliegende Straße, in der seine angebetete Unbekannte wohnte. Er blieb einen Augenblick stehen und lauschte. Kein Ton drang an sein Ohr. Hinter den Vorhängen eines Fensters im zweiten Stock schimmerte ein schwacher Lichtschein. War dort der geheiligte Raum, in dem sie verweilte? Er kletterte über den Zaun, stahl sich lautlos durch die Sträucher und Büsche, bis er unter jenem Fenster stand. Lange schaute er hinauf, dann streckte er sich rücklings auf dem Boden aus und faltete seine Hände, deren Finger die

31

armselige, verwelkte Blume umschlossen, über der Brust. So wollte er sterben – unter freiem Himmel, kein Dach über seinem heimatlosen Haupte, keine Freundeshand, die ihm den Todesschweiß von der Stirn wischte, kein liebevolles Antlitz, das sich mitleidsvoll über ihn beugte, wenn der letzte, große Kampf nahte. Und so sollte sie ihn finden, wenn sie das Fenster öffnete und hinausschaute in den heiteren Morgen. Ach, ob sie wohl eine Träne hatte für seine arme, tote Hülle, einen Seufzer für dieses frische, junge Leben, das so grausam in seiner Blüte vernichtet, so vorzeitig dahingerafft worden war? Das Fenster ging auf. Die schrille Stimme eines Dienstmädchens entweihte die heilige Stille, und eine Sintflut von Wasser ergoss sich über die Gebeine des dahingestreckten Märtyrers! Der eingeweichte Held sprang unter Prusten und Schütteln auf, ein Ton wie von einem Wurfgeschoss schwirrte durch die Luft, vermischt mit einem halblauten Fluch; ein Klirren wie von zersplitterndem Glas folgte, und – eine kleine, undeutliche Gestalt verschwand eiligst über den Zaun und schoss in die Dunkelheit hinein.

Nicht lange danach prüfte Tom, schon zum Schlafengehen ausgezogen, bei schwachem Kerzenschein seine durchnässten Kleider. Da wachte Sid auf. Aber wenn er auch nur die geringste Absicht gehabt hätte, sich für Vergangenes zu rächen, so zog er es wohlweislich vor, dies vorläufig noch aufzuschieben – denn aus des Bruders Augen blitzte Gefahr. Tom kroch ins Bett, ohne sich erst mit so überflüssigen Schikanen wie Beten und Waschen aufzuhalten – eine Unterlassungssünde, von der jedoch unser Sid getreulich Notiz nahm.

4. KAPITEL

Die Sonne ging auf über einer feiertagsstillen Welt und strahlte herab auf das friedliche Städtchen wie ein Himmelssegen. Nach dem Frühstück hielt Tante Polly Familienandacht. Sie begann mit einem Gebet, das sich auf soliden Schichten biblischer Zitate aufbaute, die ein dünner Mörtel eigener Gedanken mühsam zusammenhielt; und von dem Gipfel dieses stolzen Gebäudes – wie vom Berge Sinai herab – verkündete sie ein grimmiges Kapitel aus den fünf Büchern Mose. Sodann gürtete Tom seine Lenden – wenn man so sagen darf – und machte sich daran, seine Sonntagsschulaufgabe zu pauken; Sid hatte seine Lektion natürlich schon am Tage zuvor gelernt. Mit beträchtlicher Energie stürzte sich Tom auf seine fünf Bibelsprüche – und zwar wählte er sie aus der Bergpredigt, denn kürzere konnte er nicht finden. Nach Ablauf einer halben Stunde hatte er denn auch ganz glücklich eine blasse, verschwommene Ahnung von seiner Lektion, viel mehr aber nicht, denn sein Geist hatte unterdessen das ganze weite Feld menschlichen Denkens durchflogen, und seine Hände waren rastlos beschäftigt mit allerlei angenehmen, ablenkenden Zerstreuungen. Schließlich nahm Mary das Buch, um ihn abzuhören, und mühsam versuchte er sich durch seine nebelhaften Vorstellungen zu bahnen. »Selig sind die ... äh ... äh ...«

»Da geistig ...«

»Ach ja – die da geistig ...«

»Arm ... arm sind. Selig sind, die da geistig arm sind, denn sie ... sie ...«

»Ihrer …«

»Richtig, denn ihrer. Selig sind, die da geistig arm sind, denn ihrer … ist das Himmelreich. Selig sind, die da Leid tragen, denn … sie … sie …«

»S …«

»Denn sie-e …«

»So-o …«

»Denn sie so-s, ach, weiß der Teufel, wie das heißt.«

»Sollen …«

»Ach so, sollen! Denn sie sollen, denn sie sollen … äh … Leid tragen. Selig sind, die da sollen … die da … äh … Leid tragen. Denn sie sollen … sollen? Was, zum Kuckuck, sollen sie denn? Sag mir's doch endlich, Mary, sei doch nicht so eklig!«

»Aber Tom, was bist du doch für 'n Dummkopf! Da hilft dir nix, du musst's eben noch mal lernen. Na los, es wird schon hängen bleiben, und wenn du's kannst, dann schenk ich dir auch was, was Wunderschönes, sag ich dir.«

»Na gut, aber was denn, Mary? Sag mir erst, was es ist.«

»Fällt mir gar nicht ein. Du weißt, wenn ich sage, es ist was Schönes, dann ist es auch was Schönes.«

»Hm, also gut – ich versuch's noch mal.«

Und er versuchte es noch mal, und zwar, unter dem doppelten Ansporn von Neugier und lockendem Gewinn, mit glänzendem Erfolg. Und Mary schenkte ihm ein funkelnagelneues Taschenmesser, »echt Horn«, das unter Brüdern mindestens seine zwölfeinhalb Cent wert war und das ihn in einen wahren Taumel von Entzücken versetzte. Allerdings, schneiden tat's nicht gerade besonders gut, aber es war immerhin so scharf, dass man damit Kerben in den Tischrand schnitzen konnte; doch als er es eben auch noch

34

an der Schrankecke probieren wollte, wurde er gerufen; er sollte sich für die Sonntagsschule fertig machen. Mary reichte ihm eine Blechschüssel und ein Stück Seife. Er nahm beides und begab sich damit in den Hof, setzte die Schüssel auf eine kleine Bank, tauchte die Seife ins Wasser und legte sie daneben. Nun krempelte er die Ärmel hoch und goss das Wasser vorsichtig auf den Boden aus; dann ging er in die Küche zurück und begann eiligst sein trockenes Gesicht abzuwischen. Doch Mary ließ sich nichts vormachen. »Aber Tom!«, rief sie und riss ihm das Handtuch weg. »Du hast wohl Angst, du könntest mal sauber werden, was?«

Nun war er in der Klemme, denn die Schüssel wurde unerbittlich zum zweiten Mal gefüllt. Eine ganze Weile stand er davor, um sich Mut zu machen, holte dann tief Atem und – entschloss sich. Als er diesmal mit fest zusammengekniffenen Augen in der Küche nach dem Handtuch tastete, sah man Wasser und Seife, die Triumphzeichen seiner heldenhaften Selbstbezwingung, von seinem Gesicht heruntertropfen. Aber als das Handtuch fiel, zeigte es sich, dass er immer noch nicht Marys unersättlichen Sauberkeitsansprüchen genügte, denn das saubere Gebiet hörte wie eine Maske kurz vor dem Kinn und den Backenknochen auf, jenseits dieser Linie hingegen – von der Stirn abwärts über Hals und Nacken – breitete sich eine schwärzliche Fläche unberührten Schmutzes aus. Da nahm ihn Mary unter ihre Finger, und als sie von ihm abließ, bot er einen durchaus menschenwürdigen Anblick, ohne irgendwelche Farbunterschiede. Sein Haar war ordentlich gebürstet und seine kurzen Locken in eine anmutig wirkende Form gebracht. Diese Locken erfüllten übrigens sein Leben mit Bitternis, denn er fand sie weibisch und scheute weder Arbeit noch

Mühe, sie mit Fett und Wasser so dicht wie möglich am Kopfe anzukleben. Nun brachte Mary seinen Sonntagsanzug, den er seit zwei Jahren nur an diesem heiligen Tage trug. Er wurde schlicht »der andere Anzug« genannt, woraus man leicht auf den Umfang seiner Garderobe schließen kann. Nachdem er sich angezogen hatte, zupfte Mary noch verbessernd an ihm herum, knöpfte ihm die Jacke zu, zog ihm den großen Hemdkragen herunter, bürstete ihn noch einmal ab und »krönte« ihn mit seinem gesprenkelten Strohhut. Er sah nun richtig anständig und unbehaglich aus – und er fühlte sich wahrscheinlich noch unbehaglicher, als er aussah, denn er hatte nun einmal eine unüberwindliche Abneigung gegen ganze und saubere Kleider – eine tief eingewurzelte Abneigung. Wenn Mary doch wenigstens seine Stiefel vergessen würde! Aber diese Hoffnung war leider vergeblich, denn ehe er sich's versah, standen sie, fein mit Talg eingeschmiert, vor ihm. Da war's aber aus mit seiner Geduld, und er brummte und maulte, dass er ausgerechnet immer gerade das tun sollte, wozu er nun mal absolut keine Lust hätte. Mary aber redete ihm gut zu: »Komm, Tom, sei ein lieber Junge«, und brachte ihn schließlich so weit, dass er – wenn auch mit bedrohlichem Knurren – in die Stiefel fuhr. Bald war auch Mary fertig, und die drei Kinder gingen zur Sonntagsschule, ein Ort, der Tom gründlich verhasst war. Aber Sid und Mary gingen gern dorthin.

Die Sonntagsschule dauerte von neun bis halb elf und fand vor dem Gottesdienst in der Kirche statt, die mit ihren hochlehnigen ungepolsterten Kirchenstühlen etwa dreihundert Personen Platz bot. Die Kirche war klein und schmucklos und trug als Turm eine Art Kasten aus Fichtenholz. Die Kinder strömten von allen Seiten herbei; Tom zögerte an der Tür, ließ die andern vorangehen und wandte sich an einen sonntäglich herausgeputzten Jungen: »Sag mal, Bill, hast du 'n gelben Zettel?«

»Ja.«

»Was willst du dafür haben?«

»Sag erst, was du geben willst.«

»Hm, 'ne Zuckerstange und 'nen Angelhaken.«

»Lass mal sehen!«

Tom wies seine Tauschobjekte vor, Bill fand sie des Zettels wert, und das Geschäft wurde abgeschlossen. Gegen ähnliche kostbare Artikel erhandelte er noch drei rote und zwei blaue Zettel von ihm, und nach Ablauf einer Viertelstunde hatte er allen möglichen Jungens weitere Zettel in den verschiedenen Farben zu günstigen Bedingungen abgekauft, bis er eine stattliche Anzahl davon beisammenhatte. Dann trat er mit einem Schwarm sauber gewaschener, lärmender Jungen und Mädchen in die Kirche und setzte sich auf seinen Platz, wobei er natürlich mit dem erstbesten Jungen, der ihm in den Weg kam, in Streit geriet. Der Lehrer, ein ernster älterer Mann, brachte sie auseinander; aber kaum drehte er ihm einen Augenblick den Rücken zu, hatte Tom schon blitzschnell einen Jungen in der Vorderbank an den Haaren gezogen, war dann aber vollkommen in sein Buch vertieft, als der sich umdrehte. Einem andern versetzte er einen Stich mit einer Stecknadel, damit der »Au« schrie, und wurde erneut vom Lehrer zurechtgewiesen.

Toms ganze Klasse war wie er: unruhig, lärmend und voller Streiche. Wenn's ans Aufsagen der Sprüche ging, konnte kein Einziger fehlerlos und ohne Hilfe des Lehrers ans Ende kommen, aber mit Mühe und Not schafften sie es, und als Belohnung für zwei aufgesagte Verse erhielten sie einen kleinen blauen Zettel mit einem Bibelspruch. Zehn blaue Zettel konnten für einen roten eingetauscht werden, zehn rote für einen gelben; und für zehn gelbe bekam man vom Herrn Vikar eine äußerst einfach gebundene Bibel, die vielleicht vierzig Cent wert war. Wie viele meiner Leser besäßen wohl den Fleiß und die Ausdauer, zweitausend Bibelsprüche auswendig zu lernen, selbst für eine Prachtbibel mit Bildern von Doré? Und doch hatte Mary sich schon zwei Bibeln auf diese Weise erworben – durch die geduldige, mühevolle Arbeit zweier Jahre. Ja, ein Junge deutscher Abstammung hatte sogar schon vier oder fünf bekommen! Der hatte einmal dreitausend Sprüche ohne zu stocken aufgesagt, aber diese Anspannung war für seine geistigen Kräfte zu groß gewesen, und seit der Zeit ähnelte er einem Idioten. Ein trauriges Missgeschick für die Schule, denn gerade diesen Jungen hatte der Herr Vikar bei Besuchen oder andern besonderen Anlässen immer aufgerufen und sich mit ihm »dickegetan«, wie Tom sich wenig respektvoll ausdrückte.

Nur die verständigen Schüler gaben sich die Mühe, ihre Zettel aufzuheben und so lange auszuharren, bis sie Anspruch auf eine Bibel hatten. Aber dadurch wurde auch die Preisverleihung zu einem seltenen, bemerkenswerten Ereignis, und der glückliche Erwerber erschien an einem solchen Ehrentage so groß und erhaben, dass beim Anblick seiner Größe in eines jeden Schülers Brust ein glühender Ehrgeiz entflammte, der oftmals sogar viele Wochen anhielt. Es ist kaum anzunehmen, dass Toms Streben jemals auf den Besitz einer solchen Bibel gerichtet war, aber zweifellos sehnte er sich mit seinem ganzen Wesen nach dem Ruhm und dem Glanz, den eine solche Preisvergabe dem glücklichen Sieger verlieh. Als es Zeit war zu beginnen, trat der Herr Vikar vor die Kanzel, in der Hand ein geschlossenes Gesangbuch, den Zeigefinger zwischen die Seiten geschoben, und gebot Ruhe. Wenn ein Sonntagsschulvikar seine übliche kleine Ansprache hält, ist ihm ein Gesangbuch in der Hand so notwendig wie das ausgebreitete Notenblatt dem Sänger, der auf dem Podium steht und im Konzert ein Solo singt. Das Warum bleibt ein Rätsel, denn weder das Gesangbuch noch das Notenblatt wird von dem Betreffenden je eines Blickes gewürdigt.

Der Herr Vikar war ein dünnes, schmächtiges Männchen von etwa fünfunddreißig Jahren. Er trug einen steifen Stehkragen, dessen oberer Rand beinahe seine Ohren berührte und dessen scharfe Spitzen fast bis zur Höhe seiner Mundwinkel reichten – wodurch er gezwungen war, immer steif geradeaus zu sehen und den Körper vollständig umzuwenden, wenn er zur Seite schauen wollte. Sein Kinn ruhte auf einer riesigen Krawatte mit ausgefransten Enden. Seine Schuhspitzen waren, wie es der Mode entsprach, scharf nach oben gebogen, wie Schlittenkufen – eine Wirkung, die von den jungen Männern mühsam und geduldig erzielt wurde, indem sie sich hinsetzten und die Zehen stundenlang gegen eine Wand pressten. Mr Walters hatte ein sehr ernstes Aussehen und ein braves, biederes Gemüt. Vor heiligen Dingen empfand er eine ungeheure Ehrfurcht, und alles, was mit ihnen zusammenhing, hielt er so streng von weltlichen Angelegenheiten getrennt, dass sogar seine Stimme in der Sonntagsschule einen ganz anderen Ton hatte als am Werktag.

Er begann also folgendermaßen: »Nun, Kinder, sitzt ein-

39

mal alle so hübsch ruhig und gesittet, wie ihr könnt, und hört mir ein paar Minuten ganz aufmerksam zu. Ja, jetzt ist's recht! So schickt es sich für artige kleine Jungen und Mädchen. Da sehe ich noch ein kleines Mädchen, das zum Fenster hinausschaut; ich glaube, es meint, ich säße da droben auf dem Baum und spräche dort zu den kleinen Vögelein.« (Beifälliges Kichern.) »Zunächst also möchte ich euch sagen, wie wohl es mir tut, so viele saubere, frohe kleine Gesichter an diesem Ort zu sehen, wo man lernen soll, gut und brav zu sein und das Rechte zu tun.«

In diesem Stil ging's weiter. Es ist wohl nicht nötig, den Rest dieser rednerischen Leistung niederzuschreiben. Sie hielt sich an die üblichen Vorlagen, die sich niemals verändern und die uns allen nur zu gut bekannt sind.

Das letzte Drittel der Rede wurde allerdings gestört durch Stöße und Püffe und andere Ungezogenheiten vonseiten der schwarzen Schafe aus der kleinen Gemeinde. Ein Raunen und Flüstern entstand, das sich mehr und mehr ausbreitete und selbst so unerschütterliche Felsen wie Sid und Mary zu unterspülen drohte. Aber jetzt, bei dem schlussandeutenden Sinken von Mr Walters' Stimme, hörte das Summen plötzlich auf und der Schluss selbst wurde mit dem Ausdruck dankbaren Schweigens entgegengenommen.

Der Grund des allgemeinen Flüsterns war aber einem ganz außerordentlichen und seltenen Ereignis zuzuschreiben: Es war Besuch gekommen, nämlich der Rechtsanwalt Thatcher in Begleitung von zwei Herren, einem alten, schwächlich aussehenden und einem jüngeren, stattlichen mit schon stark ergrautem Haar. Voran ging eine Dame, jedenfalls die Frau des jüngeren, die ein kleines Mädchen an der Hand führte. Tom war bis dahin schlecht gelaunt und unruhig gewesen, denn er hatte Gewissensbisse. Er konnte Amy Lawrence nicht in die Augen sehen, ihre liebesheißen Blicke waren ihm unerträglich. Als er nun aber die kleine Fremde erblickte, war sein Herz im Nu erfüllt von seligem Entzücken. Sofort begann er mit allen Kräften sich aufzuspielen, puffte seine Nachbarn, zupfte sie an den Haaren, schnitt Gesichter – kurz, er wandte alle jene Künste an, die geeignet sind, ein Mädchen zu bezaubern und seinen Beifall zu gewinnen. Nur ein bitterer Tropfen mischte sich in seine Wonne – der Gedanke an die Demütigung, die er in dieses Engels Garten erfahren hatte; aber diese Erinnerung glich nur einer leichten Spur im Sande und war sofort hinweggespült von den Wogen des Glücks, die ihn jetzt überfluteten.

Den Gästen wurde der höchste Ehrenplatz angewiesen und sobald Mr Walters' Rede zu Ende war, wurden sie der Schule vorgestellt. Der Herr in mittleren Jahren entpuppte sich als eine gewaltige Persönlichkeit. Er war nichts weniger als der höchste Richter des Kreises – gewiss das erhabenste Produkt der Schöpfung, das den Kindern je vor Augen gekommen war. Sie grübelten darüber nach, aus welcher Art von Stoff der wohl gemacht sei, und halb waren sie begierig darauf, seine Herrscherstimme zu vernehmen, und halb fürchteten sie sich davor. Er war aus Constantinople, zwölf Meilen flussabwärts – ein weit gereister Mann mithin, der die Welt kannte. Diese Augen hatten also auf dem Kreisgerichtsgebäude geruht, von dem man sich erzählte, dass es ein richtiges Zinndach habe! Die ehrfurchtsvolle Scheu, die solche Gedanken erweckten, drückte sich in dem atemlosen Schweigen aus und in den Reihen starr

41

auf ihn gerichteter Blicke. Das also war er, der große Kreisrichter Thatcher, der Bruder ihres Rechtsanwalts! Sofort
trat Jeff Thatcher aus der Bank, um den großen Mann zu
begrüßen, und das Flüstern, das ihn umgab, klang in seinem Herzen wie süße Musik.

»Guck doch bloß, Jim, guck doch, er geht wirklich hin!
Und jetzt gibt er ihm die Hand! – Tatsächlich, er tut's!
Donnerwetter, wenn du jetzt Jeff wärst, he?«

Nun begann der Vikar sich wichtig zu tun, indem er mit
allen Gesten offizieller Würde und Geschäftigkeit hin und
her rannte, Befehle gab, Lob und Tadel verteilte – wie's gerade kam und wo er nur irgendetwas anbringen konnte.
Der Bibliothekar tat sich wichtig, indem er mit den Armen
voll Bücher umherlief und dabei einen Spektakel machte,
der ihm zur Vorführung seines Amtes unerlässlich schien.
Die jungen Lehrerinnen, die in den verschiedenen Fächern
unterrichteten, taten sich ebenfalls wichtig. Süß lächelnd
neigten sie sich über kleine Schülerinnen, die sie kurz zuvor
noch schubsend zurechtgewiesen hatten, hoben liebevoll
warnend den Finger vor den ungezogenen Jungens und be-
dachten die Braven mit zärtlichem Streicheln. Die jungen
Lehrer taten sich wichtig, indem sie ihrer Schülerschar
ernste Strafpredigten hielten als offenkundigen Beweis
ihrer Autorität und strengen Disziplin. Alle Unterrichten-
den beiderlei Geschlechts hatten ganz erstaunlich viel in
der Leihbücherei nahe der Kanzel zu tun, und zwar gab es
dort so viel Arbeit, dass sie zwei- oder dreimal hin- und
herlaufen mussten, worüber sie sich gewaltig zu ärgern
schienen. Auch die kleinen Mädchen taten sich wichtig, in
den verschiedensten Variationen, und die Jungens taten
sich wichtig mit solchem Eifer, dass die Luft ganz voll war

von Papierkugeln und von den Geräuschen kleiner Balgereien. Und auf all dies sah der große Mann herab, ließ sein majestätisches Richterlächeln über das ganze Haus erstrahlen und wärmte sich an dem Glanz seiner eigenen Größe, denn er – tat sich erst recht wichtig.

Etwas nur fehlte, um Mr Walters' Glück vollkommen zu machen, und dies eine war die Möglichkeit, einen Bibelpreis zu vergeben und eines seiner Wunderkinder vorzuführen. Nur wenige Schüler konnten ein paar gelbe Zettel aufweisen, keiner aber besaß die nötige Anzahl, wie er bei einer Umfrage unter den »Glanzlichtern« leider feststellen musste. Was hätte er dafür gegeben, wenn sein deutscher Junge nur für eine Sekunde seinen gesunden Menschenverstand wiedergehabt hätte! Da, im letzten Augenblick, als es schon kaum noch Hoffnung gab, trat Tom Sawyer vor mit neun gelben, neun roten und zehn blauen Zetteln – trat vor und verlangte eine Bibel! Das wirkte wie ein Blitzschlag aus heiterem Himmel! Der Herr Vikar hätte alles eher erwartet als ein solches Ansinnen aus dieser Sphäre – wenigstens für die nächsten zehn Jahre. Aber die unglaubliche Tatsache war nicht zu leugnen: Die geforderte Anzahl von Scheinen war vorhanden und daran war nicht zu rütteln. Tom wurde also vor den Kreisrichter und die anderen Auserlesenen geführt, und von diesem Ehrenplatz aus wurde das erstaunliche Ereignis verkündet. Es war die verblüffendste Überraschung des Jahrzehnts, und so überwältigend war der Eindruck, dass er den neuen Helden beinahe auf die Höhe des Kreisrichters hob und die Schule nun zwei Weltwunder auf einmal zu bestaunen hatte. Die Jungens verzehrten sich vor Neid; die bittersten Qualen aber litten diejenigen, die nun erkennen mussten, dass sie selbst zu diesem verhassten Ruhm beigetragen hatten, indem sie ihre Zettel an Tom verschacherten, und zwar für Reichtümer, die er durch den Verkauf seiner Tünchprivilegien ange-häuft hatte; und sie verachteten sich selbst als die überlis-teten Opfer eines elenden Betrügers.

Nun wurde Tom der Preis überreicht mit so vielen sal-bungsvollen Worten, wie der Vikar nur irgend bei einer solchen Gelegenheit anzubringen vermochte. Aber der richtige Schwung schien ihm dennoch zu fehlen, denn sein Instinkt sagte ihm, dass hier ein Geheimnis verborgen liege, das womöglich das Tageslicht zu scheuen habe. Denn es war einfach ein Ding der Unmöglichkeit, dass dieser Junge zweitausend Körner biblischer Weisheit in den Vorrats-kammern seines Geistes aufgespeichert haben solle – dieser Junge, dessen Fähigkeiten nicht ausgereicht hätten, nur ein Dutzend dieser köstlichen Früchte einzuheimsen. Amy Lawrence war stolz und glücklich und gab sich alle Mühe, Tom dieses in ihren Augen lesen zu lassen, er aber wollte nicht hinsehen. Sie wunderte sich darüber; dann wurde sie unruhig und schließlich stieg ein leiser Verdacht in ihr auf, verflog – und kam wieder. Sie passte auf; ein verstohlener Blick, den sie auffing, sagte ihr Welten – und dann brach ihr Herz. In eifersüchtigem Zorn vergoss sie heiße Tränen und sie hasste die ganze Welt – Tom aber am allermeisten.

Nun wurde Tom dem Kreisrichter vorgestellt, aber seine Zunge war wie gelähmt. Er konnte kaum atmen. Sein Herz klopfte, teils wegen der Schwindel erregenden Größe des Mannes, hauptsächlich aber, weil er ihr Vater war. Er hätte anbetend vor ihm niederknien mögen, wenn's nur dunkel gewesen wäre. Der Richter legte die Hand auf Toms Kopf, nannte ihn einen tüchtigen kleinen Mann und fragte, wie er

heiße. Der Junge stammelte, stotterte und stieß endlich mühsam vor: »Tom.«

»Oh nein, nicht Tom, sondern ...«

»Thomas.«

»Ach, so ist's recht, ich dachte doch gleich, es müsste noch etwas fehlen. Du hast aber sicher noch einen Namen, nicht wahr, und den wirst du mir doch auch sagen wollen?«

»Nenne dem Herrn deinen ganzen Namen«, mahnte der Vikar, »und sage auch ›Herr Kreisrichter‹. Du musst doch zeigen, dass du weißt, was sich gehört!«

»Thomas Sawyer, Herr Kreisrichter.«

»So ist's recht, so lob ich's mir. Bist ein prächtiger Bursche! Wirklich ein famoser kleiner Kerl! Zweitausend Bibelsprüche sind eine ganze Masse, wahrhaftig! Aber es wird dich nie gereuen, dass du dir so viel Mühe gegeben hast, sie zu lernen, denn Wissen ist mehr wert als alles andere in der Welt, und nur wer etwas gelernt hat, wird ein guter und großer Mann im Leben. Auch du wirst eines Tages ein guter und großer Mann werden, Thomas, und dann wirst du auf deine Jugend zurückblicken und sagen: ›Das alles verdanke ich den unbezahlbaren Wohltaten, die ich durch die Sonntagsschule genossen, verdanke ich meinen lieben Lehrern, die mich zum Lernen anhielten, dem guten Herrn Vikar, der mich immer anspornte und mir eine wundervolle Bibel schenkte, eine kostbare, elegante Bibel, die ich immer behalten durfte und die mir ganz allein gehörte, und alles, alles verdanke ich meiner guten Erziehung!‹ So wirst du einst sagen, Thomas, und für kein Geld der Welt würdest du dir diese zweitausend Sprüche abkaufen lassen – nein, für kein Geld der Welt! Und jetzt willst du gewiss der Dame hier und mir etwas erzählen von dem, was du gelernt hast – das tust du doch gern, nicht wahr? Denn sieh, wir sind stolz auf kleine Jungens, die etwas wissen. Sicherlich kennst du die Namen von allen zwölf Jüngern des Herrn? Nun sag einmal, wie heißen die zwei, die er zuerst erwählt hat?«

Tom drehte an einem Knopf seiner Jacke und machte ein schafsdummes Gesicht. Er war glühend rot und senkte die Augen. Mr Walters' Herz sank mit. Ach, er wusste nur zu gut, dass dieser Junge unmöglich die allereinfachste Frage beantworten konnte; warum musste der Kreisrichter auch gerade an ihn geraten! Dennoch fühlte er sich veranlasst, ermunternd zu sagen:

»Antworte dem Herrn, Thomas. Du brauchst dich nicht zu fürchten.«

Tom wurde röter und röter.

»Ich weiß, mir wirst du's sicher sagen«, mischte sich nun auch die Dame ins Gespräch, »also die Namen der beiden ersten Jünger waren ...«

»David und Goliath!« ...

Decken wir den Schleier der Verschwiegenheit über den Rest dieser Szene.

5. KAPITEL

Gegen halb elf Uhr begann die gesprungene Glocke der kleinen Kirche zu läuten und sogleich strömten die Leute zur Morgenandacht herbei. Die Sonntagsschulkinder zerstreuten sich im ganzen Gebäude und gingen zu den Plätzen ihrer Eltern, denn sie sollten unter deren Aufsicht hier bleiben. Als Tante Polly kam, setzten sich Tom, Sid und Mary neben sie, wobei Tom auf der Seite bei der Kanzel untergebracht wurde, um so weit wie möglich vom offenen Fenster und vom verführerischen Sommer draußen entfernt zu sein. Die Andächtigen schritten im Gänsemarsch durch das Kirchenschiff. Der alte bedürftige Postmeister, der schon bessere Tage gesehen hatte; der Bürgermeister und seine Frau – denn es gab im Städtchen neben vielen anderen unnützen Dingen auch einen Bürgermeister; der Friedensrichter; die Witwe Douglas, eine schöne, schmucke, ungemein gutherzige und wohltätige Frau von vierzig Jahren, deren stolzes Haus auf dem Hügel das gastlichste und reichste war, das St. Petersburg aufzuweisen hatte; der altersgebeugte, ehrwürdige Major Ward und seine Gattin; Rechtsanwalt Riverson, schon von weitem eine Respektsperson; und hinter ihm die Schönheit des Städtchens, gefolgt von einer Schar in feinsten Batist gekleideter und mit Bändern geschmückter junger Herzensbrecher, und danach, in einem Haufen, sämtliche jungen Angestellten des Ortes, die, an ihren Stockgriffen knabbernd, in der Vorhalle gestanden hatten, bis das allerletzte Mädchen vor dieser Mauer wohl pomadisierter, einfältig lächelnder Bewunderer Spießruten gelaufen war. Und zuallerletzt kam der Musterknabe Willie Mufferson, der seine Mutter mit so behutsamer Sorgfalt am Arm führte, als wäre sie aus geschliffenem Glas. Er brachte sie stets in die Kirche und war der Liebling aller alten Matronen, aber die Jungen hassten ihn, denn er war scheußlich brav und wurde ihnen ständig als gutes Beispiel vorgehalten. Wie jeden Sonntag hing ihm auch heute »zufällig« der Zipfel seines blütenweißen Taschentuches hinten aus der Tasche heraus. Tom hatte kein Taschentuch, und jeder Junge, der eins hatte, war in seinen Augen nichts weiter als ein Protz.

Als die Gemeinde vollzählig versammelt war, läutete die Glocke noch einmal zur Mahnung für die Nachzügler und Säumigen, und dann senkte sich über die Kirche eine feierliche Stille, die nur unterbrochen wurde durch das Kichern und Wispern des Chors auf der Galerie. Der Chor kichert und wispert überall und immer während des Gottesdienstes. Es soll einmal einen Chor gegeben haben, der sich ruhig verhielt, aber ich habe vergessen, wo es war – es ist schon lange her, sodass ich mich kaum noch daran erinnern kann; aber ich meine, es wäre in einem fremden Lande gewesen.

Der Pfarrer gab den Choral an und las ihn genussvoll vor, in einem besonderen Stil, der in jenem Teil des Landes sehr bewundert wurde. Seine Stimme begann in mittlerer Tonlage, steigerte sich dann stetig, bis ein gewisser Punkt erreicht war, wo sie das im höchsten Ton gesprochene Wort stark unterstrich, um dann wie von einem Sprungbrett hinabzustürzen.

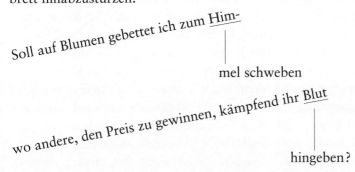

Soll auf Blumen gebettet ich zum Him-

mel schweben

wo andere, den Preis zu gewinnen, kämpfend ihr Blut

hingeben?

Er galt als ausgezeichneter Vorleser. Bei kirchlichen »Geselligkeiten« wurde er stets aufgefordert Gedichte vorzutragen, und wenn er damit fertig war, hoben die Damen die Hände und ließen sie hilflos in den Schoß fallen, verdrehten die Augen und schüttelten den Kopf, als wollten sie sagen: »Worte können es nicht ausdrücken, es ist zu wunderbar, *zu* wunderbar für diese sterbliche Welt.«

Nachdem der Choral gesungen war, verwandelte sich Hochwürden Mr Sprague in ein Anschlagbrett und las »Bekanntmachungen« vor von Versammlungen und Vereinen und dergleichen mehr, bis es schien, als wolle seine Liste sich bis zum Tag des Jüngsten Gerichts hinziehen – ein merkwürdiger Brauch, der in Amerika selbst im Zeitalter der ungeheuer zahlreichen Zeitungen sogar in den Großstädten noch beibehalten wird. Je weniger ein traditioneller Brauch sich rechtfertigen lässt, desto schwerer ist es häufig, ihn loszuwerden.

Und nun sprach der Pfarrer das Gebet. Es war ein ordentliches, großzügig bemessenes Gebet und ging sehr ins Detail. Es flehte für das Heil der Kirche, für die Kinder der Kirche, für die anderen Kirchen des Städtchens, für das Städtchen selbst, für den Bezirk, für den Staat, für die Behörden, für die Vereinigten Staaten, für die Kirchen der Vereinigten Staaten, für den Kongress, für den Präsidenten, für die Regierungsbeamten, für die armen Matrosen auf sturmgepeitschter See, für die Millionen von Unterdrückten, die unter dem Joche europäischer Monarchen und orientalischer Despoten schmachteten, für jene, denen das Heil und die Frohe Botschaft verkündet wurde und die dennoch nicht Augen haben zu sehen und Ohren zu hören, für die Heiden auf den weiten Inseln des Meeres – und es schloss mit der Bitte, dass seine Worte Gunst und Gnade fänden und, wie die Saat, die in fruchtbare Erde gesenkt wird, eine reiche Ernte des Guten hervorzubringen vermögen. Amen.

Dann war das Rascheln von Kleidern zu hören, und die stehende Gemeinde setzte sich. Der Junge, dessen Geschichte dieses Buch erzählt, hatte keinen großen Gefallen an diesem Gebet. Er hielt es für das Beste, es einfach über sich ergehen zu lassen und gar nicht zuzuhören. Aber da er die regelmäßig wiederkehrende Litanei fast im Schlaf kannte, erfasste sein Ohr im Nu auch die kleinste Einfügung selbst des unbedeutendsten neuen Gedankens, und über so etwas empörte sich sein ganzes Gemüt, denn er hielt Hinzufügungen für tückisch und gemein.

Mitten im Gebet setzte sich auf einmal eine Fliege auf die

Rückenlehne des Kirchenstuhles vor ihm und erledigte dort ihre Toilette mit so ruhiger Gelassenheit, als fühlte sie sich vollkommen sicher. Und sie war es auch. Denn sosehr es Tom auch in den Fingern juckte, sie zu erwischen, so traute er sich doch nicht, denn er glaubte, seine Seele würde augenblicklich verdammt, wenn er etwas Derartiges mitten im Gebet wagte. Aber kaum war der Schlusssatz gesprochen, da krümmte sich auch schon seine Hand und schlich sich vorwärts, und als das Amen ertönte, war die Fliege eine Kriegsgefangene.

Nun las der Pfarrer den Bibeltext vor und ließ sich so eintönig über sein Thema aus, dass mehr als nur ein Kopf immer tiefer herabsank; und als er dann das Los der zu himmlischer Seligkeit Erkorenen schilderte, hörte ihm nur noch eine so winzig kleine Schar zu, dass deren Erlösung sich kaum gelohnt hätte.

Tom zählte die Seiten, die der Pfarrer umschlug; nach dem Gottesdienst konnte er stets genau angeben, wie viel es gewesen waren, aber das war auch alles, was er über die Predigt wusste. Diesmal wurde aber doch für eine kleine Weile sein Interesse geweckt, und zwar als der Geistliche ein großartiges, bewegendes Bild entwarf von der Wiederauferstehung alles Irdischen im Paradies, wo Löwe und Lamm nebeneinander ruhen und ein Kind sie am Gängelbande führen würde. Aber alle Belehrung, alle moralischen Betrachtungen und alles Pathos, mit dem das Schauspiel vorgeführt wurde, glitten an unserem Helden ab – er dachte nur an das Aufsehen, das der Darsteller einer solchen Glanzrolle bei dem versammelten Publikum erregen würde, und wünschte sich nichts sehnlicher, als dieses Kind sein zu dürfen – sofern der Löwe ein zahmer Löwe wäre.

Bei der nun folgenden trockenen Schlussbetrachtung litt er wieder qualvolle Langeweile. Da erinnerte er sich glücklicherweise eines wertvollen Besitzes und holte ihn hervor. Es war ein großer, schwarzer Küchenkäfer mit furchtbaren Zangen – »Kneifkäfer« nannte ihn Tom –, der in der Zündholzschachtel eingesperrt war. Das Erste, was das befreite Tier tat, war, Tom in den Finger zu beißen; unwillkürlich schleuderte er den Käfer weg. Er flog ins Seitenschiff, wo er liegen blieb, und der verwundete Finger verschwand in Toms Mund. Der Käfer strampelte hilflos mit den Beinen, unfähig sich herumzudrehen. Tom sah es und hätte ihn gar zu gern wiedergehabt, aber es war unmöglich, ihn zu erreichen. Auch andere Leute, die ebenfalls der Predigt nicht zuhörten, fanden im Anblick des Käfers eine willkommene Ablenkung. Plötzlich kam, trübselig und träge, ein vagabundierender Pudel den Mittelweg daher; er schien der Ruhe in der Kirche und der unfreiwilligen Gefangenschaft höchst überdrüssig zu sein und nach Abwechslung zu lechzen. Als er den Käfer erspähte, hob sich sein müde herabhängender Schwanz voll Spannung in die Höhe. Ha, welche Beute! Er ließ sie nicht aus den Augen, beschnüffelte sie aus sicherer Entfernung, wurde kühner und beschnüffelte sie von nahem; schnappte im Spiel danach und wiederholte diesen lustigen Zeitvertreib, bis er schließlich wieder müde und teilnahmslos wurde. Seine Schnauze neigte sich tiefer und tiefer und auf einmal hatte der Käfer sich drin festgebissen. Ein schrilles Geheul ertönte, der Kopf des Pudels schnellte in die Höhe, der Käfer flog ein paar Meter weit fort und lag nun wieder hilflos auf dem Rücken. Die in der Nähe sitzenden Zuschauer stießen sich mit stillem Vergnügen an, einige Gesichter verschwanden hinter Taschentüchern, und Tom fühlte sich unbändig glücklich. Der Hund sah recht beschämt aus und war es wohl auch, aber in seinem Herzen loderte dennoch Unwillen und ein unbezähmbarer Rachedurst. Er sprang von neuem auf den Käfer los, umkreiste ihn mit tollen Sprüngen und bedrohte ihn abwechselnd mit Zähnen und Pfoten, wobei er so wütend mit dem Kopfe schüttelte, dass die Ohren auf und ab flogen. Aber nach einer Weile wurde es ihm wieder langweilig, er gähnte und seufzte, und da er den Käfer anscheinend ganz vergessen hatte, setzte er sich gerade auf die Stelle, wo er lag. Da – ein durchdringendes Gejaule, und der Pudel sprang Hilfe suchend auf einen Kirchenstuhl! Der Klagelaut wurde wütender und der Hund auch – jetzt tanzte er dicht vor dem Altar herum, raste das Kirchenschiff hinunter, sprang an der Tür in die Höhe und heulte, als ob er am Spieß steckte. In immer tollerer Angst drehte er sich wie ein verschwimmender Komet mit Blitzesschnelle im Kreise herum, bis der an die Grenzen des Wahnsinns Getriebene schließlich auf dem Schoß seines Herrn Schutz suchte. Von dort wurde er aus dem Fenster geworfen, und die unglücklichen Winseltöne verflüchtigten sich immer mehr, bis sie endlich in der Ferne erstarben.

Inzwischen saß die ganze Gemeinde rot vor unterdrücktem Lachen da. Die Predigt ging nur noch stockend und mit Unterbrechungen voran, und an Aufmerksamkeit war gar nicht mehr zu denken, denn selbst die heiligsten Gedanken wurden mit mühsam erstickter, höchst unheiliger Heiterkeit aufgenommen, als ob der arme Pfarrer sehr spaßhafte Dinge vorbrächte. Es war eine wahre Erleichterung für die ganze Gemeinde, als der Gottesdienst zu Ende und der Segen gesprochen war.

Tom schlenderte vergnügt heim und dachte, dass man bei einem Gottesdienst doch ganz nett auf seine Kosten käme, wenn nur ein bisschen für Abwechslung gesorgt würde. Aber eins war ärgerlich: Er hatte durchaus gewollt, dass der Hund mit seinem Kneifkäfer spielte, ihn mit sich fortschleppen jedoch, das war nun wirklich nicht anständig von ihm gewesen!

6. Kapitel

Am Montag erwachte Tom in sehr schlechter Laune. Das war ja eigentlich an jedem Montagmorgen der Fall, denn es fing doch wieder eine neue Woche an voller Plagen und Schulsorgen. Er begann diesen Tag fast immer mit dem Wunsch, es sollte lieber gar keinen Sonntag geben, denn nach einem Feiertag fühlte man die Fesseln der Gefangenschaft nur umso enger und drückender.

Er lag und dachte nach. Da fiel ihm auf einmal ein, wie herrlich es doch wäre, jetzt krank zu sein und nicht in die Schule gehen zu müssen. Das war ein wunderbarer Gedanke! Er untersuchte seinen ganzen Körper, aber bedauerlicherweise fand sich auch nicht das geringste Leiden. Er forschte von neuem. Diesmal glaubte er leise Anzeichen von kolikartigen Schmerzen festzustellen, die er hoffnungsvoll zu beleben versuchte, aber sie nahmen mehr und mehr ab und waren bald ganz und gar verschwunden. Also musste er etwas anderes finden. Und siehe da, schon hatte er etwas. Oben wackelte ein Zahn. Was für ein Glück! Schon wollte er anfangen zu stöhnen, »zur Einleitung«, wie er es nannte, als ihm glücklicherweise noch rechtzeitig einfiel, dass diese Krankheit nicht praktisch wäre, denn die Tante würde ihm einfach den Zahn ausreißen, und das tat mächtig weh. Er beschloss daher, den Zahn lieber als Reserve zu benutzen und sich nach etwas anderem umzusehen. Zuerst fiel ihm absolut nichts ein, dann erinnerte er sich, wie der Doktor einmal von einem Mann erzählt hatte, der irgendetwas, Tom wusste nicht mehr genau, was, wie Blutvergiftung oder so am Finger bekam, sodass schließlich beinahe die Hand abgenommen werden musste. Zum Glück hatte sich Tom neulich an seinem Zeh verletzt – das war zu verwerten! So zog er denn den Fuß eiligst unter der Decke hervor, um ihn genau zu untersuchen. Leider kannte er die nötigen Symptome nicht, über die er zu jammern hatte, aber probieren wollte er's auf alle Fälle. Und so begann er denn mit viel Eifer zu stöhnen. Sid aber schlief ruhig weiter. Tom stöhnte lauter und meinte auf einmal wirklich, in seinem Zeh Schmerzen zu spüren. Sid rührte sich nicht. Tom keuchte schon vor Anstrengung, er konnte fast nicht mehr. Er ruhte sich etwas aus, holte tief Atem und stieß dann eine ununterbrochene Tonleiter wahrhaft bewundernswerter echter Seufzer aus.

Sid schnarchte weiter. Da wurde Tom ärgerlich. »Sid, Sid, Sid!«, schrie er und gab ihm einen Stoß. Das wirkte – und nun ging das Stöhnen von neuem los. Sid gähnte, reckte sich, stützte sich knurrend auf den Ellbogen und starrte zu Tom hinüber. Der stöhnte weiter. »Was hast du denn, Tom?«, rief Sid. Keine Antwort. »Tom, hör doch, was ist denn los?« Und er rüttelte ihn und sah ihm angstvoll ins Gesicht.

Tom jammerte: »Ach, Sid, lass los, stoß mich doch nicht so.«

»Ja, was ist denn, Tom? Soll ich die Tante rufen?«

»Nein, bloß nicht! Es wird schon vorübergehen. Nicht rufen!«

»Aber ich muss doch, Tom. Stöhn doch bloß nicht so, das ist ja fürchterlich! Wie lange dauert's denn schon?«

»Stundenlang! Autsch! Wackel doch nicht so, Sid, du bringst mich ja um.«

»Warum hast du mich denn nicht schon früher geweckt? Ach, Tom, hör doch bloß auf, es geht einem ja durch Mark und Bein, wenn du so stöhnst. Sag doch, wo's dir wehtut!«

»Ich verzeih dir alles, Sid, was du mir mal angetan hast (Stöhnen). Alles, alles, Sid. Wenn ich tot bin ...«

»Oh Tom, du wirst doch nicht sterben? Nein, das tust du nicht, nicht wahr? Vielleicht ...«

»Ich verzeih allen Menschen, Sid (tiefes Stöhnen), sag's ihnen nur. Und, Sid, meinen Fensterrahmen und die einäugige Katze, nicht wahr, Sid, die gibst du dem Mädchen, das hier neu angekommen ist, und sag ihm ...«

Aber Sid war schon in seine Kleider gefahren und verschwunden. Tom hatte nun wirklich Schmerzen, so lebhaft arbeitete seine Phantasie, und sein Stöhnen klang erschreckend echt.

Sid flog die Treppe hinunter und schrie: »Tante Polly, Tante Polly, komm schnell, Tom stirbt!«

»Stirbt?«

»Ja doch, komm schnell!«

»Ach, Unsinn, wer das glaubt!«

Trotzdem aber stürzte sie die Treppe hinauf, Sid und Mary hinterher; und ihr Gesicht war ganz weiß und ihre Lippen zitterten. Als sie am Bett stand, keuchte sie: »Tom, was gibt's denn, was ist los?«

»Ach, Tante, ich ...«

»Was gibt's denn – sag doch nur, Kind, was fehlt dir?«

»Ach, Tante, ich ... ich ... mein schlimmer Zeh tut so schrecklich weh – ich glaub ... er ... ich glaub ... ich ... ich hab Blutvergiftung!« Die arme alte Tante sank in einen Stuhl, lachte ein bisschen, weinte ein bisschen, tat dann beides zusammen, was ihr so viel Erleichterung verschaffte, dass sie wieder Worte fand. »Tom, Bengel, wie hast du mich erschreckt. Jetzt aber genug mit dem Unsinn, und mach, dass du aus dem Bett kommst!«

Das Stöhnen hörte auf und aller Schmerz war aus dem Zeh verschwunden. Ganz kleinlaut sagte Tom: »Wirklich, es war, als wär's 'ne Blutvergiftung, Tante Polly, und es tat so weh, so furchtbar, dass ich nicht mal mehr an meinen Zahn gedacht hab.«

»An deinen Zahn? Nanu? Was ist denn mit dem los?«

»Ach, der wackelt und tut fürchterlich weh.«

»Na, schon gut, fang nur nicht wieder an zu stöhnen! Mund auf! Ja, der wackelt wirklich, aber daran stirbst du nicht! Mary, hol mir doch mal 'nen Seidenfaden und aus der Küche 'ne glühende Kohle mit der Feuerzange.«

»Och, bitte, Tantchen«, flehte Tom, »nicht rausziehn, er tut ja gar nicht mehr weh, wirklich, ich spür gar nichts mehr! Bitte nicht, Tantchen, ich will ja gar nicht mehr zu Hause bleiben.«

»Nicht zu Hause bleiben? Denk mal an, die Schule wolltest du schwänzen und fischen gehen, nicht wahr? Tom,

57

was soll nur aus dir werden! Da ist man so gut zu dir, und du denkst nur daran, wie du deiner alten Tante das Herz schwer machen kannst mit deinen Ungezogenheiten.«

Mittlerweile waren die zahnärztlichen Marterinstrumente herbeigeschafft worden. Die Tante band ein Ende des Seidenfadens mit einer Schlinge an Toms Zahn, das andere an den Bettpfosten, dann ergriff sie die Feuerzange mit der glühenden Kohle und fuhr damit auf Toms Gesicht los. Ein Ruck – und der Zahn hing baumelnd am Bettpfosten.

Aber jeder Schmerz bringt auch seine Belohnung mit sich. Als Tom nach dem Frühstück zur Schule ging, war er Gegenstand des Neides für alle Jungen, die er traf, denn seine neue Zahnlücke befähigte ihn, auf eine ganz neue, bewundernswerte Weise auszuspucken. Er zog einen ganzen Schwarm von Jungen hinter sich her, die seinen Leistungen mit Interesse folgten. Und einer, der bis dahin wegen eines schlimmen Fingers im Mittelpunkt der Aufmerksamkeit und Bewunderung gestanden hatte, fand sich plötzlich ohne Anhänger und all seines Glanzes beraubt. Das Herz wurde ihm schwer, und daher rief er mit einer Verachtung, die er aber durchaus nicht fühlte: »Ist auch schon was, so zu spucken wie Tom Sawyer.« Aber die andern höhnten: »Saure Trauben!« Und beschämt schlich er davon – ein gestürzter Held.

Dicht vor der Schule begegnete Tom dem jugendlichen Paria des Städtchens, Huckleberry Finn, dem Sohn des berüchtigten Trunkenboldes aus dem Ort. Huckleberry war gründlich gehasst und gefürchtet von allen Müttern der Stadt, weil er nach ihrer Ansicht faul war, frech und ordinär und ungezogen – und besonders, weil ihre eigenen Jungen ihn so bewunderten und rein versessen waren auf seine verbotene Gesellschaft, ja, sich sogar wünschten, so zu sein wie er. Tom war, wie alle andern anständigen Jungen, von Herzen neidisch auf Huckleberry wegen seiner ungebundenen Existenz; ihm war streng befohlen worden, ja nicht mit ihm zu spielen. Und so spielte er natürlich mit ihm, sooft sich nur eine Gelegenheit dazu bot.

Huckleberry steckte immer in alten, abgelegten Kleidern von Erwachsenen, die aussahen, als ob sie niemals neu gewesen wären, und die in Fetzen und Lumpen um ihn herumhingen. Sein Hut war die Ruine einer ehemaligen Kopfbedeckung, deren Krempe durch einen halbmondförmigen Riss vom Hauptteil getrennt war. Seine Jacke, wenn er überhaupt eine trug, ging ihm bis auf die Hacken, und die hinteren Knöpfe saßen etwa in der Gegend der Kniekehlen. Ein einziger Träger hielt seine Hosen, und die umfangreiche hintere Partie hing leer und sackartig herunter und blähte sich im Winde; die ausgefransten Hosenbeine schleiften im Straßenschmutz, wenn sie nicht zufällig aufgekrempelt waren. Huckleberry kam und ging, wie es ihm gerade passte. Bei schönem Wetter schlief er auf Treppenstufen und bei schlechtem in leeren Fässern, er brauchte weder in die Schule zu gehen noch in die Kirche, brauchte niemanden als Herrn anzuerkennen und keinem zu gehorchen. Er konnte schwimmen und fischen gehen, wann und wo er nur wollte, und so lange ausbleiben, wie es ihm beliebte. Niemand verbot ihm sich mit andern Jungens zu prügeln und abends wurde er von keinem Menschen ins Bett geschickt. Er war immer der erste Junge, der im Frühling barfuß lief, und der letzte, der im Herbst die Füße wieder in das dumme Leder steckte. Zu waschen brauchte er sich nie, zu kämmen auch nicht, ebenso wenig frische Wäsche anzuziehen, und fluchen konnte er wundervoll. Mit einem Wort: Alles, was das Leben schön und begehrenswert machte, dieser beneidenswerte Huckleberry besaß es. So dachte und fühlte jeder einzelne der geplagten, von allen Seiten eingeengten »anständigen« Jungens in St. Petersburg.

Tom begrüßte den romantischen Helden sofort: »Hallo, Huck!«

»Tag, Tom, guck mal.«

»Was hast du denn da?«

»'ne tote Katze.«

»Zeig her, Huck. Donnerwetter, ist die schon ordentlich steif! Woher hast du sie?«

»Gekauft von 'nem Jungen.«

»Was hast du dafür gegeben?«

»'ne Schweinsblase, die ich im Schlachthaus gefunden hab, und 'n blauen Zettel.«

»Woher hattest du denn den blauen Zettel?«

»Gekauft von Ben Rogers. Für 'nen Stock.«

»Sag mal, Huck, wozu braucht man tote Katzen?«

»Wozu? Na, Warzen mit wegzumachen.«

»Och, da weiß ich was viel Besseres dagegen.«

»Du? Wetten, dass es nix Besseres ist! Was is es denn?«

»Faules Wasser.«

»Faules Wasser? Da pfeif ich drauf!«

»Hast du's vielleicht probiert?«

»Ich nicht, aber Bob Tanner.«

»Wer hat dir das gesagt?«

»Na, er hat's Jeff Thatcher gesagt, und Jeff hat's Johnny Baker gesagt, und Johnny hat's Jim Hollis gesagt, und Jim hat's Ben Rogers gesagt, und Ben hat's 'nem alten Neger, und der hat's mir gesagt. Jetzt weißt du's.«

»So, und was noch? Und ich sag dir, sie haben alle gelogen, alle miteinander – bis auf den Neger, den kenn ich nicht, aber ich hab auch noch nie 'nen Neger gesehen, der nicht lügt, du? Aber jetzt erzähl mal, wie hat's Bob Tanner mit den Warzen gemacht?«

»Na, er nimmt seine Hand und taucht sie in 'nen faulen Baumstumpf, wo Regenwasser drin ist.«

»Am Tag?«

»Ja, natürlich.«

»Mit'm Gesicht zum Baum?«

»Ja. Ich glaub wenigstens.«

»Sagt er was dazu?«

»Ich weiß nicht genau, ich glaub nicht.«

»Na ja, da haben wir's. So 'n Schafskopf! Spricht davon, Warzen mit faulem Wasser wegzumachen, und stellt sich so blödsinnig an! Da kann's natürlich nicht die Bohne nützen. Nee, das macht man ganz anders. Da muss man mutterseelenallein in den Wald gehn, bis zu 'nem alten Baumstamm mit Wasser drin, und wenn's Mitternacht ist, dann stellt man sich mit'm Rücken zum Stumpf hin, steckt seine Hand rein und sagt:

Krächzt der Uhu, quakt der Frosch und die Nacht ist schwarz,
Faules Wasser, faules Wasser zaubert fort die Warz!

Und dann macht man die Augen zu und läuft schnell elf Schritt vorwärts, dreht sich dreimal um sich selbst und geht nach Hause, aber man darf kein Wort sprechen dabei, wenn man's tut, dann hilft der Zauber nicht.«

»Na ja, das hört sich an, als ob's klappen würde. Aber so hat's Bob nicht gemacht.«

»Nee, natürlich nicht, da kannst du Gift drauf nehmen, der hat doch jetzt noch die meisten Warzen in der ganzen Schule, und er würd nicht 'ne einzige mehr haben, wenn er das mit dem faulen Wasser richtig gemacht hätte. Ich hab schon tausend Warzen von meiner Hand weggekriegt, Huck. Ich fass doch immer Frösche an, da hab ich 'ne ganze Masse Warzen an den Händen. Manchmal nehm ich auch 'ne Bohne.«

»Ja, ja, Bohnen sind gut. Hab's selber schon probiert.«

»Wirklich? Wie machst du's denn?«

»Na, ich nehm die Bohne, schneid sie mittendurch in zwei Stücke und dann ritz ich die Warze auf, bis Blut rauskommt, lass es auf'n Stück Bohne tröpfeln, und das vergrab ich bei Vollmond an 'nem Kreuzweg. Das andere Stück verbrenn ich, und dann, weißt du, zieht die eine Hälfte von der Bohne, wo's Blut drauf ist, die andere Hälfte nach. Und 's dauert gar nicht lange und die Warze ist weg.«

»Ja, so ist's richtig, Huck, so mach ich's auch. Aber wenn du beim Vergraben sagst:

> Blut'ge Bohne in dem Grab,
> Mach, dass fällt die Warze ab!,

dann hilft's noch besser. So macht's Joe Harper, und der war schon beinah in Cronville und fast überall. Aber sag mal, wie macht man's mit den toten Katzen?«

»Ganz einfach! Man nimmt 'ne tote Katze und geht um Mitternacht auf'n Friedhof, wo 'n Verbrecher begraben ist. Und wenn's zwölf schlägt, dann kommt der Teufel, manchmal auch zwei oder drei, und holt den Verbrecher. Sehn kann man ihn aber nicht, man hört nur so was wie Wind, und 's klingt, als ob jemand spricht. Und wenn sie 'n dann wegholen, dann schmeißt man die Katze hinterher und ruft:

> Teufel hinterm Leichnam her,
> Katze hinterm Teufel her,
> Warze hinter Katze her,
> Seh von allen drei'n nichts mehr!

Ich sag dir, das vertreibt dir jede Warze.«

»Hört sich gut an. Hast du's schon mal versucht, Huck?«

»Nee, aber Mutter Hopkins hat mir's gesagt.«

»Na, dann kann man's glauben, sie soll ja 'ne Hexe sein.«

»Soll sein? Sie ist es, Tom, ich weiß es ganz genau! Sie hat meinen Alten behext, er hat's selber gesagt. Wie er mal an ihr vorbeigegangen ist, da hat er gesehen, wie sie ihn behext hat. Da hat er 'nen Stein aufgehoben und nach ihr geschmissen, und 's war ihr Glück, dass sie sich gebückt hat. Na, und in der Nacht drauf, da ist mein Alter von 'nem Schuppen runtergerollt, wo er geschlafen hat, als er wieder mal besoffen war, und hat den Arm gebrochen.«

»Puh, das ist ja schrecklich. Woher wusste er aber, dass sie ihn behext hat?«

»Woher? Na, das weiß man doch! Mein Alter sagt, wenn sie einen so fest angucken, dann hexen sie, besonders, wenn sie noch was dazu brummeln. Denn wenn sie brummeln, dann sagen sie das Vaterunser rückwärts.«

»Du, Hucky, wann willst du denn das mit der Katze probieren?«

»Heut Nacht. Ich glaub nämlich, heut kommen sie und holen den alten Hoss Williams.«

»Der ist aber schon Sonnabend begraben worden, Huck. Warum haben sie ihn denn nicht schon Sonnabendnacht geholt?«

»Was redest du bloß für 'n Zeug zusammen! Wären sie vielleicht fertig geworden bis Mitternacht? Und Sonnabendmitternacht ist doch schon Sonntag! Hast du dein Lebtag schon mal gehört, dass sich 'n Teufel am Sonntag auf die Erde traut?«

»Ach ja, natürlich, daran hab ich gar nicht gedacht. Du, lass mich mitgehn.«

»Meinetwegen, wenn du keine Angst hast.«

»Angst? Keine Spur. Miaust du vor meinem Fenster?«

»Ja, und du miaust auch, wenn du wegkannst. Voriges Mal hast du mich nämlich verdammt lange miauen lassen. So lange, bis der alte Hays Steine nach mir geworfen hat, und mächtig geflucht hat er auf das verteufelte Katervieh. Da hab ich ihm mit 'nem Stein das Fenster eingedeppert! Dass du aber nix verrätst!«

»I wo! Weißt du, damals konnt ich nicht miauen, weil meine Tante so teuflisch aufgepasst hat, aber heut miau ich bestimmt. Was hast du denn da, Huck?«

»Och, nur 'ne Blattwanze.«

»Wo hast du die her?«

»Von 'nem Baum.«

»Was willst du dafür haben?«

»Ich ... ich weiß nicht. Ich will sie gar nicht verkaufen.«

»Na ja, ist ja auch bloß 'ne ganz lumpige kleine Wanze.«

»Das kann jeder, 'ne Wanze runtermachen, die ihm nicht gehört. Mir ist sie recht. Mir gefällt sie so, wie sie ist.«

»Solche Wanzen gibt's doch überall! Wenn ich wollte, könnt ich tausend kriegen.«

»Na, warum willst du denn nicht? Du weißt schon, warum, he? Das hier ist 'ne ganz seltene Wanze, 'ne frühe Baumwanze, und 's ist die erste, die ich überhaupt dies Jahr gesehen hab.«

»Hör mal, Hucky, ich geb dir meinen Zahn dafür.«

»Zeig mal her.«

Tom zog ein Stückchen Papier hervor, wickelte es sorgfältig auseinander, und Huckleberry schaute mit großer Sachkenntnis darauf. Die Versuchung war groß. Schließlich fragte er: »Ist er echt?«

Tom öffnete den Mund und zeigte die Zahnlücke.

»Also gut«, sagte Huck. »Soll 'n Geschäft sein!«

Tom verschloss die Wanze vorsichtig in die kleine Schachtel, die vorher das Gefängnis des »Kneifkäfers« gewesen war; Huck nahm den Zahn in Empfang und beide trennten sich in dem Gefühl, nunmehr erheblich reicher zu sein als zuvor. Als Tom zu dem kleinen, abseits gelegenen Schulhaus kam, schritt er so schnell durch die Tür, als hätte er seinen Schulweg mit gebührender Eile zurückgelegt. Hastig hängte er seine Kappe an den Nagel und setzte sich mit geschäftigem Eifer auf die Bank. Hoch oben hinter dem Katheder thronte der Lehrer auf seinem hochlehnigen Rohrsessel: Das eintönige Summen der lernenden Kinder hatte ihn schläfrig gemacht und er war gerade ein bisschen eingenickt. Die Unterbrechung weckte ihn auf.

»Thomas Sawyer!« Tom wusste, der unverkürzt aufgerufene Name bedeutete nichts Gutes.

»Ja, Herr Lehrer!«

»Komm mal hierher! Nun, mein Freundchen, warum kommst du wieder einmal wie gewöhnlich zu spät?«

Gerade wollte Tom sich in eine Lüge flüchten, als er zwei lange blonde Zöpfe bemerkte, die an einem Rücken niederbaumelten, den er sofort mit dem geheimnisvollen Instinkt der Liebe erkannte, und neben der dazugehörigen Gestalt war der einzige leere Platz auf der Mädchenseite. Schnell sagte er deshalb: »Ich musste noch etwas mit Huckleberry Finn besprechen.«

Dem Lehrer stockte der Atem. Hilflos starrte er um sich. Das Summen der Lernenden verstummte, die Schüler trauten ihren Ohren nicht und meinten, der unverschämte Kerl hätte zumindest den Verstand verloren. Endlich fand der Lehrer wieder Worte:

»Was – was musstest du?«

»Noch etwas mit Huckleberry Finn besprechen«, wiederholte Tom. Diese Worte ließen kein Missverständnis zu.

»Thomas Sawyer, dies ist die unverschämteste Bemerkung, die mir je vorgekommen ist, und nur die Rute kann gebührend darauf antworten. Jacke runter!« Und nun vollzog sich das Strafgericht, bis des Lehrers Arm erlahmte und die Zweige der Rute sich erheblich vermindert hatten. Dann folgte der Befehl: »So, und nun setz dich zur Strafe zu den Mädchen und lass dir das 'ne Warnung sein fürs nächste Mal!«

Es schien, als brächte das allgemeine Gekicher den Jungen in Verlegenheit, aber in Wirklichkeit war es die ehrfurchtsvolle Scheu vor seiner unbekannten Angebeteten und die bange Freude über sein großes Glück, was ihn verwirrte. Er ließ sich ganz am äußersten Ende der Bank nieder, und das Mädchen rückte von ihm ab, wobei sie den

Kopf in den Nacken warf. Das Flüstern, Tuscheln und bedeutungsvolle Anstarren dauerte noch eine Weile fort, aber Tom saß still da, hatte die Arme aufs Pult gelegt und schien völlig in sein Buch vertieft. Nach und nach ließ die allgemeine Aufmerksamkeit von ihm ab und das gewohnte Summen in der Schulklasse erfüllte wieder die schwere Luft. Nun begann Tom verstohlene Blicke zur Seite zu werfen. Das Mädchen bemerkte es, zog eine »Schnute« und ließ ihn eine ganze Minute lang ihren Hinterkopf bewundern. Als sie sich langsam wieder umwandte, lag ein Pfirsich vor ihr. Sie stieß ihn weg, aber Tom legte ihn liebevoll wieder hin. Da gab sie ihm von neuem einen Stoß, doch schon weniger heftig. Geduldig schob Tom ihn zum dritten Mal an ihren Platz und da ließ sie ihn liegen. Jetzt kritzelte Tom auf seine Tafel: »Bitte, nimm ihn, ich hab noch welche.« Das Mädchen blinzelte auf die Worte, blieb aber unbeweglich. Nun begann der Junge etwas auf seine Tafel zu zeichnen, das er mit der linken Hand sorgsam verdeckte. Eine Zeit lang schien sie sich nicht darum zu kümmern, aber bald begann sich ihre Neugier zu regen, die sich in kaum bemerkbaren Zeichen offenbarte. Tom arbeitete weiter, anscheinend ganz vertieft, während das Mädchen möglichst unauffällige Versuche machte einen Blick auf die Zeichnung zu werfen; der Junge aber verriet mit keiner Miene, dass er etwas davon merkte. Schließlich konnte sie es nicht mehr aushalten und zögernd flüsterte sie: »Du, zeig doch mal.«

Tom enthüllte sofort die jämmerliche Karikatur eines Hauses mit zwei windschiefen Giebeln, aus dessen Schornstein sich ein korkenzieherförmiges Rauchwölkchen erhob. Das Interesse des Mädchens wurde immer lebhafter, und im selbstvergessenen Eifer folgte sie der Vollendung des Meisterwerks. Als es fertig war, betrachtete sie es und flüsterte: »Ach, wie hübsch – jetzt noch 'nen Mann!« Der Künstler pflanzte unverzüglich einen Mann in den Vordergrund, lang wie ein Mastbaum, der mit einem einzigen Schritt über das Haus hätte hinwegsteigen können. Aber das Mädchen war nicht besonders kritisch, das Ungetüm fand ihren Beifall und sie flüsterte: »Ein wunderschöner Mann! Nun mal mich, wie ich daherkomm.« Tom zog eine Ellipse, auf die er ein kreisrundes Mondgesicht setzte und der er vier dünne Striche als Arme und Beine anfügte. Die gespreizten Finger bewaffnete er mit einem mächtigen Fächer. Das Mädchen sagte: »Nein, wie hübsch! Ach, wenn ich doch auch so zeichnen könnte!«

»Es ist ganz leicht«, flüsterte Tom, »ich werd's dir zeigen.«

»O ja, wann?«

»In der Mittagspause? Gehst du zum Essen nach Hause?«

»Wenn du willst, bleib ich hier.«

»Gut. Wie heißt du denn?«

»Becky Thatcher. Und du? Ach, ich weiß ja, Thomas Sawyer.«

»So heiß ich bloß, wenn ich was ausgefressen hab, sonst heiß ich Tom. Du sagst Tom zu mir, nicht wahr?«

»Ja.«

Jetzt fing Tom an, etwas auf die Tafel zu kritzeln, das er wieder mit der linken Hand zuhielt. Diesmal zierte sie sich nicht und wollte es gleich sehen. Aber Tom sagte: »Ach, es ist nix.«

»Doch, es ist was.«

»Nein, nein. Du brauchst es nicht zu wissen.«

»Doch, bitte, lass mich's sehn.«

»Du verrätst es ja doch nur.«

»Nein, das tue ich nicht, wirklich nicht.«

»Erzählst du's auch keinem Menschen? Solange du lebst nicht?«

»Nein, nie im Leben! Niemand! Nun zeig's aber auch.«

»Ach, es ist wirklich besser, du siehst es nicht.«

»So, jetzt muss ich's aber sehen!« – und sie legte ihre Hand auf die seine, worauf sich ein kleiner Kampf entspann.

Tom tat, als wehre er sich im Ernst. Nach und nach zog er aber seine Hand so weit zurück, dass die Worte sichtbar wurden: Ich liebe dich!

»Frecher Kerl!« Und sie gab ihm einen Klaps auf die Hand, wurde rot, schien aber nicht allzu böse zu sein. In diesem entscheidenden Augenblick fühlte Tom plötzlich einen schicksalsschweren Griff an seinem Ohr und eine unwiderstehlich emporziehende Gewalt. Von der gleichen Gewalt wurde er durch die Klasse gezerrt und unter dem Spott und Gelächter der ganzen Klasse auf seinen eigenen Platz befördert. Während einiger schrecklicher Augenblicke stand der Lehrer neben ihm, schweigend wie ein lebendiger Vorwurf, und ohne ein Wort zog er sich wieder auf seinen Thron zurück. Aber wenn auch Toms Ohr brannte, sein Herz jubilierte.

Als die Klasse sich wieder beruhigt hatte, machte Tom einen ehrenwerten Versuch zu lernen, aber der Aufruhr in seinem Innern war zu heftig. Beim Lesen versagte er kläglich, und in der Geographiestunde verwandelte er Seen in Berge, Berge in Flüsse und Flüsse in Erdteile, bis das Chaos wieder über die Erde hereingebrochen war; und in Orthographie, dem einzigen Fach, in dem er etwas konnte, machte er bei den kinderleichtesten Wörtern so dicke Fehler, dass er die bleierne Verdienstmedaille, die er seit Monaten mit so viel Stolz trug, wieder abgeben musste.

7. Kapitel

Je eifriger Tom sich bemühte, seine Gedanken auf das Buch zu konzentrieren, umso mehr schweiften sie in die Ferne. So gab er es denn schließlich mit einem Seufzen und Gähnen auf. Heut schien's überhaupt nicht mehr Mittag werden zu wollen. Die Luft war ganz still, nicht der kleinste Hauch bewegte sich. Es war der schläfrigste aller schläfrigen Tage. Das eintönige Gemurmel der fünfundzwanzig lernenden Schüler umspann die Seele mit demselben einschläfernden Zauber, der von dem Summen der Bienen ausgeht. Weit hinten erhob sich das Hügelland mit seinen mattgrünen Hängen, die der heiße Sonnendunst in die violetten Purpurschleier der Ferne tauchte; ein paar Vögel schwebten auf trägen Schwingen hoch in der Luft, sonst war kein lebendes Wesen zu sehen, außer einigen Kühen – und die waren eingeschlafen.

Toms Herz lechzte nach Freiheit oder doch wenigstens nach irgendetwas Interessantem, das ihm die unerträgliche Langeweile vertreiben konnte. Da fuhr seine Hand zufällig in die Tasche, und sein Gesicht erhellte sich vor dankbarer

Freude. Er war an die kleine Schachtel mit der Baumwanze geraten. Das Tier wurde befreit und aufs Pult gesetzt. Die arme Kreatur erschauerte in diesem Augenblick wohl gleichfalls in tiefster Dankbarkeit, aber ihre Freude kam verfrüht, denn kaum hatte sie sich frohen Herzens in Trab gesetzt, um ihre Freiheit zu genießen, als Tom sie mit einer Stecknadel zur Seite schubste und sie zwang, ihre Laufrichtung zu ändern.

Toms Busenfreund saß neben ihm, und da er an demselben Leiden litt, an dem Tom eben noch gelitten hatte, fand diese Unterhaltung sofort sein dankbarstes Interesse. Dieser Busenfreund war Joe Harper. Die beiden waren während der ganzen Woche geschworene Verbündete, nur am Sonnabend standen sie sich als Feinde auf dem Schlachtfelde gegenüber. Schnell zog Joe ebenfalls eine Stecknadel aus seinem Jackenaufschlag und machte sich sofort mit Eifer daran, beim Exerzieren der gefangenen Wanze sachgemäße Hilfe zu leisten. Der Sport wurde von Minute zu Minute fesselnder, bis Tom meinte, dass sie sich gegenseitig immer ins Gehege kämen und dadurch eigentlich keiner an der Wanze so richtig sein Vergnügen hätte. So nahm er denn Joes Tafel vom Pult und zog durch deren Mitte einen dicken Strich. »So«, sagte er, »pass mal auf. Solange die Wanze auf deiner Seite ist, darfst du sie jagen und ich lass sie in Ruh. Wenn sie aber wieder von dir wegläuft und zu mir rüberkommt, dann darfst du sie nicht anrühren, bis sie mir wieder durchbrennt. Verstanden?«

»Oh ja, los! Gib ihr 'nen Schubs.«

Sofort entwischte die Wanze von Toms Gebiet und überschritt den Äquator. Nun quälte sie Joe eine Weile, bis sie wieder auf Toms Seite zurückkroch. So wurde das Manöverfeld unentwegt verlegt, und während der eine mit glühendem Eifer die unglückselige Wanze marterte, schaute der andere mit ebenso glühendem Interesse zu. Die beiden Köpfe beugten sich, dicht aneinander gedrängt, tief über die Tafel, und die beiden Seelen schienen für alle anderen Dinge auf dieser Welt unempfänglich. Endlich entschied sich das launenhafte Glück für Joe. Die Wanze versuchte auf allen möglichen Wegen zu entwischen und wurde ebenso hitzig und aufgeregt wie die Jungen selber. Aber immer gerade dann, wenn für Tom der Sieg in greifbarer Nähe war und seine Finger juckten und zappelten vor Lust, nun einzugreifen, trieb Joes Nadel die Wanze jedes Mal zu sich zurück und sicherte den Besitz. Endlich konnte es Tom nicht länger ertragen, die Versuchung war zu groß – er streckte die Hand aus und half mit seiner Nadel ein bisschen nach. Da wurde Joe aber wütend und rief: »He, lass das!«

»Ich will sie auch mal wieder 'n bisschen haben, Joe.«

»Nee, das gibt's nicht! Auf meiner Seite darfst du sie nicht anrühren.«

»Zum Kuckuck noch mal, du hast sie ja jetzt schon 'ne Ewigkeit.«

»Lass sie zufrieden, sag ich dir.«

»Ich denk gar nicht dran!«

»Du musst! Die Wanze ist auf meiner Seite.«

»Hör mal, Joe Harper, wem gehört die Wanze eigentlich?«

»Ist mir ganz schnuppe! Sie ist auf meiner Seite und da hast du sie nicht anzurühren.«

»Soooo? Wetten, dass ich's doch tu? Die Wanze gehört mir, und ich kann mit ihr machen, was ich will. Her damit, sag ich, sonst, zum Donnerwetter …«

Da sauste plötzlich ein gewaltiger Hieb auf Toms Schulter herab, ein Zwillingsbruder von ihm traf Joes Rücken, und zwei Minuten lang flog zum unendlichen Ergötzen der ganzen Klasse der Staub in einer mächtigen Wolke aus ihren beiden Jacken. Die beiden Sünder waren viel zu vertieft gewesen, um die verhängnisvolle Stille, die sich über die Klasse ausgebreitet hatte, zu bemerken, als der Lehrer auf den Fußspitzen durch das Zimmer geschlichen und hinter ihnen stehen geblieben war. Er hatte eine gute Weile die Auseinandersetzung mit angehört, ehe er auf seine Weise für Abwechslung sorgte. Als die Mittagspause endlich kam, lief Tom auf Becky Thatcher zu und flüsterte ihr ins Ohr: »Setz deinen Hut auf und tu so, als ob du nach Hause gehst, und wenn du an der Ecke bist, dann lass die andern laufen und komm den Heckenweg zurück. Ich mach's auf der anderen Seite genauso.« Die beiden gingen also jeder mit einem Haufen von Schulkindern davon und kurz darauf trafen sie sich am Ende des Heckenweges wieder. Als sie dann zusammen die Klasse betraten, gehörte sie ihnen ganz allein. Sie setzten sich nebeneinander, nahmen eine Tafel vor, und Tom gab Becky den Griffel, führte ihre Hand sorgsam mit der seinen und schuf ein neues erstaunliches Wunder von Haus. Als das Interesse an der Kunst etwas abzuklingen begann, kamen sie ins Plaudern. Tom schwamm in Wonne.

»Magst du Ratten gern?«, fragte er.

»Nein, die kann ich nicht ausstehen.«

»Na ja, ich auch nicht – lebendige wenigstens. Aber tote, mein ich, die man mit 'ner Schnur um den Kopf schwingen kann?«

»Nee, ich mach mir überhaupt nicht viel aus Ratten, ob

sie tot sind oder lebendig. Was ich gern mag, ist Kaugummi.«

»Ja, das glaub ich.«

»Ich wollt, ich hätt welchen.«

»Wirklich? Ich hab einen. Da darfst du 'n bisschen dran lutschen, musst ihn mir aber wiedergeben.« Das war ein annehmbarer Vorschlag, und so lutschten sie denn abwechselnd und baumelten im Übermaß der Zufriedenheit mit den Beinen gegen die Bank.

»Warst du schon mal im Zirkus?«, fragte Tom.

»Ja, und mein Papa sagt, ich darf wieder hin, wenn ich artig bin.«

»Och, ich war schon drei- oder viermal da – ganz oft schon! Ich find, die Kirche ist 'n Dreck gegen 'n Zirkus! Was da immer los ist! Wenn ich groß bin, werde ich Zirkusclown.«

»Oh, wirklich? Wie schön! Die sind so hübsch bunt angezogen.«

»Ja, ja, und sie verdienen 'nen Haufen Geld – beinah 'nen Dollar am Tag, sagt Ben Rogers. Sag mal, Becky, warst du eigentlich schon mal verlobt?«

»Was ist denn das?«

»Na, verlobt – wenn man sich heiraten will.«

»Nee – nie.«

»Möchtest du gern mal?«

»Hm, ja – ich weiß nicht. Wie macht man denn das?«

»Wie man das macht? Och, ganz einfach! Du brauchst bloß 'nem Jungen zu sagen, du willst keinen andern haben als ihn, nie und nie und nie, und dann küsst du ihn, und die Geschichte ist fertig. Das kann jedes Baby.«

»Küssen? Wozu denn?«

»Ja, das muss man, weißt du – weil … weil, na, weil sie's
eben alle tun, das gehört dazu.«

»Alle?«

»Natürlich! Alle, die ineinander verliebt sind. Weißt du
nicht mehr, was ich dir auf die Tafel geschrieben hab?«

»Ja – ja.«

»Was war's denn?«

»Ich sag's nicht.«

»Soll ich's dir sagen?«

»Hm – ja – aber 'n andermal.«

»Nein, jetzt.«

»Nein, jetzt nicht – morgen.«

75

»Och nein, jetzt, bitte, Becky, ich sag's dir auch ganz leise ins Ohr, so leise, wie ich nur kann.«

Da Becky zögerte, nahm Tom ihr Schweigen für Zustimmung, schlang den Arm um ihre Schulter, legte den Mund dicht an ihr Ohr und flüsterte ganz leise die alte, uralte Zauberformel hinein. Dann sagte er ermunternd: »Jetzt bist du dran, nun musst du's sagen – genau dasselbe.« Sie wehrte sich eine Weile, dann sagte sie: »Aber du musst das Gesicht wegdrehen, damit du mich nicht siehst, dann sag ich's. Und du darfst es keinem Menschen erzählen, hörst du, Tom, das musst du mir versprechen!«

»Nie im Leben, Becky, auf mein Ehrenwort nicht.«

»Na ...?« Er wandte den Kopf ab, sie beugte sich schüchtern zu ihm, bis ihr Atem seine Backe streifte und seine Locken bewegte, und flüsterte: »Ich – liebe – dich.«

Dann sprang sie auf, rannte wie gejagt um Bänke und Tische, Tom immer hinterher. Schließlich flüchtete sie sich in eine Ecke und drückte ihr Gesicht tief in ihre weiße Schürze. Tom schlang die Arme fest um ihren Hals und bat: »Sei still, Becky, jetzt ist's ja fast vorbei – nur noch der Kuss. Brauchst keine Angst zu haben, es ist wirklich nix. Bitte, Becky.« Er zerrte an der Schürze und allmählich gab sie nach und ließ die Hände sinken. Ihr Gesicht, das ganz rot und erhitzt war, kam zum Vorschein und fügte sich willenlos der Prozedur. Tom küsste ihre roten Lippen und sagte: »So, nun ist alles fertig, Becky. Und von jetzt an darfst du keinen andern lieben als nur mich und gar keinen andern heiraten, niemals, bis in alle Ewigkeit nicht, verstehst du?«

»Nein, ich will nie 'nen andern heiraten. Aber du darfst auch nie 'ne andre heiraten als mich.«

»Ja, natürlich, das gehört dazu. Und immer, wenn wir zur Schule gehen oder nach Hause, da musst du mit mir gehn, wenn's niemand sieht; und beim Spielen nehm ich dich immer dran und du mich – so macht man das, wenn man verlobt ist.«

»Oh ja, das finde ich schön, davon hab ich noch nie was gehört.«

»Ich sag dir, es ist ganz prima! Ich und Amy Lawrence ...« Große erschreckte Augen sahen Tom an und verrieten ihm seinen Patzer. Verwirrt hielt er inne.

»Oh, Tom, ich bin also nicht die Erste, mit der du verlobt bist?« Sie schluchzte.

»Wein doch nicht, Becky«, tröstete Tom, »ich mach mir nicht mehr die Bohne was aus ihr.«

»Doch, Tom, doch, du weißt ja selbst, dass du dir noch was aus ihr machst.«

Tom versuchte den Arm um ihren Hals zu legen, aber sie stieß ihn weg, drehte das Gesicht zur Wand und weinte herzzerbrechend.

Tom probierte es noch einmal mit besänftigenden Worten, wurde jedoch abermals zurückgewiesen. Da regte sich sein Stolz, stumm schritt er zur Tür und ging hinaus. Draußen drückte er sich eine Weile unruhig und unbehaglich herum und schielte ständig zur Tür herüber, in der Hoffnung, dass sie bereuen und nachkommen würde. Aber sie kam nicht. Da wurde er weich und dachte, das Unrecht läge vielleicht doch auf seiner Seite. Es kostete ihn zwar einen harten Kampf, den ersten Schritt zu tun, aber schließlich nahm er allen Mut zusammen und ging hinein. Becky stand noch immer hinten in der Ecke, das Gesicht gegen die Wand gepresst, und schluchzte. Toms Herz krampfte sich zusammen. Er trat zu ihr und war einen Augenblick ratlos, wie er anfangen sollte. Endlich stieß er zögernd hervor: »Becky – ich – ich will wahrhaftig von keiner was wissen als nur von dir.« Keine Antwort – nichts als Schluchzen. »Becky«, flehte er, »Becky, sag doch was!« Immer heftigeres Schluchzen. Da kramte Tom sein kostbarstes Kleinod aus seiner Tasche hervor – den blanken Messingknopf einer alten Herdstange. Den hielt er ihr vor die Augen und sagte: »Guck mal, Becky, willst du den haben?« Sie aber schlug ihm das Kleinod, ohne es eines Blickes zu würdigen, aus der Hand. Das war zu viel. Wortlos drehte er sich um und schritt aus dem Haus. Draußen lief er, was er konnte, immer weiter den Hügeln zu, ganz weit weg; an diesem Tag kehrte er nicht mehr in die Schule zurück. Nun aber wurde es Becky klar, was sie angerichtet hatte. Sie rannte zur Tür, er war nirgends zu sehen, sie lief auf den Hof, aber auch dort war er nicht. »Tom, komm doch, Tom!«, rief sie, so laut sie konnte. Atemlos lauschte sie, aber es kam keine Antwort – ringsum war Schweigen und Einsamkeit. So blieb ihr nichts anderes übrig, als von neuem zu weinen, aber als dann die Schüler zu den Nachmittagsstunden herbeikamen, musste sie ihren Kummer verbergen, ihr gebrochenes Herz zur Ruhe bringen und das Kreuz eines unendlich langen, trübseligen Nachmittags auf sich nehmen, ohne unter all den Fremden um sie herum auch nur einen zu haben, der ihren Schmerz mit ihr hätte teilen können.

8. Kapitel

Tom schlich im Zickzack durch die Gassen, bis er außer Sichtweite der Kinder war, die in die Schule gingen; dann setzte er sich in Trab, zwei- oder dreimal sprang er über einen kleinen Bach, weil unter den Jungens der Aberglaube herrschte, man verwirre Verfolger, wenn man mehrmals Wasser überquere. Eine halbe Stunde später war er hinter dem Haus der Witwe Douglas oben auf dem Hügel verschwunden und die Schule lag kaum noch sichtbar im Tal unter ihm. Er kam in einen dichten Wald, bahnte sich mühsam einen Weg durch das Dickicht und warf sich unter einer breitästigen Eiche ins weiche Moos. Kein Lüftchen regte sich, die brütende Mittagsglut hatte selbst den Gesang der Vögel verstummen lassen. Die ganze Natur lag im Schlaf, nur gelegentlich ertönte wie aus weiter Ferne das Klopfen eines Spechtes, und das schien das Schweigen ringsum und die Einsamkeit nur noch zu vertiefen. Toms Seele war förmlich in Melancholie getaucht und seine Gefühle standen ganz im Einklang mit seiner Umgebung. Lange saß er da, die Ellbogen auf die Knie gestemmt, das Gesicht in den Händen, und dachte nach. Ihm schien es, als sei das Leben im besten Falle eine Last, und er beneidete beinahe Jimmy Hodges, der kürzlich von dieser Bürde erlöst worden war. Es musste schön sein, so friedlich da drunten zu liegen, zu schlafen und zu träumen – immer und immer wieder –, während der Wind in den Bäumen spielt und die Blumen und Gräser liebkost, die auf dem Grab stehen. Wenn er nur ein anständiges Sonntagsschulzeugnis gehabt hätte, wie gern hätte er dieser elenden Welt für immer

Lebewohl gesagt! Oh dieses Mädchen! Was hatte er ihr denn eigentlich getan? Gar nichts. Er hatte es doch so gut gemeint und war behandelt worden wie ein Hund – ja, wahrhaftig, wie ein Hund! Aber sie würde es schon eines Tages bereuen – wenn es zu spät sein würde. Ach, wenn er doch tot sein könnte, für einige Zeit wenigstens.

Aber das elastische Herz der Jugend lässt sich nicht lange niederdrücken. Ganz unmerklich glitt sein Geist wieder zu den Angelegenheiten dieses irdischen Jammertales zurück. Was wäre, wenn er allem den Rücken kehrte und ganz geheimnisvoll verschwände? Oder wenn er davonginge, weit, weit fort, in fremde Länder, übers Meer, und nie, nie wiederkäme? Was würde sie dann wohl sagen? Der Gedanke, Zirkusclown zu werden, stieg wieder in ihm auf, aber er wies ihn mit Abscheu zurück. Possen und Späße und bunte Trikots waren jetzt förmlich eine Beleidigung für sein Gemüt, das sich nach dem weiten, erhabenen Reich der Romantik sehnte. Nein, er wollte Soldat werden und nach langen Jahren zurückkehren – kriegsmüde und mit Ruhm bedeckt. Oder, noch besser, er wollte unter die Indianer gehen, Büffel jagen, auf Kriegspfaden schleichen in den öden Bergen und den grenzenlosen Prärien des Wilden Westens und dann irgendwann als großer Häuptling, mit bunten Federn geschmückt, scheußlich bemalt, zurückkehren und an einem schläfrigen Sommermorgen mit einem Kriegsgeschrei, das jedem das Blut erstarren ließe, in die Sonntagsschule stürzen! Oh, wie würden dann seine Kameraden gucken und vergehen vor blassem Neid. Aber nein, es gab noch etwas Größeres! Ein Pirat wollte er werden! Jawohl! Jetzt erst lag seine Zukunft klar vor ihm, strahlend in unsagbarem Glanz. Wie würde sein Name die Welt erfüllen und die Menschheit erschauern lassen! Wie glorreich würde er auf seinem stolzen kohlschwarzen Dreimaster »Sturmesadler« die schäumenden Wellen durchqueren, mit der düsteren Flagge am Bug. Und dann, auf dem Gipfel seines Ruhmes angelangt – wie wollte er plötzlich in dem alten Städtchen erscheinen und in die Kirche treten, braun gebrannt und vom Wetter gezeichnet, mit seinem schwarzen Samtwams und den weiten Pluderhosen, mit hohen Stulpenstiefeln und purpurroter Schärpe und den Schlapphut mit wallenden Federn besteckt, und dann – den Gürtel voller Reiterpistolen, das Schwert, schon rostig vom Gebrauch, an der Seite – würde er die schwarze Flagge mit den gekreuzten Gebeinen und dem Totenschädel entfalten und mit wonnigem Entzücken das Flüstern ringsum vernehmen: »Es ist Tom Sawyer, der Pirat! Der schwarze Würger der spanischen Gewässer!«

Ja, nun war's entschieden, seine Laufbahn festgelegt. Er wollte von zu Hause weglaufen und seiner Bestimmung sofort folgen. Gleich am nächsten Morgen wollte er's tun! Da hieß es aber, sofort die Vorbereitungen zu treffen. Zunächst galt es, seinen ganzen Besitz zusammenzutragen. So ging er denn zu einem hohen Baumstamm in der Nähe und begann an dessen Fuß mit seinem Messer den Boden aufzuwühlen. Bald stieß er auf Holz, das einen hohlen Klang wiedergab. Er legte die Hand darauf und sprach feierlich:

> »Erscheine, was nicht hier,
> Und was schon hier war, bleibe!«

Dann kratzte er den letzten Schmutz fort und legte eine Schindel aus Fichtenholz frei, hob sie hoch, und eine schmucke kleine Schatzkammer, deren Boden und Wände ebenfalls aus Schindeln bestanden, kam zum Vorschein. Drin lag – eine einzige Glasmurmel. Toms Verblüffung war grenzenlos. »Na, das ist stark!«, murmelte er ganz verdutzt. Wütend schleuderte er die Kugel weg und überlegte. Tatsache war, dass einer seiner abergläubischen Grundsätze, die bei ihm und seinen Kameraden bis jetzt für unfehlbar gegolten hatten, soeben erschüttert worden war. Wenn man nämlich eine solche Kugel vergrub und dabei die nötigen Formalitäten streng befolgte und nach vierzehn Tagen die Grube mit der von Tom soeben angewandten Beschwörungsformel wieder öffnete, so fand man alle Kugeln darin beisammen, die man jemals im Leben besessen und verloren hatte, einerlei, wie weit sie auch zerstreut waren. Und nun war die Sache fehlgeschlagen – jawohl, ohne Zweifel, gründlich fehlgeschlagen! Toms ganzes Glaubensgebäude wankte in seinen Grundfesten. Er hatte immer nur von dem Erfolg und niemals von dem Missglücken des Experiments gehört. Ein paarmal hatte er es selber schon probiert, und es war ihm nur deshalb nicht gelungen, weil er niemals den Platz, wo er die Kugel vergraben hatte, wieder finden konnte. Eine Zeit lang grübelte er darüber nach und kam schließlich zu der festen Überzeugung, irgendeine Hexe müsste die Hand im Spiel und den Zauber gebrochen haben. Über diesen Punkt musste er sich Klarheit verschaffen und so suchte er denn den Boden ab, bis er eine kleine Sandstelle mit einer trichterförmigen Vertiefung entdeckte. Sogleich legte er sich flach auf die Erde, presste den Mund dicht an die kleine Öffnung und rief:

»Käfer in der Erde drin,
Sag mir, was ich wissen will.«

Der Sand bewegte sich, und gleich darauf erschien für einen Augenblick ein kleiner, schwarzer Käfer, der sich aber erschrocken sofort wieder zurückzog.

»Aha! Er traut sich nicht was zu sagen. Es war also doch 'ne Hexe – ich wusst's ja!« Da er aber wusste, wie nutzlos es war, mit Hexen zu kämpfen, gab er entmutigt auf. Jedoch die Kugel wollte er wenigstens wiederhaben, die er im ersten Zorn weggeworfen hatte, aber er konnte sie trotz geduldigen Suchens nicht finden. Da ging er zur Schatzkammer zurück, stellte sich genauso hin, wie er vorhin gestanden hatte, als er die Kugel fortschleuderte, nahm eine zweite Kugel aus der Tasche, warf sie in dieselbe Richtung wie die erste und rief:

»Bruder, suche deinen Bruder.«

Er passte genau auf, wo sie runterfiel, und ging dann hin um nachzusehen; aber sie war entweder zu kurz oder zu weit geflogen, und er musste noch zweimal werfen, bis er endlich Erfolg hatte. Die beiden Kugeln lagen kaum einen Fuß weit voneinander entfernt. In diesem Augenblick ertönte der blecherne Klang einer Spielzeugtrompete gedämpft durch die grünen Bogengänge des Waldes. Im Nu hatte Tom seine Jacke und die Hosen vom Leib gerissen, seine Hosenträger in einen Gürtel verwandelt, einen Haufen Gestrüpp von dem hohlen Baum beiseite geschafft, einen Bogen, Pfeile, ein hölzernes Schwert und seine Blechtrompete aus dem Versteck hervorgeholt, und nun stürzte er davon, barfuß, in flatterndem Hemd. Unter einer großen Ulme machte er Halt, stieß als Antwort in seine Trompete und spähte in wachsamer Haltung nach allen Seiten aus. Flüsternd mahnte er eine nur in seiner Phantasie existierende Gefolgsschar: »Achtung, meine Getreuen! Halt! Versteckt euch, bis ich ins Horn blase!«

Jetzt erschien Joe Harper auf der Bildfläche, ebenso luftig gekleidet und ebenso furchtbar bewaffnet wie Tom.

»Halt!«, rief Tom. »Wer wagt es, ohne meine Erlaubnis den Forst von Sherwood zu betreten?«

»Guy von Guisborne bedarf keines Sterblichen Erlaubnis. Wer bist du, dass du ... äh ... dass du ...«

»Dass du es wagen darfst, eine solche Sprache zu führen«, half Tom flüsternd nach, denn sie spielten getreu »nach dem Buch«.

»Wer bist du, dass du es wagst, eine solche Sprache zu führen?«

»Wer ich bin? Das fragst du noch? Ich bin Robin Hood und dein klapperndes Gerippe soll es alsbald erfahren.«

»Wie, du wärest in der Tat jener berühmte Geächtete? So will ich denn mit Freuden um die Herrschaft über diesen prächtigen Forst mit dir streiten. Sieh dich vor!« Sie zogen ihre hölzernen Schwerter, ließen die andern Waffen zu Boden fallen, nahmen die Fechtstellung ein, Fuß an Fuß, und begannen einen regelrechten Kampf, zwei Hiebe oben, zwei unten. Tom rief: »Na los, wenn du's raushast, lass uns mal richtig rangehn.« Und sie gingen »richtig ran«, bis sie keuchten und schwitzten vor Anstrengung. Schließlich brüllte Tom: »Na, nu fall doch endlich! Warum fällst du denn nicht?«

»Ich? Fall du, bitte! Du kriegst ja das meiste ab.«

»Das ist ganz egal, ich kann doch nicht fallen! Steht's so vielleicht im Buch? Im Buch steht doch: ›Und mit einem gewaltigen Streiche von rückwärts stieß er den armen Guy von Guisborne zu Boden‹; du musst dich also rumdrehen, dass ich dich von hinten erschlagen kann.«

Gegen eine solche Autorität ließ sich nichts einwenden; Joe drehte sich um, erhielt seinen Schlag und fiel. Als er sich wieder aufrappelte, rief er: »Nun will ich dich aber auch mal totschlagen. Los, dreh dich um, sonst ist es ungerecht.«

»Aber das geht doch nicht, Joe. Es steht doch nicht so im Buch.«

»Ich pfeif auf das Buch. So 'ne Gemeinheit.«

»Weißt du was, Joe? Du könntest ja mal der Mönch Tuck sein oder Much, der Müllerssohn, und mich mit einem Prügel für mein ganzes Leben krumm und lahm haun. Oder nein – ich weiß was! Du bist mal für 'ne Weile Robin Hood und ich bin der Sheriff von Nottingham und du erschlägst mich.«

Damit war Joe zufrieden, und als diese Abenteuer ausgestanden waren, wurde Tom wieder Robin Hood, und Joe, als die verräterische Nonne, sah tatenlos zu, wie der Held an seiner Wunde verblutete. Zuletzt schleifte ihn der vielseitige Joe, der nun eine ganze Bande trauernder Geächteter darstellte, nach vorn, legte dem Sterbenden den Bogen in die schwachen Hände, und Robin-Hood-Tom hauchte: »Wo dieser Pfeil niederfallen wird, da sollt ihr den armen Robin Hood begraben, unter den grünen Bäumen des Waldes.« Dann schoss er den Pfeil ab, Tom sank zurück und wäre tot liegen geblieben, wenn er nicht zufällig in einen Busch Brennnesseln gefallen und für eine Leiche etwas zu lebhaft wieder hochgesprungen wäre. Darauf kleideten sie sich wieder an, versteckten ihre Waffen und zogen von dannen, in ehrlicher Trauer darüber, dass es keine Geächteten mehr gab. Vergeblich fragten sie sich, was die moderne Zivilisation wohl für Vorteile zu bieten hätte, die diesen Verlust ausgleichen könnten; und jedenfalls waren sie sich beide einig darüber, dass sie viel lieber nur ein einziges Jahr lang Geächteter im Forst von Sherwood gewesen wären als Präsident der Vereinigten Staaten auf Lebenszeit.

9. KAPITEL

Wie jeden Abend wurden Tom und Sid um halb zehn Uhr zu Bett geschickt. Sid war bald eingeschlafen; Tom aber lag wach und wartete in qualvoller Ungeduld. Als er schon meinte, es müsste beinahe Morgen sein, schlug die Uhr zehn. Es war zum Verzweifeln! Er hätte sich gern im Bett herumgewälzt, wie es seine Nerven verlangten, wenn er nicht gefürchtet hätte, Sid dadurch aufzuwecken. So lag er ruhig da und starrte in die Dunkelheit. Allmählich hörte er in der Stille kleine, kaum zu unterscheidende Geräusche. Zuerst vernahm er das Ticken der Uhr, dann krachten die alten Balken geheimnisvoll und auf der Treppe knisterte es leise. Sicherlich trieben sich die Geister herum. Aus Tante Pollys Zimmer klang ein gleichmäßiges dumpfes Schnarchen. Und jetzt begann auch noch das eintönige Zirpen der Grille, von dem kein menschlicher

Scharfsinn genau feststellen kann, woher es eigentlich kommt. Das unheimliche Klopfen einer Totenuhr in der Wand, am Kopfende über Toms Bett, ließ ihn erschauern; es bedeutete ja, dass eines Menschen Tage gezählt seien. In der Ferne erhob sich das klagende Geheul eines Hundes in den dunklen Nachthimmel, dem ein Gewinsel aus noch weiterer Ferne antwortete. Tom stand Todesängste aus. Es war ihm, als ob überhaupt alle Zeit aufgehört und die Ewigkeit begonnen hätte. Trotz allem Bemühen, sich wach zu halten, schlummerte er ein. Die Uhr schlug elf, aber er hörte es nicht. Da tönte mitten in seine halb wachen Träume hinein das lang gezogene melancholische Miauen eines Katers. Das Öffnen eines benachbarten Fensters, der Ruf: »Verfluchtes Katzenvieh!«, und das Zersplittern eines gegen die Mauern geschleuderten gläsernen Gegenstandes ließen ihn erschrocken auffahren. Eine Minute später war er in den Kleidern, zum Fenster hinaus und kroch auf allen vieren auf dem Vorbaudach entlang. Vorsichtig miaute er ein paarmal, sprang auf den Holzschuppen und von dort zu Boden. Huckleberry Finn mit seiner toten Katze erwartete ihn. Leise entfernten sich die Jungens und verschwanden im Dunkeln.

Eine halbe Stunde später wateten sie durch das hohe Gras des Friedhofs. Es war ein Friedhof nach der altmodischen Art des Westens. Er lag, etwa anderthalb Meilen vom Städtchen entfernt, auf einem Hügel, ein wackliger Bretterzaun umgab ihn, der sich abwechselnd bald nach innen, bald nach außen senkte. Gras und Unkraut überwucherten ihn, und die alten Gräber waren fast alle eingesunken. Kein Grabstein war zu sehen. Als Ersatz schwankten wurmstichige Holzkreuze lose und schief auf den verfallenen Hügeln und schienen vergeblich nach einer Stütze zu suchen. »Zum ewigen Gedächtnis an …« war einst auf ihnen gemalt gewesen, jetzt konnte man aber nichts mehr darauf entziffern – wenigstens auf den meisten, auch nicht bei Tageslicht. Ein schwacher Windhauch bewegte die Bäume, und Tom dachte schaudernd, es wäre gewiss das Geflüster der Toten, die sich über die Ruhestörung beklagten. Die Jungens sprachen wenig und nur flüsternd, denn Zeit und Ort und das feierliche tiefe Schweigen hier bedrückten sie. Als sie den frisch aufgeworfenen Haufen, den sie suchten, gefunden hatten, versteckten sie sich hinter drei großen Ulmen, die in einer Gruppe dicht am Grab standen. Dort warteten sie lange schweigend – es kam ihnen vor wie eine Ewigkeit. Das Krächzen einer Eule in der Ferne war der einzige Ton, der die Totenstille unterbrach.

Tom fühlte, wie seine Beklemmung mehr und mehr wuchs – er musste sprechen, er konnte nicht anders. Und so flüsterte er: »Hucky, glaubst du, die toten Leute mögen es, dass wir hier sind?«

»Wollt, ich wüsst's selber«, flüsterte Huckleberry zurück, »es ist furchtbar feierlich hier, nicht?«

»Ja, und wie!« Lange Pause – dann wisperte Tom: »Du, Huck, glaubst du, dass Hoss Williams uns sprechen hört?«

»Natürlich, wenigstens sein Geist.«

Nach einer Pause begann Tom wieder: »Ich wollt, ich hätt Mr Williams gesagt, ich hab's aber nicht bös gemeint, jeder nennt ihn doch bloß Hoss.«

»Hm – ja, aber man kann nicht vorsichtig genug sein mit dem, was man über die Leute da unten sagt.« Dies war ein warnender Dämpfer für Toms Redelust, und das Gespräch verstummte von neuem. Plötzlich packte Tom den Arm seines Freundes: »Pscht!«

»Was denn?«

Und die beiden drängten sich aneinander, atemlos mit klopfendem Herzen.

»Pscht! Schon wieder! Hörst du?«

»I – ich ...«

»Da, noch mal – nun musst du's aber hören.«

»Mein Gott, Tom, sie kommen! Bestimmt, sie kommen, die Teufel! Was machen wir bloß?«

»Weiß nicht! Meinst du, sie können uns sehn?«

»Ach, Tom, die sehen im Dunkeln genauso wie Katzen. Ich wollt, ich wär nicht hier.«

»Ach wo, hab doch keine Angst! Ich glaub nicht, dass sie sich um uns kümmern. Wir haben ja keinem was Böses getan. Sei nur mucksmäuschenstill, dann merken sie vielleicht gar nichts von uns.«

»Ich will's versuchen, Tom, aber, ich – ach Gott, ich klapper ja vor Angst!«

»Hör mal!« Die Jungens steckten die Köpfe zusammen und atmeten kaum. Vom anderen Ende des Friedhofs waren gedämpft Stimmen zu hören.

»Guck doch – da!«, hauchte Tom. »Was ist das?«

»Höllenfeuer! Ach, Tom, das ist ja furchtbar.«

Ein paar undeutliche Gestalten näherten sich durch die Dunkelheit und eine altmodische Blechlaterne warf unzählige kleine Lichtfleckchen auf den Boden. Schaudernd flüsterte Huck: »Die Teufel! Gewiss und wahrhaftig – und gleich drei auf einmal! Tom, wir sind futsch – kannst du beten?«

»Ich will's versuchen. Hab doch aber bloß nicht solche

Angst, sie werden dir schon nix tun! ›Müde bin ich, geh zur Ruh, schließe beide Äuglein zu, Vater, lass …‹«

»Pscht!«

»Was denn, Huck?«

»'s sind ja Menschen, wenigstens einer von ihnen. Ich kenn die Stimme, es ist der alte Muff Potter.«

»Nee, wirklich?«

»Ich möcht drauf wetten! Rühr dich bloß nicht, dann bemerkt er uns gar nicht. Ist wieder hagelvoll wie immer – so 'n verflixter alter Saufbold!«

»Schon gut, ich mucks mich nicht. Da – sie bleiben stehen – jetzt kommen sie näher! Pscht! Da sind sie! Du, Huck – ich kenn auch die andere Stimme, 's ist die vom Indianer-Joe.«

»Das verdammte Halbblut! Da wären mir fast Teufel lieber! Was haben die bloß hier zu suchen?«

Das Flüstern verstummte, denn die drei Männer waren nun ganz nahe am Grab und standen kaum ein paar Fuß von dem Versteck der Jungen entfernt.

»Hier ist es«, sagte die dritte Stimme. Die Laterne wurde in die Höhe gehalten und beleuchtete das Gesicht des jungen Doktor Robinson.

Potter und Indianer-Joe trugen eine Bahre, auf der ein Seil und ein paar Schaufeln lagen. Sie setzten ihre Last ab und machten sich daran, das Grab zu öffnen. Der Doktor stellte die Laterne hin und lehnte sich mit dem Rücken gegen eine Ulme. Er stand so dicht bei den Jungens, dass sie ihn hätten berühren können.

»Flink, Leute«, sagte er mit leiser Stimme, »der Mond kann jeden Augenblick herauskommen.«

Sie brummten etwas zur Antwort und gruben weiter.

Eine Zeit lang hörte man nichts als das dumpfe Geräusch der Schaufeln, die den Sand und die Steine aufwarfen. Es klang sehr eintönig. Endlich stieß ein Spaten mit hohlem Laut auf den Sarg und ein paar Augenblicke später hatten ihn die Männer aus der Erde gehoben. Sie brachen mit ihren Schaufeln den Deckel auf, rissen den Leichnam heraus und warfen ihn auf den Boden. Der Mond trat hinter den Wolken hervor und beleuchtete das starre Gesicht des Toten. Die Bahre wurde herbeigeschafft, der Leichnam darauf gelegt, in eine Decke gehüllt und mit dem Seil festgebunden. Potter zog ein großes Klappmesser aus der Tasche, schnitt das überflüssige Ende des Seils ab und sagte: »So, nun ist die Drecksarbeit erledigt, Knochensäger! Jetzt rückst du noch 'n Fünfer raus oder die Chose da bleibt hier!«

»Genau, so ist's richtig«, sagte Indianer-Joe.

»Nanu, Leute, was soll denn das heißen?«, fragte der Doktor. »Ihr habt euer Geld im Voraus verlangt und habt es bekommen, also sind wir quitt.«

»So – quitt?«, zischte Indianer-Joe und ging auf den Doktor zu. »Wir sind noch lange nicht quitt, dass du's nur weißt! Vor fünf Jahren hast du mich wie 'nen Hund von der Tür deines Vaters weggejagt, als ich um etwas zu essen gebeten hab; damals hast du über mich gesagt: ›Der Kerl führt nichts Gutes im Schilde.‹ Und als ich dann geschworen hab, das solltest du mir büßen, und wär's erst nach hundert Jahren, da ließ mich dein Vater als Strolch einsperren. Meinst du, ich hätt's vergessen? Ha! Ich hab doch nicht umsonst Indianerblut in mir! Nun hab ich dich endlich!« Und er fuchtelte dem Doktor mit der geballten Faust vor der Nase herum. Da holte der junge Mann zu einem

Schlage aus und streckte den Schurken zu Boden. Potter
warf sein Messer weg und rief: »He, lässt du wohl meinen
Kumpel in Ruhe!« Und im nächsten Augenblick hatte er
den Doktor gepackt; die beiden rangen miteinander und
hielten sich wütend umklammert. Inzwischen war Indianer-Joe wieder auf die Füße gesprungen und seine Augen
blitzten vor Wut. Er riss Potters Messer vom Boden hoch
und umkreiste die Ringenden wie eine Katze, als lauere er
nur auf eine Gelegenheit, sich in den Kampf einzumischen.
Auf einmal gelang es dem Doktor, sich von seinem Gegner
freizumachen. Er packte das schwere, breite Namensbrett,
das auf Williams' Grab stand, und schlug Potter damit nieder. In demselben Augenblick hatte auch schon Indianer-
Joe seinen Vorteil erkannt, schlich hinzu und stieß Potters
Messer bis zum Heft in die Brust des jungen Mannes. Der

Doktor schwankte und fiel auf Potter, den er mit seinem Blut überströmte. Nun verschwand der Mond hinter den Wolken und verhüllte die grässliche Szene vor den Blicken der beiden entsetzten Jungens, die, zu Tode erschrocken, Hals über Kopf im Dunkel verschwanden.

Als der Mond wieder hervortrat, stand Indianer-Joe vor den beiden reglos daliegenden Gestalten und sah sie an. Der Doktor ächzte, stieß ein paar abgebrochene Laute aus, holte noch ein- oder zweimal tief Atem – und verstummte.

»Jetzt sind wir quitt, verfluchter Kerl«, brummte das Halbblut. Dann raubte er die Leiche aus, legte das verhängnisvolle Messer in Potters offene rechte Hand und setzte sich auf den zertrümmerten Sarg. Drei – vier – fünf Minuten vergingen, da begann Potter sich zu bewegen und zu stöhnen. Seine Hand hielt das Messer umschlossen, er hob es hoch, sah es an und ließ es mit einem Schauder fallen. Dann richtete er sich auf, schob die Leiche zurück und starrte verwirrt auf sie hinunter. Seine Augen begegneten denen Joes. »Um Gottes willen, Joe, was ist denn los?«, fragte er zitternd.

»Ja, das ist 'ne faule Geschichte, Potter«, sagte Joe ohne sich zu rühren. »Warum hast du das bloß getan?«

»Ich – ich hab's getan? Niemals!«

»Na, hör mal, mit so 'nem Geschwätz wäschst du dich noch lange nicht rein.«

Potter zitterte und wurde aschfahl. »Und ich hab mir doch so fest vorgenommen, nüchtern zu bleiben, warum hab ich bloß gestern Abend wieder gesoffen? Ich hab's noch im Kopf – ich spür's ja. Ich bin ganz im Tran, kann mich auf nix mehr besinnen! Sag mir doch, Joe – aber ehrlich, alter Kerl –, hab ich's denn wirklich getan? Das wollt ich doch gar nicht! Auf Ehr und Seligkeit, das wollt ich nicht, Joe! Sag mir doch, wie ist denn das gekommen? Ach, es ist furchtbar! Und so jung, wie er ist, und so ...«

»Na, ihr beiden habt euch in den Haaren gelegen und er hat dir eins mit dem Brett da übern Kopf gehauen und du bist umgekippt wie 'n Sack. Dann hast du dich wieder aufgerappelt, ganz taumelig, und hast's Messer gepackt und ihm zwischen die Rippen gejagt, gerade als er dir noch eins mit'm Brett überziehen wollte. Dann lagst du da wie 'n Klotz – bis jetzt.«

»Ach, ich hab ja nicht gewusst, was ich tu – ich will tot umfallen, wenn ich's gewusst hab. Das kommt bloß von dem verdammten Suff! Ich hab doch noch nie im Leben das Messer gezogen, Joe. Geprügelt, ja – aber nie gestochen, das kann dir jeder bezeugen. Erzähl's bloß keinem, Joe, sag, dass du's nie jemand erzählen wirst! Bist auch 'n guter Kerl. Ich hab dich immer gern gehabt, Joe, und dich immer in Schutz genommen, das weißt du doch? Nicht wahr, Joe, du sagst nichts?« Und der arme Bursche warf sich auf die Knie vor dem abgebrühten Mörder und erhob flehend die Hände.

»Na ja, 's ist wahr, bist immer anständig zu mir gewesen, Potter, und da will ich dich auch nicht im Stich lassen. Das nenn ich doch wie 'n ehrlicher Kerl gesprochen, was?«

»Oh, Joe, du bist 'n Engel! Ich will dir's vergelten, solang ich leb.« Und Potter begann zu weinen.

»Schon gut, jetzt ist keine Zeit zum Flennen! Mach, dass du wegkommst! Du gehst diesen Weg und ich den andern. Also marsch, und lass keine Spuren zurück!«

Potter setzte sich in Trab, der bald in einen rasenden Galopp überging. Joe blieb stehen und sah ihm nach. »Der hat sein Teil. Beduselt, wie der ist vom Schnaps und von dem

Hieb mit'm Brett, denkt der nicht mehr an sein Messer, bis er so weit weg ist, dass er Angst hat, wieder allein hierher zurückzukommen – der Hasenfuß!«

Ein paar Minuten später sah nur noch der Mond herunter auf den Ermordeten, den in Leinen gehüllten Leichnam, den aufgebrochenen Sarg und das offene Grab. Und der Friedhof lag so still wie vorher.

10. Kapitel

Sprachlos vor Entsetzen flohen die beiden Jungens in Richtung auf die Stadt zu. Von Zeit zu Zeit sahen sie angstvoll über die Schulter zurück, als fürchteten sie verfolgt zu werden. Jeder Baumstamm, der in der Dunkelheit am Wege auftauchte, schien ein Mensch, ein Feind zu sein, dessen Anblick ihnen den Atem stocken ließ. Als sie an einigen außerhalb der Stadt gelegenen Häusern vorbeijagten, war es, als verliehe ihnen das Bellen der aufgestörten Hofhunde Flügel unter den Sohlen. »Wenn wir bloß – bis zur alten – Gerberei – kommen – bevor – wir – zusammenbrechen«, stieß Tom mühsam hervor, »ich – ich kann – bald nicht mehr!«

Hucks schweres Keuchen war die einzige Antwort; beide hefteten die Augen auf das Ziel ihrer Hoffnungen und boten alle Kräfte auf, es zu erreichen. Es rückte immer näher und endlich stürzten sie atemlos und dankbar, Schulter an Schulter, durch die offene Tür in die schützende Dunkelheit des Raumes. Allmählich beruhigten sich ihre jagenden Pulse, und Tom flüsterte: »Du, Huckleberry, was meinst du, was dadraus wird?«

»Wenn der Doktor tot ist, dann wird einer baumeln.«

»Glaubst du?«

»Glauben? Nee, du, das weiß ich bestimmt!«

Tom dachte eine Weile nach, dann sagte er: »Wer soll's denn verraten? Wir?«

»Was redest du? Wenn dann doch was dazwischenkommt und Indianer-Joe muss nicht baumeln, dann macht der uns sicher kalt – so wahr ich hier liege.«

»Das hab ich mir eben auch gedacht, Huck.«

»Wenn's einer verraten muss, dann soll's Muff Potter tun, wenn er so 'n Esel ist. Besoffen genug dazu ist er ja meistens.« Tom sagte nichts, er grübelte weiter, dann flüsterte er: »Huck, Muff Potter weiß doch von gar nichts, wie kann der's denn verraten?«

»Warum soll der's denn nicht wissen?«

»Weil er doch grade diesen Hieb abgekriegt hat, als Indianer-Joe zustach. Meinst du, er hat noch was gesehen? Meinst du, er weiß überhaupt irgendwas davon?«

»Beim Henker, du hast Recht.«

»Und dann – der Hieb hat womöglich seinem bisschen Verstand noch den Rest gegeben!«

»Das glaub ich nicht, Tom, der hatte Schnaps in sich – so was seh ich gleich, und das hat er ja übrigens immer. Wenn mein Alter voll ist, dann könntest du ihm mit'm Kirchturm übern Kopf hauen, es würd ihm nix schaden – das sagt er sogar selber. So ist es auch mit Muff Potter. Natürlich, wenn einer nüchtern ist, dann kann's schon sein, dass er von so 'nem Schlag für sein Leben genug hat.«

Nachdem Tom wieder nachdenklich geschwiegen hatte, fragte er: »Bist du sicher, Hucky, dass du's Maul halten kannst?«

»Ph, wir müssen's einfach halten, Tom, das weißt du doch selber. Wenn sie diesen Teufel von Indianer nicht hängen, wird er uns bestimmt ersäufen wie 'n paar Katzen, sobald wir uns mucksen. Hör mal zu, Tom, wir wollen uns schwören – jawoll, das müssen wir tun –, wir wollen schwören, dass wir nix verraten.«

»Mir ist's recht, Huck, das wird wohl das Beste sein. Also, heb die Hand und schwör, dass wir ...«

»Oh nee, Tom, so einfach geht das nicht! So kann man's bei so kleinem lumpigem Zeugs machen, mit Mädels meinetwegen, weil die ja nie was für sich behalten können und immer alles gleich ausquatschen, wenn sie in der Tinte sitzen – aber bei so 'ner großen Sache wie hier, da muss was Schriftliches dabei sein. Und Blut!«

Toms ganzes Wesen stimmte diesem Gedanken begeistert zu. Das war düster und unheimlich und furchtbar – und die Stunde, der Ort und die Umstände, alles stand damit in Einklang. Er hob eine helle Holzschindel auf, die im Mondschein glänzte, zog ein Stückchen Rotstift aus der Tasche, ließ den Mond auf seine Arbeit scheinen und kritzelte mühsam folgende Zeilen nieder, wobei er bei jedem Grundstrich die Zunge zwischen die Zähne presste und sie bei den Haarstrichen wieder zurückzog:

»Huck Finn und Tom Sawyer, die schwören,
sie wollen über dieses den Mund halten,
und sie wollen auf der Stelle tot umfallen,
wenn sie jemals was verraten, und verfaulen.«

Huckleberry war voll Bewunderung für Toms Gewandtheit im Schreiben und die Erhabenheit seines Stils. Sofort zog er eine Stecknadel aus dem Jackenkragen, um sich damit ins Fleisch zu ritzen. Aber Tom rief: »Halt, wart mal, so 'ne Stecknadel ist aus Messing. Da ist vielleicht Grünspan dran.«

»Grünspan, was ist denn das für 'n Span?«

»Das ist Gift, sonst nix. Schluck's nur mal runter, dann wirst du schon sehen.« Und Tom zog eine seiner Nähnadeln hervor, wickelte den Faden ab und jeder stach sich damit in den Handballen und presste einen Tropfen Blut hervor. Schließlich, nach vielem Quetschen, brachte Tom seine Initialen zustande, wobei ihm die Spitze des kleinen Fingers als Feder diente. Dann zeigte er Huckleberry, wie man ein H und ein F macht, und der Eid war bekräftigt. Sie vergruben die Schindel dicht an der Mauer unter allerlei schaurigen Zeremonien und Zauberformeln, und von nun an galt, dass ihre Münder auf ewig versiegelt waren.

Auf einmal schob sich vorsichtig eine menschliche Gestalt durch eine Lücke am anderen Ende des Schuppens, aber die Jungens bemerkten sie nicht.

»Tom«, flüsterte Huckleberry, »können wir nun nie was von der Geschichte verraten, niemals?«

»Natürlich nicht! Ganz egal, was jetzt auch passiert – wir müssen einfach 's Maul halten, sonst fallen wir ja gleich tot um – hast du das denn schon vergessen?«

»Nee, aber – ja, du hast Recht.«

Plötzlich schlug draußen – ganz in ihrer Nähe, vielleicht zehn Schritte entfernt – ein Hund ein lang gezogenes unheimliches Geheul an. Die beiden umklammerten sich unwillkürlich in tödlichem Schrecken. »Wen er wohl von uns meint?«, stieß Huckleberry atemlos hervor.

»Weiß ich's? Guck doch mal durch die Ritze – schnell.«

»Nee – tu du's, Tom.«

»Ich – ich kann nicht, wirklich nicht, Huck.«

»Och, bitte, Tom, tu's! Da – da ist's wieder!«

»Gott sei Dank«, flüsterte Tom, »ich kenn die Stimme, es ist Harbisons Bulldogge.«

»Unser Glück, Tom! Ich sag dir, ich war halb tot vor Angst – ich hätte gewettet, es ist 'n fremder Hund.«

Der Hund heulte von neuem, und wiederum sank das Herz der beiden Jungens bis in die Zehenspitzen.

»Ach du mein …«, stöhnte Huck, »das ist ja gar nicht Harbisons Bulldogge, guck doch mal, Tom.«

Tom legte, obwohl er vor Angst zitterte, sein Auge an die Ritze. Kaum hörbar flüsterte er: »Huck, es ist tatsächlich 'n fremder Hund!«

»Herrgott, Tom! Wen meint er nur von uns?«

»Er muss uns alle beide meinen, wir stehen ja dicht zusammen.«

»Oh, Tom, ich sag dir, es ist aus mit uns! Ich weiß, wohin ich kommen werd, ich weiß es ganz genau, so schlecht, wie ich immer war!«

»Ach, Huck, und ich erst! Das kommt davon, wenn man die Schule schwänzt und immer grade das tut, was man nicht soll. Ich hätt doch so artig sein können wie Sid – wenn ich's bloß versucht hätte, aber ich wollt's natürlich nicht. Aber wenn ich diesmal davonkomm, ich schwör, dann geh ich jedes Mal in die Sonntagsschule.« Und Tom heulte.

»Ach, Tom, du und schlecht?« Und Huckleberry heulte ebenfalls. »Kannst dich drauf verlassen, Tom Sawyer, du bist Gold, reines Gold, sag ich dir, gegen mich. Mein Gott, ich wollt, ich wär bloß halb so gut wie du, Tom, ich ...«

Tom würgte die Tränen hinunter und flüsterte: »Guck doch bloß, Huck, er dreht uns ja den Rücken zu!«

Nun schielte auch Huck durch die Ritze, und Freude erfüllte sein Herz. »Beim Kuckuck – wahrhaftig! Hat er das denn vorher auch schon getan?«

»Natürlich! Ich Esel hab bloß nicht dran gedacht! Das ist ja wunderbar! Aber – wen kann er sonst meinen?« Das Geheul verstummte. Tom spitzte die Ohren. »Pscht! Was ist das?«, flüsterte er. »Es klingt wie – wie Schweinegrunzen.«

»Nee, Tom, da schnarcht einer.«

»Tatsächlich – woher 's wohl kommt, Huck?«

»Ich glaub, es kommt da vom andern Ende. Wenigstens klingt es so. Dort hat mein Alter manchmal geschlafen – aber, du lieber Gott, wenn der schnarcht, dann fallen die Mauern ein. Und außerdem glaub ich, der kommt überhaupt nicht mehr hierher.«

Der Unternehmungsgeist regte sich noch einmal in der Seele der beiden.

»Hucky, traust du dich, hinter mir herzukommen, wenn ich vorangeh?«, fragte Tom.

»Na, sehr gern tu ich's grade nicht. Wenn's nun Indianer-Joe ist?«

Tom zögerte. Bald aber erhob sich die Versuchung wieder mit aller Macht, und sie kamen überein, die Sache zu untersuchen, aber sofort Reißaus zu nehmen, sowie das Schnarchen aufhöre. Und so schlichen sie auf Zehenspitzen vorwärts, einer hinter dem andern. Als sie etwa fünf Schritt von dem Schnarchenden entfernt waren, trat Tom auf einen dürren Zweig, der mit scharfem Knacken zerbrach. Der Mann stöhnte und wälzte sich herum, sodass sein Gesicht vom Mondschein beleuchtet wurde. Es war Muff Potter. Den beiden hatte das Herz stillgestanden, und sie rührten sich nicht, als der Mann sich regte, jetzt aber war all ihre Angst verschwunden. Leise schlüpften sie durch die zerbrochene Holzwand und blieben in einiger Entfernung stehen, um sich voneinander zu verabschieden. Da erklang wieder das lang gezogene, klägliche Geheul durch die Nacht. Sie drehten sich um und sahen den fremden Hund nur ein paar Schritte von Potter entfernt. Er hatte ihm den Kopf zugewandt und hielt die Schnauze zum Himmel empor. »Herrje, den meint er!«, riefen beide wie aus einem Mund.

»Sag mal, Tom, ich hab gehört, um Johnny Millers Haus wär um Mitternacht, vor mehr als vier Wochen, 'n fremder Hund rumgelaufen und hätt geheult, und in derselben Nacht hätt 'ne Eule auf dem Dach gekrächzt, und trotzdem ist immer noch keiner bei denen gestorben.«

»Weiß ich, ist aber kein Beweis! Ist nicht gleich am Sonnabend drauf die Gracie Miller auf'n Kochherd gefallen und hat sich mächtig verbrannt?«

»Ja, aber sie ist doch nicht tot. Es geht ihr sogar viel besser.«

»Mal abwarten. Ich sag dir, die ist hin und stirbt so sicher, wie Muff Potter dahinten sterben muss. Das sagen die Neger, und die wissen ganz genau Bescheid in diesen Sachen, Huck!«

Darauf gingen sie nachdenklich auseinander.

Als Tom durch sein Schlafzimmerfenster kroch, war die Nacht schon fast vorüber. Er zog sich mit der größten Vorsicht aus und schlief sofort ein, zufrieden, dass niemand von seinem nächtlichen Ausflug etwas gemerkt hatte. Er ahnte nicht, dass der artige, schnarchende Sid wach war – schon seit einer Stunde.

Als Tom erwachte, war Sid schon angezogen und fortgegangen. Das Tageslicht sah aus, als ob es schon spät sei – die ganze Atmosphäre wirkte so. Er stutzte. Warum hatte man ihn nicht gerufen, ihn nicht wachgerüttelt wie sonst jeden Morgen? Dieser Gedanke erfüllte ihn mit düsteren Ahnungen.

Binnen fünf Minuten war er in den Kleidern und die Treppe hinunter; er fühlte sich zerschlagen und schläfrig. Die Familie saß noch um den Tisch, aber das Frühstück war schon beendet. Keine Stimme erhob sich, um ihm Vorwürfe zu machen, aber die abgewandten Augen, die Stille und ein seltsamer Hauch von Feierlichkeit ließen das Herz des Sünders in banger Sorge erschauern. Er setzte sich, versuchte unbefangen zu erscheinen, aber es half ihm nichts. Niemand hatte ein Lächeln und ein Wort für ihn. Da verfiel er ebenfalls in Schweigen und sein Herz sank immer tiefer. Nach dem Frühstück nahm ihn die Tante beiseite. Tom atmete erleichtert auf, da er erwartete, dass er nun seine Tracht Prügel bekommen würde. Aber es kam anders. Die Tante fing an zu weinen und sagte, wie er es nur über sich bringe, sie so zu betrügen, ihr altes Herz würde noch mal brechen und er solle nur so weitermachen und sich zugrunde richten und ihre grauen Haare mit Schande ins Grab bringen, denn es hätt ja doch keinen Zweck, sich noch länger mit ihm abzumühen! Das war schlimmer als tausend Trachten Prügel, und sein Herz tat ihm jetzt mehr weh als sein Körper. Er weinte, bat um Verzeihung, versprach sich zu bessern und wurde schließlich entlassen, fühlte aber doch, dass er nur eine sehr unvollkommene Vergebung und ein recht schwaches Vertrauen für seine Beteuerungen gefunden hatte. Er schlich aus dem Zimmer, so gedemütigt, dass er nicht einmal Rachegelüste gegen Sid, den Verräter, spürte, dessen hastige Flucht durch die Hintertür somit ganz unnötig war. Bedrückt und traurig ging er zur Schule und nahm dort, gemeinsam mit Joe Harper, eine Tracht Prügel für das Schwänzen entgegen, mit der Miene eines Menschen, dessen Herz schlimmeres Leid kennt und der daher ganz unempfindlich ist für die kleinen Kümmernisse dieser Welt. Er setzte sich auf seinen Platz, stützte die Ellbogen auf den Tisch, das Kinn auf die Hände und starrte auf die Wand mit dem versteinerten Ausdruck der Verzweiflung, die ihren Gipfel bereits erreicht hat und durch nichts mehr gesteigert werden kann. Da spürte er an seinem Ellbogen etwas Hartes. Nach langer Zeit erst änderte er langsam und traurig seine Stellung und nahm das Ding seufzend in die Hand. Es war in Papier gewickelt. Er entfaltete es und ein lang gedehnter, ungeheurer Seufzer folgte, nun brach sein Herz endgültig. Es war der Messingknopf von der Herdstange. Dieser letzte bittere Tropfen brachte das Fass seiner Trübsal zum Überlaufen.

11. Kapitel

Kurz vor der Mittagsstunde durchzuckte die grausige Kunde von diesem Mord das ganze Städtchen wie ein elektrischer Schlag. Obwohl sich noch kein Mensch etwas von einem Telegrafen träumen ließ, flog die Nachricht von Mund zu Mund, von Gruppe zu Gruppe, von Haus zu Haus, mit wahrhaft telegrafischer Geschwindigkeit. Natürlich gab der Lehrer nachmittags frei – das ganze Städtchen wäre sehr erstaunt gewesen, wenn er es nicht getan hätte. Ein blutiges Messer war bei dem Ermordeten gefunden worden und irgendjemand hatte behauptet, es gehöre Muff Potter. Man erzählte auch, dass einer, der spät nach Hause gekommen sei, Potter getroffen habe, als er sich gegen ein oder zwei Uhr morgens am Bach wusch, und Potter hätte sich schnell davongemacht – lauter verdächtige Momente, besonders das Waschen, das sonst durchaus nicht zu Potters Gewohnheiten gehörte. Die ganze Stadt, so hieß es, sei schon abgesucht worden nach dem »Mörder« – das Volk ist ja immer schnell mit Beweisen und Urteilssprüchen bei der Hand –, aber er sei nirgends zu finden. Nach allen Himmelsrichtungen wurden Berittene ausgesandt, und der Sheriff war zuversichtlich, dass man ihn noch vor Einbruch der Nacht erwischen werde.

Die ganze Stadt pilgerte zum Friedhof. Toms Herzeleid verflog und er schloss sich ebenfalls der Prozession an. Nicht, dass er nicht tausendmal lieber irgendwo anders hingegangen wäre – aber ein unheimlicher, unerklärlicher Reiz zog ihn dorthin. Als er den schrecklichen Ort erreichte, drängte er seine kleine Gestalt durch die Menge und bald sah er das grässliche Bild. Es schien ihm eine Ewigkeit her zu sein, seitdem er es zuletzt gesehen hatte. Da kniff ihn jemand in den Arm. Er wandte sich um und seine Augen sahen in die von Huckleberry; doch sofort sahen beide in die entgegengesetzte Richtung, voll Angst, es könne jemand den Blick, den sie sich zugeworfen hatten, bemerkt haben. Aber alle redeten miteinander und waren ganz erfüllt von dem schauerlichen Ereignis. »Armer Kerl! So ein junger Mensch! Das sollte allen Grabschändern eine Lehre sein!«

»Muff Potter muss sicher baumeln, wenn sie ihn erwischen.«

So klang es von allen Seiten, und der Pfarrer sagte: »Das ist ein Gottesurteil – hier sehen wir die richtende Hand des Herrn!«

Plötzlich zitterte Tom vom Kopf bis zu den Füßen, denn sein Blick war auf das rohe Gesicht von Indianer-Joe gefallen. Im selben Augenblick ging eine Bewegung durch die Menge, und einzelne Stimmen riefen: »Da – da ist er, er kommt ja von selbst.«

»Wer? Wer denn?«, fragten zwanzig andere.

»Muff Potter! Da – jetzt halten sie ihn an, guck mal, er bleibt stehen! Halt! Halt! Lasst ihn nicht durchbrennen!«

Aber die Leute, die in den Baumästen über Toms Kopf saßen, sagten, Muff mache überhaupt gar nicht den Versuch durchzubrennen, er sähe nur ganz dumm und verblüfft aus.

»Verdammte Frechheit!«, sagte einer. »Wollt sich wohl noch mal in Ruhe sein Werk angucken. Hat jedenfalls nicht erwartet hier Gesellschaft zu finden.«

Jetzt teilte sich die Menge, und der Sheriff schritt mit imponierender Würde mitten hindurch und führte Muff Potter am Arm. Der arme Bursche sah aschfahl aus und aus seinen Augen starrte das Entsetzen. Als er vor dem Ermordeten stand, wurde er wie von einem Krampf geschüttelt, verbarg das Gesicht in den Händen und brach in Tränen aus. »Ich hab's wirklich nicht getan«, schluchzte er, »auf Ehr und Seligkeit, ich hab's nicht getan.«

»Wer hat dich denn beschuldigt?«, schrie eine Stimme. Der Hieb saß. Potter hob sein Gesicht und sah umher, rührende Hoffnungslosigkeit im Blick. Da bemerkte er Indianer-Joe und rief: »Ach, Joe, du hast mir doch versprochen, du wolltest ...«

»Ist dies Ihr Messer?«, unterbrach ihn der Sheriff. Potter wäre umgefallen, wenn man ihn nicht aufgefangen und sachte zu Boden hätte gleiten lassen. Dann stöhnte er: »Dacht ich mir's doch, wenn ich nicht zurückkomme und das Messer ...« Er schauderte; dann hob er die kraftlose Hand mit müder Bewegung und flüsterte: »Sag's ihnen, Joe, sag's ihnen – alles! Es nützt ja doch nichts mehr.«

Und dann hörten Huckleberry und Tom stumm und starr mit an, wie der hartherzige Lügner gelassen seine Aussage machte. Jeden Augenblick erwarteten sie, dass Gott aus dem heiteren Himmel einen Blitz auf sein Haupt schleudern müsse, und konnten es nicht begreifen, warum das Strafgericht so lange auf sich warten ließ. Und als er fertig war und noch immer lebendig und unversehrt vor ihnen stand, da erlosch auch der letzte Rest aufflackernder Unschlüssigkeit aus ihrer Seele, ob sie den geschworenen Eid nicht doch lieber brechen und dem armen Gefangenen das Leben retten sollten. So ein Bösewicht wie Joe musste sich ja – das war ihnen ganz klar – dem Teufel verschrieben haben, und es könnte doch allzu verhängnisvoll werden, sich mit einer solchen Macht in einen Kampf einzulassen.

»Warum bist du denn nicht ausgerückt? Warum, zum Teufel, bist du denn wieder hierher zurückgekommen?«, fragte einer.

»Ich konnt nicht anders – ich konnt nicht anders«, stöhnte Potter. »Ich wollt ja weglaufen, aber ich konnte nicht woanders hingehen als hierher.« Und er begann von neuem zu schluchzen. Kurz darauf, bei der Leichenschau, wiederholte Indianer-Joe ebenso ruhig wie vorhin seine Aussage unter Eid. Und da die Jungens feststellen mussten, dass die Blitze immer noch zögerten, wuchs ihr Glaube, dass Joe sich dem Teufel verschrieben habe, zur festen Überzeugung. Selbstverständlich wurde er dadurch zu einer Persönlichkeit, die ihr schauderndes, unheimliches Interesse erregte. Ihre Blicke hingen wie gebannt an seinem Gesicht und sie beschlossen ihn nachts zu beobachten, in der Hoffnung, dabei einmal zufällig seinen schauerlichen Herrn und Meister zu Gesicht zu bekommen. Indianer-Joe half, die Leiche des Ermordeten auf einen Karren zu laden und sie fortzuschaffen, und es ging ein Flüstern durch die Menge, dass die Wunde dabei wieder zu bluten begonnen hätte. Die beiden Jungen hofften schon, dass dieser glückliche Umstand den Verdacht auf die richtige Fährte lenken würde, und waren sehr enttäuscht, als mehrere Leute sagten: »Natürlich musste sie bluten, drei Schritte davon stand ja Muff Potter.«

Toms schreckliches Geheimnis und seine furchtbare Mitwisserschaft störten seinen Schlaf für länger als eine

Woche, sodass eines Morgens Sid beim Frühstück sagte: »Du, Tom, du wirfst dich immer so im Bett rum und redest so viel dummes Zeug, dass ich die halbe Nacht nicht schlafen kann.«

Tom wurde bleich und senkte die Augen. »Das ist ein schlimmes Zeichen«, sagte Tante Polly ernst, »was hast du auf dem Herzen, Tom?«

»Nichts, Tante, ich weiß von gar nichts.« Aber seine Hand zitterte so, dass er den Kaffee verschüttete.

»Und so 'nen Quatsch redest du«, fuhr Sid fort, »heute Nacht hast du gesagt: ›Blut ist es, Blut, und nichts anderes‹, und das hast du immerzu wiederholt. Und dann hast du gerufen: ›Quält mich doch nicht so – ich will ja alles gestehen.‹ Was denn gestehen? Was willst du denn gestehen?«

Vor Toms Augen schwamm alles. Es ist nicht auszudenken, was sich ereignet hätte, wenn nicht plötzlich die Spannung aus Tante Pollys Blick verschwunden wäre und sie Tom unbewusst zu Hilfe gekommen wäre, indem sie sagte: »Natürlich! Es ist der scheußliche Mord! Ich träume auch jede Nacht davon. Einmal hab ich sogar geträumt, dass ich's selber getan hätte.«

Mary sagte, ihr ginge es ebenso, und Sid schien sich damit zufrieden zu geben. – Tom aber verschwand aus dem Zimmer, so bald er nur konnte, dann klagte er eine Woche lang über Zahnweh und wickelte sich jede Nacht ein dickes Tuch fest um die Backen. Er ahnte nicht, dass Sid ihn allnächtlich belauerte, ja, sogar manchmal die Binde lockerte, sich, auf die Ellbogen gestützt, über ihn beugte und lange und gespannt lauschte und dann vorsichtig das Tuch wieder an seine Stelle schob. Allmählich jedoch verlor sich Toms finstere Gemütsstimmung, der ewige Zahnschmerz wurde lästig und daher abgeschafft, und wenn es Sid wirklich gelungen war, aus Toms undeutlichem Gemurmel irgendetwas herauszuhören, so behielt er es jedenfalls für sich.

Tom schien es, als wollten seine Schulkameraden nur deshalb ständig Leichenschauen bei den toten Katzen abhalten, um ihn an seine Sorgen zu erinnern. Sid kam es seltsam vor, dass Tom niemals den Leichenbeschauer spielen wollte, er, der sonst doch immer der Anführer bei derartigen Unternehmungen sein ›musste‹. Es fiel ihm auch auf, dass er nie als Zeuge auftrat, ja, dass er überhaupt eine entschiedene Abneigung gegen dieses ganze Spiel zeigte und es mied, wann immer er konnte. Sid wunderte sich, wie gesagt, darüber, aber er erwähnte nichts davon. Mit der Zeit kam dann auch die »Totenschau« aus der Mode und hörte auf, Toms Gewissen zu beunruhigen.

Jeden Tag oder wenigstens jeden zweiten in dieser trübseligen Zeit passte Tom die Gelegenheit ab und ging an das kleine vergitterte Kerkerfenster, um dem »Mörder« allerlei kleine Gaben, die er auftreiben konnte, zuzustecken. Das Gefängnis war ein armseliges, winziges, halb verfallenes Loch, das in einem Sumpf außerhalb des Städtchens stand. Eine Wache hatte es nicht, denn es war nur sehr selten besetzt. Diese kleinen Spenden trugen sehr dazu bei, Toms Gewissen zu erleichtern.

Die Einwohner des Städtchens zeigten große Lust, auch Indianer-Joe wegen des Leichenraubs zu teeren und zu federn und ihm den Prozess zu machen. Aber sein Ruf war so furchtbar, dass sich keiner traute, die Leitung der Sache zu übernehmen. So ließ man es denn bleiben. Er hatte sorgfältig darauf geachtet, bei seinen beiden Aussagen gleich mit der Erzählung von der Rauferei zu beginnen, ohne über den vorangegangenen Leichenraub ein Wort zu verlieren, und so hielt man es für das Klügste, ihn wenigstens vorläufig nicht vor Gericht zu stellen.

12. Kapitel

Es gab noch etwas, das Toms Gedanken immer mehr von seinen geheimen Qualen ablenkte, und zwar war dies eine neue wichtige Angelegenheit, die sein Interesse in Anspruch nahm. Seit einiger Zeit fehlte nämlich Becky Thatcher in der Schule. Tom hatte ein paar Tage lang mit seinem Stolz gerungen und versucht, sich die Gedanken an sie aus dem Kopf zu schlagen. Aber umsonst. Er ertappte sich dabei, wie er nachts um das Haus ihres Vaters herumstrich, wobei ihm recht jämmerlich zumute war. Sie war krank. Wenn sie nun sterben müsste! Dieser Gedanke war zum Verzweifeln. Ihn lockte nichts mehr hervor, kein Krieg, ja nicht einmal das Seeräubertum. Der Reiz des Lebens war verschwunden und nichts als Trübsal war geblieben. Er ließ seinen Reifen und seinen Schlagball achtlos in der Ecke liegen und hatte an keinem Spielzeug mehr Freude. Die Tante, die sich diese beunruhigenden Symptome gar nicht erklären konnte, fing an sich ernstlich Sorgen zu machen und probierte alle möglichen Arzneien an ihm aus. Sie gehörte nämlich zu den Leuten, die rein versessen sind auf Medizinen jeglicher Art und auf jede neumodische Methode, welche die Gesundheit zu erhalten oder wiederherzustellen versprechen. Sie war unermüdlich in ihren Experimenten. Sobald etwas Neues aufkam, brannte sie geradezu fieberhaft darauf, ein Versuchsobjekt dafür zu finden, denn sie selbst kam nicht in Betracht, da ihr leider nie etwas fehlte. Sie hatte sämtliche Zeitschriften für Gesundheitspflege abonniert und glaubte jeglichen Unsinn, der darin feierlich verkündet wurde. All das Gewäsch über Ventilation, wie man zu Bett gehen müsse, wie aufstehen, was essen, was trinken, wie viel Bewegung man sich verschaffen, welcher Gemütsverfassung sich befleißigen, welche Kleidung man tragen müsse – all dieser Schwindel war ihr Evangelium, und es fiel ihr niemals auf, dass die neueste Nummer immer das widerrief, was in den früheren empfohlen wurde. Sie war so arglos und leichtgläubig, wie der Tag lang ist, und fiel auf alles rettungslos herein. In ihrer schlichten Einfalt kam sie jedoch nie auf den Gedanken, dass sie für ihre leidenden Nachbarn weder ein wahrer Engel der Genesung war noch der Balsam des Herrn in Person.

Damals kamen gerade die Kaltwasserkuren auf, und Toms körperliche Verfassung kam ihr wie gerufen. Morgens in aller Frühe holte sie ihn aus dem Bett, schleppte ihn in den Holzschuppen und goss ihm eine wahre Sintflut kalten Wassers über den Kopf. Dann rubbelte sie ihn mit einem rauen Handtuch, das einer Feile glich, ab und brachte ihn so wieder zu sich, rollte ihn in ein nasses Laken ein, stopfte ihn unter die Bettdecke und ließ ihn so lange liegen, bis er sich fast die Seele aus dem Leib geschwitzt hatte, sodass seine »schwarzen Flecken zu den Poren rauskamen«, wie Tom sagte. Aber trotzdem wurde der Junge immer schwermütiger, blasser und niedergeschlagener.

Tante Polly verordnete nun zur Abwechslung heiße Bäder, Sitzbäder, Sturzbäder und Duschen, aber Tom verlor auch jetzt nicht seine Leichenbittermiene. Sie fügte der Wasserkur noch eine leichte Hafermehldiät sowie Senfpflaster bei. Sie berechnete sein Fassungsvermögen, als sei er ein Krug, und füllte ihn tagtäglich mit quacksalberischen Wundertränken. Und Tom wurde mit der Zeit gegen derartige Belästigungen ganz gleichgültig. Aber dieser Zustand erfüllte die Seele der alten Dame mit neuer Bestürzung. Diese beängstigende Gleichgültigkeit musste gebrochen werden, koste es, was es wolle! Und da geschah es, dass sie zum ersten Mal von dem Universalwundermittel »Schmerzenstöter« hörte. Sofort bestellte sie haufenweise davon, probierte es und war erfüllt von Dankbarkeit. Es war einfach Feuer in flüssiger Form. Die Wasserbehandlung wurde eingestellt sowie alle anderen Methoden und von nun an richtete sie ihre Hoffnung auf den »Schmerzenstöter«. Tom bekam einen Teelöffel voll und in tiefster Besorgnis erwartete Tante Polly das Resultat; aber mit einem Schlag war sie ihre Sorgen los: Der »Bann der Gleichgültigkeit« war gebrochen. Der Junge hätte nicht heftiger darauf reagieren können, wenn sie ein Feuer unter ihm angezündet hätte.

Tom fand, dass es Zeit wurde, sich aufzuraffen. Diese Lebensweise mochte ja in Anbetracht seiner melancholischen Gemütsstimmung recht romantisch sein – aber es wäre ihm auf die Dauer doch lieber gewesen, wenn sie mit weniger Gefühlsaufwand und dafür mit mehr Abwechslung verbunden wäre. So erwog er denn verschiedene Pläne, wie er sich Zerstreuung verschaffen könnte, und verfiel schließlich darauf, eine leidenschaftliche Vorliebe für »Schmerzenstöter« zu bekunden. Er verlangte so oft nach dem Wundertrank, dass er der Tante ordentlich zur Plage wurde und sie ihn schließlich ärgerlich anfuhr, er möge ihn sich selber nehmen und sie in Ruhe lassen. Wäre es nun Sid gewesen, so hätte kein Argwohn ihr Entzücken über einen so ungeahnten Erfolg getrübt, da es aber Tom war, betrachtete sie verstohlen die Flasche. Sie merkte, dass die Flüssigkeit sich tatsächlich verminderte, aber sie wusste nicht, dass der Junge eine Bodenritze im Wohnzimmer damit kurierte. Eines Tages war Tom gerade wieder dabei, der Ritze die gewohnte Dosis zu verabreichen, als Tantes gelber Kater daherkam. Er machte einen Buckel, schnurrte und beäugelte mit gierigem Blick den Löffel, als ob er um eine Probe bettelte. Tom sagte: »Bitte lieber nicht darum, Peter, wenn du's nicht nötig hast.« Aber Peter deutete an, dass er's nötig hätte. »Überleg dir's noch mal, Peter.« Peter hatte es sich überlegt. »Na gut, Peter, du willst's unbedingt haben, dann geb ich's dir eben – ich bin ja nicht so –, aber wenn's dir nicht gut bekommt, dann darfst du niemandem einen Vorwurf machen.« Peter war damit einverstanden, Tom sperrte ihm die Schnauze auf und goss den »Schmerzenstöter« hinein. Peter sprang hoch in die Luft, stieß ein flehendes Miauen aus und fuhr wie rasend im Zimmer herum, wobei er gegen Möbelkanten stieß, Blumentöpfe umschmiss und eine allgemeine Verwüstung anrichtete. Danach erhob er sich auf die Hinterfüße und tänzelte wie wild vor Vergnügen umher; den Kopf hatte er über die Schulter zurückgeworfen und seine Stimme verkündete eine unbändige Freude. Tante Polly kam gerade noch rechtzeitig herein um zu sehen, wie Peter ein paar Purzelbäume schlug und mit einem letzten mächtigen Hurra durch das offene Fenster segelte, wobei er den Rest der Blumentöpfe mit sich riss. Starr vor Verblüffung sah ihm die Tante über die Brillengläser hinweg nach, während Tom auf dem Boden lag und sich schier ausschütten wollte vor Lachen.

»Tom, um Gottes willen, was fehlt denn der Katze?«

»Weiß ich doch nicht, Tante«, stieß der Junge atemlos hervor.

»So was hab ich ja mein Lebtag noch nicht gesehen. Was macht sie denn nur?«

»Ich weiß es wirklich nicht, Tante. Katzen machen's anscheinend immer so, wenn sie lustig sind.«

»So? Machen sie's immer so?«

Es war etwas in ihrem Ton, das Tom stutzig machte.

»Hm – ja, ich – ich glaub wenigstens, dass sie's so machen.«

»Ach so!« Die alte Dame bückte sich und Tom beobachtete sie mit besorgtem Interesse. Zu spät merkte er, dass der Stiel des verräterischen Teelöffels unter den Fransen der Tischdecke zu sehen war. Tante Polly holte ihn hervor und hielt ihn hoch. Tom senkte verlegen die Augen. Da zog die Tante ihn an seinen beiden Ohren zu sich herauf und schlug ihm mit ihrem Fingerhut kräftig auf den Kopf. »So, Freundchen, wie kommst du dazu, das arme Tier so zu quälen?«

»Ich – ich hab's doch nur aus Mitleid getan – weil – weil – na, weil Peter doch keine Tante hat.«

»Keine Tante? Dummer Kerl, was hat denn das damit zu tun?«

»'ne Menge! Wenn Peter 'ne Tante hätte, dann würde er doch auch Medizin kriegen, ganz egal, ob sie ihm die Eingeweide aus'm Leib rausbrennt oder nicht, gerade so, als ob er 'n Junge wär.«

Tante Polly fühlte plötzlich Gewissensbisse. Das ließ die Sache in einem neuen Licht erscheinen. Könnte am Ende das, was Grausamkeit gegen eine Katze war, nicht auch Grausamkeit gegen einen Jungen sein? Sie seufzte und ihre Augen wurden feucht. Sanft legte sie die Hand auf Toms Kopf und sagte: »Tom, ich hab's gut gemeint und – es hat dir wirklich auch gut getan, Tom.«

Der Neffe sah zu ihr auf, und kaum merklich blinzelte ihm der Schelm aus den Augen, als er ernst erwiderte: »Ich weiß ja, dass du's gut gemeint hast, Tante. Aber ich hab's auch gut gemeint mit dem Peter, und es hat ihm auch gut getan, noch nie im Leben ist er so hübsch herumgetanzt und ...«

»Ach, mach, dass du wegkommst, eh du mich wieder ärgerst! Und probier endlich mal, ob du nicht 'n anständiger Junge sein kannst! Und Medizin brauchst du keine mehr zu nehmen.«

Tom kam sehr früh in die Schule. Es fiel auf, dass dieses außergewöhnliche Ereignis in der letzten Zeit häufig vorgekommen war. Auch heute wieder, wie neuerdings üblich, trieb er sich allein am Tor des Schulhofes herum, anstatt wie sonst mit seinen Kameraden zu spielen. Es ginge ihm nicht gut, sagte er und nach seinem Aussehen konnte man es ihm glauben. Er versuchte den Anschein zu erwecken, als schaue er überall herum, nur nicht auf das, worauf er wirklich schaute, nämlich auf die Straße. Jetzt tauchte Jeff Thatcher auf und Toms Gesicht strahlte. Einen Augenblick spähte er scharf und angestrengt und im nächsten wandte er sich kummervoll ab. Als Jeff näher kam, sprach Tom ihn an und versuchte vorsichtig das Gespräch auf Becky zu lenken. Aber Jeff, der dumme Kerl, merkte den Köder gar nicht.

Tom schaute und schaute – voller Hoffnung, wenn ein wehender Mädchenrock in Sicht kam, und voller Grimm, sobald er sah, dass dessen Eigentümerin nicht die Erwartete war. Als dann schließlich keine Röcke mehr kamen, sank er in hoffnungslosen Trübsinn. Vor den andern ging er ins leere Schulhaus und setzte sich ganz allein in die Klasse um weiterzubrüten. Da kam noch ein verspäteter Rock durchs Tor und Toms Herz machte einen Riesensprung. Im nächsten Augenblick war er draußen und gebärdete sich wie ein Indianer; er johlte, lachte, schubste die Jungens, sprang über den Zaun, schlug Purzelbäume, stand auf dem Kopf – kurz, er vollbrachte alle Heldentaten, die ihm nur einfielen, und schielte fortwährend zu Becky hinüber um zu sehen, ob sie es auch bemerkte. Becky aber schien nicht das Geringste davon zu sehen, sie guckte überhaupt nicht zu ihm hin. Konnte es möglich sein, dass sie seine Nähe nicht bemerkte? Er verlegte das Feld seiner Heldentaten mehr in ihre Nähe, sprang mit wildem Kriegsgeheul um sie herum, riss einem Jungen die Mütze vom Kopf und schleuderte sie aufs Dach, brach gewaltsam durch eine Gruppe hindurch, sodass sie nach allen Richtungen auseinander stob, und purzelte dicht vor Beckys Nase zu Boden, wobei er sie selber fast mit umriss. Sie aber drehte ihm den Rücken zu, rümpfte das Näschen, und er hörte sie sagen: »Ph – es gibt Jungs, die meinen, sie wären furchtbar interessant – immer müssen sie sich aufspielen.« Toms Wangen brannten. Er rappelte sich auf und schlich davon – gedemütigt und zerschmettert.

13. Kapitel

Toms Entschluss war nun gefasst. Ihn bewegten finstere, verzweifelte Gedanken. Er war von allen in der Welt verlassen, hatte keinen Freund, keinen einzigen! Aber wenn sie merkten, wozu sie ihn getrieben hätten, dann würden sie vielleicht doch traurig sein! Er hatte versucht das Rechte zu tun und gut zu sein, aber sie ließen's ja nicht zu. Nun, wenn sie ihn also durchaus los sein wollten, dann sollten sie eben ihren Willen haben! Natürlich würden sie sagen, er wäre ganz allein schuld – warum sollten sie das auch nicht sagen? Welches Recht hat denn ein Ausgestoßener, sich zu beklagen? Aber nein, sie – sie allein hatten Schuld, denn sie hatten ihn zum Äußersten getrieben! Jetzt wollte er das Leben eines Verbrechers führen – es blieb ihm keine andere Wahl!

In solche Gedanken versunken war er weit über die Wiesen geschritten, und die Schulglocke, die die Kinder in die Klasse rief, tönte nur noch schwach an sein Ohr. Er schluchzte, als er daran denken musste, dass er nun nie, nie wieder diesen vertrauten Klang vernehmen sollte. Es war hart – furchtbar hart, aber – sie zwangen ihn ja dazu! Da sie ihn nun einmal hinausgestoßen hatten in die kalte Welt, so musste er sich eben fügen – aber er verzieh ihnen, verzieh ihnen allen. Und er schluchzte stärker.

In diesem Augenblick stieß er auf seinen Busenfreund Joe Harper, der finster dahertrottete und offenbar einen grässlichen Entschluss in seiner Seele herumwälzte. Tom wischte sich schnell die Augen mit seinem Ärmel ab und stotterte etwas von »in die weite Welt hinausgehen«, weil sie ihn zu Hause immer so schlecht behandelten und ihn absolut nicht verstanden, und von »nie – nie wiederkommen«, und Joe sollte ihn doch nicht vergessen. Da stellte sich heraus, dass Joe gerade an Tom ganz dieselbe Bitte hatte richten wollen und sich nur hier herumtrieb, um ihn zu suchen. Er hatte von seiner Mutter Prügel gekriegt, weil er Rahm genascht haben sollte, den er nicht einmal probiert hatte und von dem er überhaupt nichts wusste. Es war ganz klar, sie konnte ihn nicht leiden und wollte ihn einfach los sein. Wenn das so war, was blieb ihm denn da anderes übrig als wegzugehen? Er hoffte, dass es ihr immer gut ginge und sie niemals bereuen müsse, ihren armen Jungen in die lieblose Welt hinausgestoßen zu haben, wo er leiden und schließlich sterben würde. Wie nun die beiden Jungens so traurig dahinwanderten, erneuerten sie ihren Freundschaftsbund und schworen, stets zusammenzuhalten wie zwei Brüder und sich nie zu trennen, bis der Tod sie von ihren Sorgen befreien würde. Joe war dafür, Eremit zu werden, von Brotkrusten in einer Höhle zu leben und mit der Zeit vor Kälte, Not und Kummer zu sterben. Nachdem er aber Toms Plan angehört hatte, sah er ein, dass ein Verbrecherleben doch beträchtliche Vorteile bot, und war damit einverstanden, Pirat zu werden.

Drei Meilen unterhalb von St. Petersburg, an einer Stelle, wo der Mississippi mehr als eine Meile breit ist, lag eine schmale, bewaldete Insel, die in einer seichten Sandbank auslief. Sie war unbewohnt und lag nah am jenseitigen Ufer, das von einem fast undurchdringlichen Wald bestanden war. Dieser Ort schien wie geschaffen für das Unternehmen, und so wurde denn die Jacksoninsel als Schauplatz ihrer Abenteuer gewählt. Wer eigentlich das Opfer für ihre Seeräubereien sein sollte, war eine Frage, die sie nicht weiter bekümmerte, viel wichtiger war es ihnen, Huckleberry Finn irgendwo aufzutreiben, um ihn für das Unternehmen zu gewinnen. Sie fanden ihn in einem seiner gewöhnlichen Schlupfwinkel, und sofort schloss er sich ihnen an, denn ihm war jegliche Laufbahn recht – er war nicht wählerisch. Nachdem sie alles besprochen hatten, trennten sie sich und verabredeten, sich an einer einsamen Stelle des Flussufers, zwei Meilen oberhalb des Städtchens, zu ihrer Lieblingsstunde – also um Mitternacht – wieder zu treffen. Dort lag nämlich ein kleines Holzfloß, das sie zu kapern gedachten. Jeder sollte einen Angelhaken und Schnur mitbringen und so viel Proviant, wie man nur möglichst heimlich entwenden konnte – wie es sich für Geächtete gehörte. Bevor noch der Nachmittag zu Ende ging, war es ihnen schon gelungen, überall im Städtchen das Gerücht zu verbreiten, man würde bald »etwas zu hören kriegen«, wobei aber alle geheimnisvoll ermahnt wurden, ja den Mund zu halten und abzuwarten.

Um Mitternacht erschien Tom mit einem gekochten Schinken und anderen Kleinigkeiten und blieb im dichten Unterholz einer kleinen Bucht stehen, von wo aus er den Treffpunkt überschauen konnte. Es war sternenklar und totenstill. Der gewaltige Strom lag in friedlicher Ruhe da. Tom horchte einen Augenblick, kein Laut unterbrach die Stille ringsumher. Da ließ er ein lang gezogenes, scharfes Pfeifen ertönen, das von unten erwidert wurde, noch einmal pfiff er, und wieder wurde das Signal in derselben Weise beantwortet. Dann flüsterte eine Stimme: »Wer naht dort?«

»Tom Sawyer, der schwarze Rächer der spanischen Gewässer. Nennt eure Namen!«

»Huck Finn, die blutige Hand, und Joe Harper, der Schrecken der Meere.«

Tom hatte diese Titel der von ihm bevorzugten Literatur entnommen.

»Gebt die Losung!«

In dumpfem Flüsterton drang aus zwei Kehlen gemeinsam das gleiche schreckliche Wort in die brütende Nacht hinein: »Blut!«

Darauf kollerte Tom seinen Schinken den Abhang hinunter und ließ sich selber hinterhergleiten, wobei Haut und Kleider einigermaßen in Mitleidenschaft gezogen wurden. Es gab zwar noch einen leichten, bequemen Weg am Ufer entlang, aber dem fehlte jeglicher Reiz all jener Schwierigkeiten und Gefahren, die Seeräuber nun einmal schätzen. Der Schrecken der Meere hatte eine riesige Speckseite mitgebracht, an der er sich fast krumm und lahm schleppte, und Finn, der Bluthändige, hatte einen Kochkessel gestohlen und sich mit einer Portion halb getrockneter Tabaksblätter sowie einigen Maiskolben ausgerüstet, um Pfeifen daraus zu machen, obwohl keiner der Piraten außer ihm selber rauchte. Der schwarze Rächer der spanischen Gewässer meinte, man könnte überhaupt nichts unternehmen, wenn man kein Feuer an Bord hätte. Das war ein weiser Gedanke, aber wie es auftreiben? Streichhölzer waren damals in dieser Gegend noch eine Seltenheit. Da sahen sie hundert Schritt aufwärts auf einem großen Floß ein Feuer brennen, von dem man sich ganz gut einen brennenden Holzscheit verschaffen konnte. Gesagt, getan. Behutsam schlichen sie sich dorthin. Es war ein ungemein gefährliches Abenteuer! Alle Augenblicke blieben sie stehen, legten den Finger an den Mund und riefen »Pscht!«. Ihre Hände griffen nach imaginären Schwertern, in düsterem Ton wurden Kommandos geflüstert und grimmige Verwünschungen ausgestoßen über den Feind, der »kaltgemacht« werden müsse, denn – »nur der Tod verschließe ihm den Mund auf ewig!« Zwar wussten sie ganz genau, dass die Bootsleute unten in der Stadt waren, um Vorräte einzukaufen oder einen zu heben; das war aber für sie durchaus kein Grund, die Sache nicht wie ein richtiger Pirat durchzuführen.

Bald darauf stießen sie vom Ufer ab. Tom hatte das Kommando, Huck saß am hinteren Ruder und Joe am vor-

deren. Mit düsterem Blick und über der Brust gekreuzten Armen stand Tom mitten auf dem Floß und gab in strengem Flüsterton seine Befehle: »Luven! Vor den Wind!«

»Jawoll, Kap'tän.«

»Stet, Jungs – Kurs halten! Einen Strich mehr rechts!«

Sie ließen das Floß regelmäßig und gleichförmig in der Mitte des Stromes gleiten, und es versteht sich von selbst, dass die Befehle nur der Form halber erteilt wurden und nicht etwa, weil sie irgendetwas Bestimmtes zu bedeuten hatten.

»Welche Segel sind gerefft?«

»Hauptsegel, Toppsegel und Klüversegel, Kap'tän.«

»Bramsegel rauf! Vor den Wind! Sechs von euch an die Vortoppmarssegel! Fix, Jungs, rührt euch!«

»Jawoll, Kap'tän.«

Sie lenkten das Floß nach rechts und zogen die Ruder ein. Während der nächsten Dreiviertelstunde wurde kaum ein Wort gewechselt. Am anderen Ufer, jenseits der weiten sternenfunkelnden Wasserfläche, lag das Städtchen, zwei oder drei schimmernde Lichtpunkte leuchteten von dort zu ihnen herüber. Es ruhte in friedlichem Schlummer, ohne eine Ahnung zu haben von dem Unerhörten, das sich hier zutrug.

Der schwarze Rächer stand unbeweglich mit gekreuzten Armen und warf einen letzten Blick auf den Schauplatz seiner früheren Freuden und späteren Leiden und wünschte nur, dass sie ihn jetzt sehen könnten, draußen auf der wilden See, wie er der Gefahr und dem Tode mit furchtlosem Herzen entgegensah und mit einem grimmigen Lächeln auf den Lippen in den Untergang zog. Seiner Phantasie fiel es nicht schwer, die Jacksoninsel aus der Sichtweite des Städtchens zu verlegen, und so warf er seinen »letzten Blick« mit brechendem, aber befriedigtem Herzen hinüber. Auch die anderen Piraten sandten ihre »letzten Blicke«, und zwar so anhaltend, dass sie die Strömung fortgetrieben hätte, wenn die Gefahr nicht noch beizeiten verhindert worden wäre. Etwa um zwei Uhr morgens landete das Floß an der Sandbank, ungefähr hundert Meter oberhalb der Inselspitze, und die Jungens wateten durch das Wasser hin und her, bis sie ihre Ladung glücklich verstaut hatten. Ein altes Segel, das zu dem kleinen Floß gehörte, spannten sie an einer abgelegenen Stelle als Zelt auf, um ihre Vorräte darunter zu bergen. Sie selbst aber wollten bei gutem Wetter unter freiem Himmel schlafen, so wie's sich für Ausgestoßene geziemt. Neben einem abgestorbenen Baumstumpf, etwa zwanzig bis dreißig Fuß weit in der düsteren Tiefe des Waldes, schichteten sie Holz für ein Feuer auf, brieten sich Speck zum Abendessen und verzehrten die Hälfte des mitgebrachten Schinkens. Es schien ihnen herrlich, in so wild ungebundener Weise, im unberührten Wald eines unbewohnten Eilandes zu schmausen, weitab vom Getriebe der Menschen, und sie schworen sich, nie wieder in die Fesseln der Zivilisation zurückzukehren. Das flackernde Feuer beleuchtete ihre Gesichter und warf seinen roten Schein auf die Baumsäulen ihres Waldtempels, auf das Laubwerk und das Gewirr der Schlinggewächse. Als die letzte knusprige Scheibe Speck verzehrt war, streckten sich die Jungens auf dem Gras aus, erfüllt von Zufriedenheit. Sie hätten auch ein kühleres Plätzchen finden können, aber sie wollten sich das romantische Gefühl nicht versagen, am flackernden Lagerfeuer zu rösten.

»Ist das nicht prima?«, fragte Joe.

»Herrlich«, bestätigte Tom.

»Was würden wohl die anderen sagen, wenn sie uns so sehen könnten?«

»Sagen? Die würden alles drum geben, wenn sie hier sein dürften, was, Hucky?«

»Na und ob«, brummte Huckleberry. »Ich fühl mich sauwohl hier, könnt nicht besser sein. Sonst krieg ich meistens nicht genug zu essen, und hier kann doch keiner kommen und mir 'nen Fußtritt geben und mich anbrüllen.«

»Das nenn ich doch ein Leben!«, rief Tom. »Morgens braucht man nicht aufzustehn, nicht in die Schule, braucht sich nicht zu waschen, zu kämmen und all das blödsinnige Zeugs. Hatte ich nicht Recht, Joe? So 'n Seeräuber hat das beste Leben, wenn er auf'm Land ist; den ganzen Tag hat er nix zu tun, aber 'n Eremit, der muss beten, bis er schwarz wird – und dann macht's doch auch gar keinen Spaß, immer so allein zu sein.«

»Na ja«, sagte Joe, »ich hab's mir ja auch nicht so genau überlegt, weißt du. Jetzt, wo ich's probiert hab, bin ich heilfroh, dass ich 'n Pirat geworden bin.«

»Außerdem«, belehrte Tom, »gibt man heutzutage gar nicht mehr so viel auf Eremiten wie früher, aber 'n Pirat ist überall angesehn. Und so 'n Eremit muss auch immer auf der allerhärtesten Stelle schlafen, die er nur finden kann, und muss sich Asche auf'n Kopf streuen und im Regen stehen und ...«

»Asche? Zu was denn Asche auf'n Kopf?«, fragte Huck.

»Weiß ich nicht, aber sie müssen's. Alle Eremiten tun's. Du müsstest's auch, wenn du einer wärst.«

»Ph, würd mich schön hüten«, sagte Huck.

»Was würdest du denn sonst tun?«

»Weiß nicht, aber das würd ich nicht machen. Asche auf'n Kopf? Nee!«

»Aber Huck, du musst einfach, wie willst du dich dann davor drücken?«

»Oh, ich würd eben ausreißen.«

»Ausreißen? Na, da wärst du 'n nettes Exemplar von 'nem Eremiten. Da wärst du ja 'n Schandfleck für die ganze Bande!«

Der Bluthändige gab gar keine Antwort, er hatte etwas Besseres zu tun. Er war gerade damit fertig geworden, einen Maiskolben auszuhöhlen; nun befestigte er einen Binsenhalm als Stiel daran, stopfte Tabak in den Kolben, legte einen glühenden Holzscheit drauf und blies eine Wolke lieblich duftenden Rauchs aus. Man sah ihm an, dass er sich in einem Zustand wohligen Behagens befand. Die beiden andern Piraten beneideten ihn nicht wenig um sein imponierendes Laster und gelobten insgeheim, es sich recht bald anzueignen. Nach einer Weile fragte Huck: »Was haben Piraten eigentlich zu tun?«

»Oh, sie haben's einfach gut«, erwiderte Tom, »sie kapern Schiffe und verbrennen sie, nehmen alles Geld weg und vergraben's an unheimlichen Plätzen auf ihrer Insel, wo's Geister gibt, die den Schatz bewachen, und dann töten sie alle Leute auf den Schiffen und werfen sie über Bord und so ...«

»Und die Frauen schleppen sie auf ihre Insel«, sagte Joe, »die töten sie nicht.«

»Nee«, pflichtete Tom bei, »sie töten nie Frauen, dazu sind sie viel zu edel. Die Frauen sind auch immer sehr schön.«

»Und die Kleider, die sie anhaben, ich sag dir, alles voll Gold und Diamanten«, fiel Joe ganz begeistert ein.

»Wer?«, fragte Huck.

»Na, die Piraten.«

Huck sah nachdenklich an seiner Kleidung hinunter. »Oje, meine Kleider passen aber dann verdammt schlecht für 'nen Piraten«, sagte er mit einer gewissen erhabenen Trauer in der Stimme, »ich hab aber keine andern.«

Die beiden versicherten ihm, die schönsten Kleider würden schon noch kommen, wenn sie nur erst mal auf Abenteuer ausgingen. Sie machten ihm begreiflich, dass seine Lumpen für den Anfang schließlich ausreichten, obwohl es sich für bessere Seeräuber ja eigentlich schickte, in anständiger Garderobe loszuziehen.

Allmählich verstummte das Geplauder, und Müdigkeit legte sich auf die Lider der kleinen Ausreißer. Die Pfeife entglitt den Fingern des Bluthändigen und er schlief den tiefen Schlaf des Gerechten und Müden. Der Schrecken der Meere und der schwarze Rächer der spanischen Gewässer konnten hingegen nicht so schnell einschlafen. Sie sagten ihr Gebet nur im Stillen auf, denn hier war ja keine Respektsperson, die sie zum Niederknien und lauten Aufsagen gezwungen hätte. Um die Wahrheit zu sagen – zuerst wollten sie überhaupt nicht beten, aber schließlich schreckten sie vor solchem Wagnis doch zurück, aus Furcht, es könne plötzlich ein Blitzstrahl vom Himmel auf sie niedersausen. Endlich, endlich waren sie dicht an der Grenze des Schlafes, da nahte ein Störenfried, der sich nicht abweisen lassen wollte – es war das Gewissen. Ein quälendes Gefühl überkam sie, ob sie nicht doch am Ende unrecht getan hätten, so einfach davonzulaufen; und dann dachten sie an das gestohlene Fleisch, und damit begannen erst die richtigen Qualen. Sie versuchten sie zu verscheuchen, indem sie ihr Gewissen daran erinnerten, wie oft sie sich schon an Äpfeln in der Vorratskammer vergriffen hätten, das Gewissen aber ließ sich von solchen durchsichtigen Ausflüchten nicht täuschen und machte ihnen schließlich klar, man könne die unumstößliche Tatsache nicht umgehen, dass das Naschen von Äpfeln und Süßigkeiten eben nur »Stibitzen«, während das Fortschleppen von Speck, Schinken und größeren Gegenständen nichts anderes als hundsgemeiner Diebstahl sei – und dagegen gab es ein Gebot in der Bibel. Und so beschlossen sie im Stillen, dass, solange sie das Piratengeschäft betrieben, sie ihre Raubzüge nicht wieder mit dem Verbrechen des Diebstahls besudeln wollten. Auf dieser Grundlage schloss ihr Gewissen denn auch einen Waffenstillstand mit ihnen, und unsere seltsam inkonsequenten Seeräuber versanken schließlich in einen friedlichen, ungestörten Schlummer.

14. Kapitel

Als Tom am andern Morgen erwachte, sah er ganz verwirrt um sich. Er setzte sich auf, rieb sich die Augen, und dann erst begriff er. Es herrschte eine graue, kühle Dämmerung, und ein köstlicher Duft von Ruhe und Frieden lag in der tiefen Stille des Waldes. Kein Blatt rührte sich, kein Laut störte das Nachdenken der schweigenden Natur. Tautropfen perlten auf Blättern und Gräsern. Tief drinnen im Walde rief ein Vogel, ein anderer antwortete, dann hörte man das Hämmern eines Spechtes. Allmählich erhellte sich das kühle, fahle Grau der Morgendämmerung, und ebenso allmählich vermehrten sich die Töne ringsum, und überall begann das Leben zu erwachen. Das große Wunder, wie die Natur den Schlaf abschüttelt und ihr Tagewerk aufnimmt, entfaltete sich vor dem staunenden Jungen. Eine kleine grüne Raupe kam über ein taufrisches Blatt dahergekrochen; von Zeit zu Zeit hob sie drei Viertel ihres Körperchens in die Luft, schnüffelte umher und kroch weiter. Aha, die kommt zum Anmessen, dachte Tom. Und als sich die Raupe ihm furchtlos näherte, saß er mäuschenstill und hoffte und bangte, je nachdem, ob sie sich auf ihn zu bewegte oder sich nach einer andern Richtung wandte. Als sie sich aber schließlich ganz entschieden auf Toms Hosen niederließ und eine Entdeckungsreise darauf antrat, war sein Herz voll Freude, denn das bedeutete, dass er einen neuen Anzug bekommen würde – zweifellos eine glänzende Piratenuniform. Die ganze Natur war jetzt wach und voll Leben und Bewegung. Wie blitzende Lanzen drangen die Sonnenstrahlen nah und fern durch das dichte Laub, und kleine bunte Schmetterlinge kamen herbeigeflogen. Ein schwarz gefleckter Marienkäfer erkraxelte die steile Höhe eines Grashalms, Tom beugte sich zu ihm herab und sagte:

>Marienkäfer, flieg,
Vater ist im Krieg.
Fliege heim, es brennt dein Haus,
Deine Kinder weinen sich die Augen aus.«

Und das Marienkäferchen breitete die kleinen Schwingen aus und flog davon, um nach den zu Hause weinenden Kindern zu sehen, was Tom keineswegs überraschte, denn er kannte aus Erfahrung die Leichtgläubigkeit des dummen Tieres sowie seine Angst vor Feuer und hatte schon mehr als einmal dessen Einfalt schamlos ausgenutzt.

Tom weckte die beiden andern Piraten, und eine Minute später trabten die drei mit hellem Freudengeheul dem Ufer zu, warfen die Kleider ab und jagten, spritzten und überschlugen sich in dem seichten, lauen Wasser der Sandbank. Sie hatten keine Spur von Sehnsucht nach dem Städtchen, das da drüben, jenseits der endlosen majestätischen Wasserfläche, noch im Schlafe lag. Eine verirrte Welle oder eine zufällige Strömung hatte ihr Floß weggetrieben, aber das tat ihnen nicht Leid, im Gegenteil freuten sie sich, dass durch sein Verschwinden nun gleichsam alle Brücken zwischen ihnen und der Zivilisation abgebrochen waren. Wundervoll erfrischt kehrten sie in ihr Lager zurück, frohen Herzens und mit einem Bärenhunger. Bald flackerte das Feuer wieder in heller Flamme und Huck entdeckte dicht beim Lager eine Quelle mit frischem Wasser. Sie machten sich Becher aus großen Eichen- und Ahornblättern und fanden, dass Wasser, versüßt durch seine so eigenartig wilde Waldromantik, ein wundervoller Ersatz für Kaffee sei. Während Joe eine Speckscheibe zum Frühstück abschnitt, riefen ihm Huck und Tom zu, noch eine Minute auf sie zu warten. Sie liefen an den Fluss, warfen ihre Angel aus, und noch ehe Joe Zeit hatte, ungeduldig zu werden, waren sie schon zurück mit einem Fischvorrat, der für eine ganze Familie ausgereicht hätte. Sie brieten den Fisch in Speck, und noch nie hatte ihnen ein Fisch so delikat geschmeckt. Nach dem Frühstück legten sie sich in den Schatten, während Huck sein Pfeifchen rauchte, und dann machten sie sich zu einer Entdeckungsreise über die Insel auf. Vergnügt liefen sie über vermoderte Baumstümpfe, durch wirres Gestrüpp, zwischen den erhabenen Fürsten der Wälder hindurch, um deren Stämme von der Krone bis zur Wurzel ein duftender Krönungsmantel wilder Rebenranken hing. Über Lichtungen kamen sie, deren saftig grüner Rasen mit bunten Blumen gesprenkelt war. Sie stellten fest, dass die Insel etwa drei Meilen lang und eine Viertelmeile breit sei und dass die Küste nur durch einen schmalen, kaum hundert Meter breiten Kanal vom Festland getrennt war. Mindestens jede Stunde einmal nahmen sie ein Bad, und so war der Nachmittag schon ziemlich vorgerückt, als sie in ihr Lager zurückkehrten. Sie waren zu hungrig, um noch erst lange zu fischen, und so fielen sie über ihren Schinken her und warfen sich dann in den Schatten und plauderten. Aber das Gespräch geriet bald ins Stocken und hörte schließlich ganz auf. Die feierliche Stille, die über dem Walde brütete, und das Gefühl der Einsamkeit begannen, die Jungen zu bedrücken. Sie versanken in Nachdenken.

Ein unbestimmtes Sehnen schlich in ihr Herz und nahm immer deutlicher Gestalt an – es war aufkeimendes Heimweh. Selbst Finn, der Bluthändige, träumte von seinen Treppenstufen und leeren Regentonnen. Aber alle drei schämten sich ihrer Schwäche und keiner hatte den Mut, seine Gedanken auszusprechen. Schon seit einigen Minuten drangen aus der Ferne eigentümliche Töne herüber, die ihnen aber bisher nicht deutlich zum Bewusstsein gekommen waren, so wie man manchmal das Ticken einer Uhr hört, ohne davon besondere Notiz zu nehmen. Jetzt aber wurde der geheimnisvolle Ton stärker und drängte sich der Wahrnehmung auf. Die Jungens fuhren in die Höhe, sahen einander erschrocken an und richteten sich in lauschender Stellung auf. Es war alles so still wie vorher, dann aber hörten sie von fern ein dumpfes »Bum«.

»Was ist das?«, rief Joe mit unterdrückter Stimme.

»Möcht's selber wissen«, flüsterte Tom.

»Donner ist's nicht«, sagte Huck in ängstlichem Ton, »denn Donner ...«

»Still!«, gebot Tom. »Quassel nicht, horch lieber!« Wieder warteten sie eine Zeit lang, die ihnen eine Ewigkeit schien, und dann unterbrach dasselbe dumpfe »Bum« die tiefe Stille. »Wir wollen hingehen und nachsehen, was es ist.« Damit sprangen sie schnell auf die Füße und rannten dem Ufer zu, das der Stadt gegenüberlag. Vorsichtig teilten sie die Büsche und lugten auf das Wasser hinaus. Da trieb die kleine Dampffähre etwa eine Meile unterhalb der Stadt mit der Strömung daher. Ihr breites Deck wimmelte von Menschen. Eine Masse Boote ruderte um den Dampfer herum, aber die Jungens konnten nicht erkennen, was die Leute darauf machten. Auf einmal brach eine dicke, weiße Rauchwolke aus der Seite der Fähre, und als sie höher stieg und sich langsam in Dunst auflöste, drang wieder der dumpfe Ton in die Ohren der lauschenden Jungens. »Jetzt weiß ich's«, schrie Tom, »'s ist einer ertrunken.«

»Jawoll«, stimmte Huck bei. »So haben sie's vorigen Sommer auch gemacht, als Bill Turner ersoffen ist. Da haben sie 'ne Kanone losgefeuert und dadurch kommt der Tote wieder rauf. Ja, und sie nehmen auch Brote und stecken Quecksilber rein und lassen sie schwimmen, und die treiben gerade dahin, wo der Versoffene liegt, und halten bei ihm an.«

»Ja, ja, davon hab ich auch gehört«, sagte Joe. »Woher das Brot aber so was bloß wissen kann?«

»Na, 's ist gar nicht so sehr das Brot«, sagte Tom, »es wird wohl mehr das sein, was sie vorher drüber sprechen.«

»Aber sie sprechen gar nix drüber«, versicherte Huck, »ich hab's ganz genau gesehen!«

»Das wär aber komisch«, meinte Tom, »vielleicht sagen sie's leise. Natürlich, so muss es sein, das kann man sich doch an den Fingern abzählen.«

Die andern beiden gaben Tom vollkommen Recht, denn von »so 'nem dummen, lumpigen Brot« könnte man doch ohne irgendwelchen Zauberspruch unmöglich erwarten, dass es sich bei einem so ernsten, wichtigen Auftrag sehr gescheit anstellen würde.

»Teufel«, rief Joe, »ich wollt, ich wär jetzt auch drüben.«

»Ich auch«, sagte Huck, »ich gäb wer weiß was drum, wenn ich wüsst, wer da gesucht wird.«

Die Jungens lauschten wieder angestrengt und schauten weiter herüber. Plötzlich zuckte ein erleuchtender Gedanke durch Toms Hirn und er schrie: »Jungs, ich weiß, wer ertrunken ist – wir sind's!«

Im Nu fühlten sie sich als Helden. Welch ein Triumph! Sie wurden vermisst, betrauert, Herzen brachen ihretwegen, Tränen wurden vergossen und anklagende Erinnerungen an manche Unfreundlichkeit gegen die armen, nun verlorenen Knaben tauchten auf und Reue und Gewissensbisse zerfleischten die Herzen! Das Herrlichste aber war: Ihr Verschwinden würde das Tagesgespräch der ganzen Stadt sein! Herrgott, und der Neid der andern Jungens über diese glänzende öffentliche Berühmtheit! Jawohl, es lohnte wahrhaftig, Pirat zu sein!

Als die Dämmerung anbrach, nahm die Dampffähre ihren gewohnten Betrieb wieder auf und auch die Boote verschwanden. Die Seeräuber begaben sich wieder in ihr Lager, ganz berauscht vor Stolz über ihre neue Größe und die Ruhm bringende Unruhe, die sie verursachten. Sie fingen Fische, kochten ihr Abendbrot, verzehrten es, und dann stellten sie Vermutungen darüber an, was man zu Hause wohl alles über sie sagte und dachte, und malten sich mit Wohlgefallen die Bilder des allgemeinen Kummers aus, der ihretwegen herrschte. Als aber die Schatten der Nacht sie einhüllten, verstummte allmählich ihr Gespräch, und sie starrten ins Feuer, während ihre Gedanken anscheinend ganz woanders waren. Der Rausch war verflogen, und Tom und Joe konnten sich der Gedanken an gewisse Leute zu Hause nicht erwehren, die diesen herrlichen Spaß wohl weniger lustig fanden als sie selber. Schlimme Ahnungen tauchten auf, sie fühlten sich unbehaglich und unglücklich, und ohne dass sie es wollten, entschlüpfte ihnen ein Seufzer nach dem andern. Schließlich wagte Joe, schüchtern einen tastenden »Fühler« auszustrecken, um zu sehen, wie wohl die andern über eine Rückkehr in die Zivilisation denken mochten – »natürlich nicht jetzt – aber …«

Tom wies diese Zumutung mit Verachtung zurück. Huck, der sich bis jetzt noch nicht entschieden hatte, stimmte Tom bei, und der Wankelmütige begann sogleich, sich zu rechtfertigen, und war froh, dass es ihm gelang, den Makel schwächlichen Heimwehs nach Möglichkeit von sich abzuwälzen. Auf jeden Fall war die Meuterei für den Augenblick erfolgreich unterdrückt.

Bei einbrechender Dunkelheit nickte Huck ein und fing an zu schnarchen. Dann kam die Reihe an Joe. Tom aber lag unbeweglich auf die Ellbogen gestützt und sah die beiden aufmerksam an. Schließlich erhob er sich vorsichtig auf die Knie und kroch bei dem Schein des flackernden Feuers suchend im Gras umher. Er sammelte ein paar halbkreisförmige Stücke weißer, dünner Platanenrinde auf, prüfte sie und wählte schließlich zwei, die ihm die besten schienen, aus. Dann kniete er am Feuer nieder und kritzelte mühsam etwas mit einem Rotstift auf jedes der Stücke. Eins rollte er zusammen und steckte es in seine Tasche, das andere schob er in Joes Hut, den er etwas entfernt von seinem Eigentümer ins Moos legte. In diesen legte er außerdem noch allerlei Schuljungenkostbarkeiten von nahezu unschätzbarem Wert, darunter ein Stückchen Kreide, einen Radiergummi, drei Fischhaken und eine Glasmurmel, die überall für »echt Kristall« geschätzt wurde. Dann schlich er leise auf den Zehenspitzen zwischen den Bäumen davon, aber als er außer Hörweite war, setzte er sich sofort in einen schnellen Trab – geradewegs der rettenden Sandbank zu.

15. KAPITEL

Ein paar Minuten später war Tom schon im seichten Wasser der Sandbank und watete auf das Ufer von Illinois zu. Ehe ihm das Wasser bis an die Brust reichte, war er schon halb drüben. Jetzt aber erlaubte die Strömung kein weiteres Waten mehr, und so machte er sich denn zuversichtlich daran, die übrigen hundert Meter schwimmend zurückzulegen. Er schwamm quer durch die Strömung, die ihn immer wieder zurückwarf. Schließlich erreichte er aber doch das Ufer und kletterte an einer niederen Stelle an Land. Er griff in seine Tasche, ob das Rindenstück noch an seinem Platz wäre, und schlug sich mit triefenden Kleidern durch den Wald, der am Ufer entlanglief. Kurz vor zehn Uhr kam er an eine Bucht, gerade dem heimatlichen Städtchen gegenüber, und fand dort die Dampffähre, die unter den Bäumen des hohen Ufers vor Anker lag. Alles war still unter den funkelnden Sternen. Er kroch vorsichtig die Uferböschung hinab, glitt ins Wasser und schwamm mit drei oder vier Stößen zu dem Boot, das an der Seite der Fähre befestigt war. Dort streckte er sich unter der Ruderbank aus und wartete mit klopfendem Herzen. Bald darauf läutete eine blecherne Glocke, und eine Stimme gab den Befehl zum Abstoßen. Ein paar Minuten später wurde das Boot von der Fähre scharf angezogen und die Fahrt hatte begonnen. Tom beglückwünschte sich zu seinem Erfolg, er wusste, dies war die letzte Fahrt, die die Fähre diesen Abend machte. Nach endlosen zwölf bis fünfzehn Minuten stoppten die Räder, Tom schlüpfte über Bord, schwamm im Dunkeln ans Ufer und landete etwa fünfzig Meter unterhalb des Städtchens, wo nicht mehr die Gefahr bestand, etwa noch herumstreichenden Bekannten zu begegnen. Er lief durch einsame Gässchen und stand bald am hinteren Hofzaun seiner Tante. Er kletterte hinüber, näherte sich dem Haus und schaute durch das Fenster des Wohnzimmers, in dem noch Licht brannte. Er sah Tante Polly, Sid, Mary und Joe Harpers Mutter um den Tisch sitzen, der in der Nähe des Bettes stand, und das Bett befand sich zwischen ihnen und der Tür. Tom näherte sich dieser Tür und drückte vorsichtig die Klinke herunter. Sie gab unter seiner Berührung nach und öffnete sich mit leisem Knarren. Vorsichtig schob er sie weiter auf und hielt jedes Mal inne, wenn es quietschte, bis ihm der Spalt groß genug erschien, dass er sich mit den Knien durchschieben konnte. Dann steckte er den Kopf durch und begann, mutig vorwärts zu kriechen.

»Warum das Licht nur so flackert?«, sagte Tante Polly.

Tom beeilte sich.

»Herrgott, ich glaub, die Tür ist offen! Natürlich ist sie's! Geh, mach sie zu, Sid.«

Tom konnte gerade noch zur rechten Zeit unter dem Bett verschwinden. Dort lag er mucksmäuschenstill, bis er wieder zu Atem gekommen war, dann kroch er weiter, sodass er fast die Füße seiner Tante berühren konnte.

»Also, wie gesagt«, fuhr diese fort, »schlecht war er nicht, was man so unter schlecht versteht – nur immer voll Übermut und Leichtsinn, wissen Sie. So wenig Verstand wie ein Fohlen. Man konnte ihm nichts übel nehmen; er meinte es ja nicht bös und war der gutmütigste Kerl, den man sich denken kann, und …« Sie begann zu weinen.

»Geradeso war mein Joe – immer voll Unfug und für jeden Spaß zu haben und so gut, wie man nur sein kann. Und nun, wenn ich dran denke, lieber Himmel, dass ich ihn verhauen hab, weil ich meinte, er hat den Rahm genommen, und denk gar nicht dran, dass ich ihn doch selber weggeschüttet hab, weil er sauer geworden ist! Und jetzt – jetzt soll ich ihn nie, nie wieder sehen in dieser Welt, meinen armen Jungen, den ich ungerecht behandelt hab, nie, nie wieder!«

Und Mrs Harper schluchzte, als wollte ihr das Herz brechen.

»Ich hoffe, Tom hat es besser, wo er jetzt ist«, sagte Sid, »aber ich mein, wenn er sich hier manchmal besser ...«

»Sid!« Tom fühlte richtig den stechenden Blick in den Augen der Tante, obwohl er's nicht sehen konnte. »Nicht ein Wort gegen meinen armen Tom, jetzt, da er von uns gegangen ist. Gott wird sich seiner schon annehmen, da brauchst du dich nicht drum zu kümmern, hörst du! Oh, Mrs Harper, ich weiß nicht, wie ich's aushalten soll ohne ihn, er war ja mein ganzer Trost, wenn er mir auch manchmal fast das Herz aus dem Leib gequält hat.«

»Der Herr hat's gegeben, der Herr hat's genommen, der Name des Herrn sei gelobt! Aber hart ist's, furchtbar hart! Noch letzten Sonntag hat mein Joe einen Knallfrosch direkt vor meiner Nase losgelassen, und ich versetzte ihm eins, dass er umfiel. Hätt ich gewusst, dass er so bald ... ach, wenn er's doch bloß noch einmal tun könnt – küssen und segnen wollt ich ihn dafür.«

»Ja, ja, ja, ich weiß, wie Ihnen zumute ist, Mrs Harper, ich weiß es nur zu gut! Es ist noch nicht länger her als gestern Nachmittag, da hat mein Tom der Katze ›Schmerzenstöter‹ eingegeben, na, und ich mein, das Tier reißt's ganze

Haus ein. Und Gott verzeih mir, ich geb dem Jungen mit meinem Fingerhut einen Klaps auf den Kopf – armer Junge, armer, armer toter Junge! Aber nun ist er heraus aus allen Nöten. Und die letzten Worte, die ich von ihm gehört hab, waren, dass er mir vorwarf ...« Aber diese Erinnerung war zu viel für die alte Dame und sie brach völlig zusammen. Tom schluchzte jetzt auch aus lauter Mitleid mit sich selber. Er hörte, wie Mary weinte und von Zeit zu Zeit ein freundliches Wort über ihn sagte. Seine Meinung über sich selbst stieg um ein Beträchtliches, und er war so gerührt über den Kummer der Tante, dass er kaum der Versuchung widerstehen konnte, unter dem Bett hervorzukriechen und ihren Kummer in Freude zu verwandeln. Der theatralische Effekt einer solchen Szene wäre ganz nach seinem Geschmack gewesen, aber er widerstand tapfer und verhielt sich still. Aus allerlei Bruchstücken der Unterhaltung entnahm er, dass man zuerst geglaubt hatte, die Burschen seien beim Schwimmen ertrunken. Dann wurde aber das kleine Floß vermisst, und ein paar Jungen gaben an, dass die Verschwundenen gesagt hätten, die Stadt würde bald »etwas zu hören kriegen«. Die »weisen Häupter« der Gemeinde reimten sich nun alles Mögliche zusammen und waren sich schließlich darin einig, die Ausreißer seien auf dem Fluss davongefahren und würden wohl bald in der nächsten Stadt flussabwärts auftauchen. Aber gegen Mittag hatte man etwa vier Meilen unterhalb des Städtchens an der Missouriküste das leere Floß gefunden und da schwand jede Hoffnung. Sie waren sicher ertrunken, denn sonst hätte sie der Hunger noch vor Beginn der Nacht nach Hause getrieben. Man glaubte, die Suche nach den Leichen wäre deshalb erfolglos geblieben, weil sich das Unglück sicherlich mitten im Strom zugetragen habe, denn die Jungens waren gute Schwimmer und hätten sich sonst bestimmt ans Ufer gerettet. Das war Mittwochabend gewesen. Wenn man sie bis Sonntag noch nicht gefunden hätte, müsste man jede Hoffnung aufgeben, und am Sonntag sollte dann ein Trauergottesdienst in der Kirche abgehalten werden. Tom erschauerte.

Mrs Harper sagte schluchzend gute Nacht und wandte sich zum Gehen. Von dem gleichen Impuls getrieben flogen die beiden unglücklichen Frauen einander in die Arme, weinten sich an der Schulter der andern tüchtig aus und nahmen schließlich Abschied. Tante Polly sagte Sid und Mary mit besonderer Zärtlichkeit gute Nacht, Sid weinte ein bisschen, Mary aber schluchzte aus Herzensgrund.

Nun kniete Tante Polly nieder und betete für Tom, so rührend, so eindringlich, mit so grenzenloser Liebe in jedem Wort und jedem Ton ihrer alten, zitternden Stimme, dass der Missetäter unter dem Bett fast in Tränen zerfloss. Er musste noch lange, nachdem sie zu Bett gegangen waren, still liegen bleiben, denn sie warf sich ruhelos von einer Seite zur andern und stieß von Zeit zu Zeit herzzerbrechende Seufzer aus. Endlich aber wurde sie still, nur ab und zu schluchzte sie noch leise im Schlafe auf. Jetzt kroch Tom unter dem Bett hervor, richtete sich in die Höhe, beschattete die Kerze mit der Hand und betrachtete sie. Sein Herz war voller Mitleid für sie. Er nahm die Platanenrinde aus der Tasche und legte sie neben den Leuchter. Da fiel ihm etwas ein; er zögerte, und sein Gesicht verklärte sich bei dem Gedanken, eine glückliche Lösung gefunden zu haben. Rasch steckte er die Rinde wieder ein, beugte sich über das liebe, alte Gesicht und küsste die welken Lippen;

dann stahl er sich davon und zog leise die Tür hinter sich zu. Er schlich den gleichen Weg, den er gekommen war, zur Fähre zurück und betrat kühn das Deck. Wusste er doch, dass sich um diese Zeit nur ein einziger Wächter dort befand, und der pflegte sich für gewöhnlich in die Kajüte zurückzuziehen und dort zu schlafen wie ein Sack. Er löste das Boot, schlüpfte hinein und ruderte vorsichtig stromaufwärts. Als er eine Meile von der Stadt entfernt war, steuerte er quer über den Fluss und legte sich tüchtig in die Riemen. Er traf genau die Landungsstelle auf der andern Seite, denn er machte es nicht zum ersten Mal. Einen Augenblick überlegte er, ob er das Boot nicht mitnehmen sollte, da es doch sozusagen ganz legitime Beute für einen Piraten wäre; aber er fürchtete, man würde womöglich Nachforschungen danach anstellen, die zu unliebsamen Entdeckungen führen könnten. So sprang er ans Ufer und lief in den Wald. Dort hielt er eine lange Rast und hatte Mühe nicht einzuschlafen. Todmüde machte er sich dann auf den Weg. Die Nacht war schon weit vorgerückt, und es war fast Tag, als er sich wieder am Ufer gegenüber der Sandbank befand. Er ruhte noch einmal aus, bis die Sonne ganz aufgegangen war. Dann warf er sich ins Wasser und kurz darauf stand er triefend am Eingang des Lagers. Gerade hörte er Joe sagen: »Nee, Huck, Tom ist treu wie Gold – er kommt bestimmt wieder, der kneift nicht aus! Er weiß, das wär 'ne Schande für 'nen Piraten, und dafür ist Tom viel zu ehrenhaft. Er ist auf irgendwas aus – wenn ich bloß wüsste, auf was.«

»Na ja, aber die Sachen da im Hut gehören doch nun uns, nicht?«

»Beinah, Huck, aber noch nicht ganz. Er schreibt doch

hier auf der Rinde: Die Sachen gehören euch, wenn ich nicht bis zum Frühstück zurück bin.«

»Was hiermit der Fall ist!«, rief Tom und betrat mit großartiger dramatischer Pose die Szene.

Ein üppiges Frühstück aus Speck und Fisch war bald bereitet, und während sich die drei darüber hermachten, erzählte Tom mit entsprechender Ausschmückung seine Erlebnisse. Als er damit fertig war, saß dort eine eitle prahlerische Gesellschaft von Helden. Dann suchte Tom ein schattiges Plätzchen zum Schlafen, während die andern Piraten auf Fischfang gingen.

16. Kapitel

Nach dem Mittagessen zog die ganze Bande auf die Sandbank, um Schildkröteneier zu suchen. Mit Stöcken durchwühlten sie den Sand und wo sie eine etwas aufgelockerte Stelle fanden, gruben sie mit den Händen nach. Manchmal erwischten sie fünfzig bis sechzig Eier auf einem Haufen – runde, weiße, nussgroße Dinger. Das gab ein köstliches Abendbrot von gebackenen Eiern und reichte sogar noch für ein leckeres Frühstück am andern Morgen.

Es war Freitag. Nach dem Frühstück liefen sie lärmend und springend an den Strand, schlugen Purzelbäume, jagten einander und warfen vor Übermut beim Rennen ihre Kleider ab, bis sie splitternackt waren. Die Farbe ihrer Haut erinnerte sie an die Trikots der Zirkusleute, und im

Nu war ein Kreis in den Sand gezogen und der schönste Zirkus war fertig. Ein Zirkus mit drei Clowns – denn niemand wollte natürlich diese stolze Rolle einem andern überlassen. Als das Vergnügen bis zur Neige ausgekostet war, sprangen Huck und Joe ins Wasser, aber Tom wollte nicht hinein, da er merkte, dass er beim Ausziehen der Hosen seine Klapperschlangenringe vom Knöchel gerissen hatte. Er verstand gar nicht, wie er bis jetzt ohne den Schutz dieses geheimnisvollen Zaubermittels vor einem Krampf beim Schwimmen bewahrt geblieben war. Er traute sich nicht ins Wasser, bis er sie wieder gefunden hatte, aber da waren die andern schon müde und wollten sich ausruhen. Schweigsam schlenderten sie am Ufer entlang, nach und nach blieb einer hinter dem andern zurück und jeder ertappte sich dabei, dass er sehnsüchtig über die breite Wasserfläche starrte, dorthin, wo das heimatliche Nest schläfrig in der Sonne lag. Tom merkte auf einmal, wie er mit der großen Zehe »Becky« in den Sand schrieb. Ärgerlich über seine Schwäche wischte er's wieder aus, aber schon im nächsten Augenblick zog er dieselben magischen Linien von neuem – er konnte nicht anders. Wieder löschte er sie und entzog sich dann der Versuchung, indem er den Freunden hinterherrannte.

Joes Stimmung war mittlerweile auch gesunken; er hatte solches Heimweh, dass er dem Heulen nah war. Selbst Huck war melancholisch geworden. Tom war bedrückt, aber er bemühte sich mit aller Kraft, es nicht zu zeigen. Er hatte ja sein Geheimnis – jedoch wollte er es noch nicht preisgeben. Allerdings, wenn diese meuterische Niedergeschlagenheit nicht weichen sollte, dann musste er schließlich doch damit herausrücken. Er rief mit übertriebener Heiterkeit: »Jungs, ich möchte wetten, dass hier auf der Insel schon einmal vor uns Piraten waren. Wir wollen doch mal alles genau durchsuchen. Vielleicht haben sie irgendwo 'nen Schatz versteckt. Was würdet ihr sagen, wenn wir plötzlich auf so 'ne alte verrostete Kiste stoßen, voll mit Gold und Silber, he?« Jedoch, der erhoffte Begeisterungssturm blieb aus. Tom probierte es noch mit zwei oder drei andern verlockenden Vorschlägen, aber sie versagten ebenfalls. Es war wenig ermutigend. Joe stocherte mit einem Stock im Sande herum und machte ein finsteres Gesicht. Schließlich sagte er: »Och, Jungs, wir wollen's aufgeben. Ich möcht nach Hause. 's ist so einsam hier.«

»Ach was, Joe, das wird schon mit der Zeit besser werden«, erwiderte Tom, »denk doch bloß mal an das Fischen hier!«

»Was liegt mir am Fischen! Ich will nach Hause.«

»Aber Joe, das musst du doch sagen, nirgends gibt's so 'ne prima Stelle zum Schwimmen wie hier.«

»Ist mir schnuppe. Das ganze Schwimmen kann mir gestohlen bleiben, wenn keiner da ist, der's einem verbietet! Nach Haus will ich.«

»Ach Quatsch! So 'n Baby! Will seine Mama sehen, was?«

»Jawohl, das will ich auch – ich will meine Mutter sehen, und wenn du eine hättest, würdest du's auch wollen, und 'n Baby bin ich deshalb noch lange nicht.« Und Joe fing an zu schluchzen.

»Na, also gut, dann wollen wir eben das Schreipüppchen zu seiner Mama schicken, nicht wahr, Huck? Armes, kleines Wickelkindchen will zu seiner Mama! Na ja, das sollst du haben. Aber dir gefällt's hier, nicht, Huck? Wir beide bleiben doch hier?«

»Ja-a«, sagte Huck, aber es klang nicht sehr überzeugend.

»In meinem ganzen Leben red ich kein Wort mehr mit dir, dass du's nur weißt«, rief Joe. Er stand auf und begann sich anzuziehen.

»Ph, wenn du wüsstest, wie Wurscht mir das ist«, sagte Tom geringschätzig, »wir brauchen dich nicht. Mach, dass du nach Hause kommst, und lass dich auslachen. Bist mir 'n schöner Pirat, du! Huck und ich, wir sind keine Schreipuppen, wir bleiben hier, nicht, Huck? Lass den laufen, wir werden's aushalten können ohne den ›Schrecken der Meere‹.«

Tom war's jedoch gar nicht wohl zumute und unruhig sah er zu, wie Joe wortlos und verbissen in seine Kleider fuhr. Es war aber auch beängstigend, wie aufmerksam Huck den Vorbereitungen Joes folgte und mit welch unheimlichem Schweigen! Nun begann Joe ohne ein Wort des Abschieds auf das Illinoisufer zuzuwaten. Tom sank das Herz. Forschend sah er Huck an. Der konnte den Blick nicht ertragen und senkte die Augen. Dann sagte er:

»Ich – ich möcht auch fort, Tom! 's war schon bis jetzt so einsam und nun wird's noch schlimmer. Komm, Tom, wir gehen mit.«

»Ich nicht, du kannst ja gehen, wenn du willst. Ich bleib.«

»Tom, ich – ich möcht doch lieber gehen.«

»Na, dann geh doch, wer hält dich denn?«

Huck raffte langsam seine umherliegenden Kleider zusammen und sagte dabei: »Tom, ich wollt, du kämst mit, überleg's dir noch mal. Wir warten drüben am Ufer 'ne Weile auf dich.«

»Da könnt ihr warten, bis ihr schwarz werdet!«

Kummervoll schlich Huck davon, und Tom sah ihm nach, während ihm das drängende Verlangen, den beiden zu folgen, fast das Herz abschnürte. Aber das ging gegen seinen Stolz! Er hoffte, die Jungens würden stehen bleiben, aber sie wateten entschlossen vorwärts, ohne sich umzusehen. Da kam es ihm mit grausamer Deutlichkeit zum Bewusstsein, wie still und einsam es jetzt um ihn herum sein würde. Er kämpfte ein letztes Mal mit seinem Stolz – dann rannte er hinter den Freunden her und brüllte: »Halt! Wartet doch, ich muss euch was sagen!«

Sofort blieben sie stehen und wandten sich um. Als er sie erreicht hatte, platzte er mit seinem Geheimnis heraus. Sie hörten mürrisch zu, bis sie auf einmal kapiert hatten, worauf Tom hinauswollte. Da aber stießen sie ein wahres Kriegsgeheul vor Begeisterung aus und schrien, das wär 'n grandioser Spaß und wenn er ihnen das gleich gesagt hätte, dann wär's ihnen keinen Augenblick eingefallen wegzulaufen. Tom konnte sich glaubwürdig herausreden – in Wirklichkeit aber hatte er gefürchtet, dass selbst die Enthüllung dieses geheimnisvollen Planes sie nicht mehr lange auf der Insel festhalten konnte, und deshalb wollte er ihn als letztes Lockmittel aufsparen. Fröhlich kehrten die Ausreißer nun zurück und redeten immerzu über Toms wahrhaft geniale Idee.

Nach einer wohlschmeckenden Fisch- und Eiermahlzeit erklärte Tom, dass er nun auch rauchen lernen wolle. Joe griff den Gedanken begeistert auf, und so machte Huck zwei Pfeifen zurecht, und die beiden Neulinge der Rauchkunst streckten sich im Moose aus, stützten sich auf die Ellenbogen und begannen – allerdings etwas zögernd – draufloszupaffen, offenbar ohne rechtes Vertrauen auf ihre Fähigkeiten. Der Rauch hatte einen unangenehmen Geschmack und immerzu mussten sie sich räuspern, aber Tom meinte: »Ph, das ist ja kinderleicht! Wenn ich das früher gewusst hätte, könnt ich's schon lange.«

»Ich auch«, bekräftigte Joe, »das ist ja rein gar nix!«

»Herrgott, wie oft hab ich einem zugesehen, wie er geraucht hat, und mir gewünscht, wenn ich's doch bloß auch könnt! Hätte aber nie gedacht, dass ich's fertig bringe, wie oft hab ich dir das schon gesagt, nicht, Huck?«

»Ja, ja, oft genug«, sagte Huck.

»Hundertmal hab ich das gesagt. Erst neulich beim Schlachthaus, weißt du noch, Huck? Bob Tanner war dabei und Johnny Miller und Jeff Thatcher. Weißt du nicht mehr, Huck, wie ich's da gesagt hab?«

»Doch, stimmt«, antwortete Huck, »'s war gerade 'n Tag danach, als ich meine schöne weiße Glaskugel verloren hab – ach nee, 's war 'n Tag vorher.«

»Siehst du wohl«, rief Tom, »Huck weiß es noch!«

»Ich glaub, ich könnt den ganzen Tag lang Pfeifen rauchen, mir ist kein bisschen übel«, sagte Joe.

»Meinst du vielleicht, mir?«, fiel Tom ein. »Ich möcht am liebsten immer so weiterrauchen. Aber ich wett, Jeff Thatcher könnt's nicht!«

»Jeff Thatcher! Du lieber Gott, der würd doch nach zwei Zügen umkippen! Der soll's nur mal probieren, der würd was erleben!«

»Das glaub ich auch. Und Johnny Miller – na, den möcht ich mal dabei sehen.«

»Oh ja«, sagte Joe, »das wär 'n Spaß. Der könnt das bestimmt genauso gut, wie er alles andere kann. Der braucht bloß dran zu riechen, dann wär er schon hin.«

»Todsicher, Joe! Du, ich wollt bloß, die Jungs könnten uns hier sehen. Wisst ihr was? Wir sagen gar nix davon, und wenn wir mal alle zusammen sind, komm ich zu dir und frag: ›Hast du vielleicht 'ne Pfeife da, Joe? Ich möcht 'n bisschen rauchen‹, und du sagst dann so ganz nebenbei, als ob's gar nix wär: ›Ja, ich hab meine alte und meine neue mit, aber mein Tabak ist nicht besonders gut.‹ Und dann sag ich: ›Ach, das macht nix, wenn er nur stark genug ist.‹ Und dann rückst du raus mit den Pfeifen und 's geht los. Sollst mal sehen, was die für Augen machen!«

»Donnerwetter, das wird vielleicht was! Ich wollt, 's wär schon so weit.«

»Und dann sagen wir: ›Das haben wir alles gelernt, als wir Piraten waren‹, und dann platzen sie erst recht vor Neid, dass sie nicht mitdurften.«

So plauderten sie und prahlten. Nach und nach aber wurden sie immer stiller, immer häufiger traten Pausen ein und immer häufiger hatten die beiden Jungens das Bedürfnis auszuspucken. Jede Stelle in ihrem Mund schien zu einem rieselnden Brunnen geworden zu sein; sie konnten die Höhlung unter der Zunge kaum schnell genug leeren, um eine Überschwemmung zu verhüten, aber trotz alledem geriet noch etliches von dem Überfluss in den Hals hinunter, und dem folgte jedes Mal ein leichter Würgeanfall. Unsere Helden sahen recht blass und elend aus. Joes Pfeife entfiel seinen kraftlosen Fingern und auch Toms schien unglaublich schwer geworden zu sein. Die Wasser- und Pumpwerke arbeiteten fieberhaft, bis Joe endlich mit schwacher Stimme

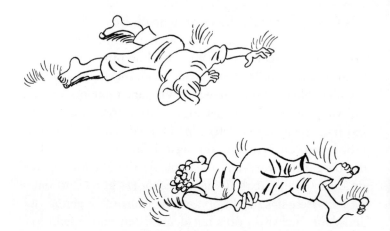

sagte: »Ich – ich muss da irgendwo – mein Messer verloren haben. Will mal hingehen – und suchen.« Mit zitternden Lippen keuchte Tom: »Ich helf dir. Geh du dorthin – ich such bei der Quelle. Nein, Huck – bleib nur – du brauchst nicht – mitzukommen – wir – finden's schon.« Huck setzte sich also wieder hin und wartete etwa eine Stunde lang, dann wurde es ihm zu langweilig und er ging los, um die Kameraden zu suchen. Sie lagen weit voneinander entfernt im Wald, beide sehr blass und beide fest eingeschlafen. Aber etwas in ihrer Umgebung sagte ihm, dass sie, falls sie Beschwerden gehabt hatten, diese wieder losgeworden waren.

Beim Abendessen waren sie nicht allzu redselig. Als Huck zum Nachtisch seine Pfeife hervorzog und auch die anderen beiden stopfen wollte, da dankten sie und sagten, sie fühlten sich nicht recht wohl, sie müssten mittags irgendetwas gegessen haben, das ihnen nicht bekommen sei.

17. KAPITEL

Etwa um Mitternacht erwachte Joe und weckte die andern. Es lag eine drückende Schwüle in der Luft, die nichts Gutes bedeuten konnte. Die Jungens rückten eng aneinander und suchten die freundliche Nähe des Feuers, obwohl die brütende, schwere Hitze der bewegungslosen Luft fast erstickend war. Sie saßen still da in atemloser Erwartung. Außerhalb des Feuerscheins war alles in schwarze Nacht getaucht. Da leuchtete ein zitternder Schein auf und ließ für einen Augenblick das Laub der Bäume sichtbar werden und erlosch wieder. Ein zweiter, noch stärkerer Strahl folgte – und dann wieder einer. Wie leises Stöhnen ging es durch die Äste der Waldbäume, und die Jungens spürten einen schwachen Lufthauch über ihre Wangen streifen und erschauerten bei der Vorstellung, dass der Geist der Natur an ihnen vorübergegangen sei. Nun zuckte von neuem ein unheimlicher Blitz auf und wandelte die Nacht in Tag und ließ jeden kleinen Grashalm deutlich hervortreten und zu gleicher Zeit drei weiße, bange, erschrockene Gesichter. Ein schwerer Donnerschlag kam rollend und krachend vom Himmel hernieder und verlor sich in dumpfem Grollen in der Ferne. Ein kühler Luftstoß raschelte in den Blättern und wirbelte die Asche des Feuers auf. Ein neuer flammender Strahl erhellte den Wald, und ein Krach folgte, der die Baumkronen über den Köpfen der Knaben zu zerschmettern drohte. Sprachlos vor Schreck umklammerten sie sich in der trostlosen Finsternis, die die Lichtflut ablöste. Jetzt fielen die ersten Regentropfen klatschend auf die Blätter.

»Schnell, Jungs, schnell ins Zelt!«, schrie Tom. Sie rannten davon, stolperten über Wurzeln, verfingen sich in Schlingpflanzen und verloren einander in der Dunkelheit. Sie schrien sich gegenseitig etwas zu, aber der heulende Sturm und der dröhnende Donner verschlangen ihre Stimmen. Stromartig stürzte nun der Regen nieder. Schließlich gelang es ihnen, sich bis zum Zelt durchzuschlagen, wo sie unterschlüpfen konnten – frierend und vor Wasser triefend. Sie konnten sich nicht verständigen – selbst wenn der übrige Lärm es erlaubt hätte, das alte Segel klatschte zu laut. Stärker und stärker brauste der Sturm, bis auf einmal das Segel sich von seinen Klammern losriss und davongetragen wurde. Die Jungens fassten sich bei den Händen und flohen unter Stolpern und Hinfallen zum Ufer hinunter, wo sie unter einer großen, alten Eiche Schutz fanden. Nun toste der Kampf der Elemente mit höchster Gewalt. Bei den unaufhörlichen Blitzen, die den Himmel wie in Feuer tauchten, trat alles ringsum grell beleuchtet und scharf umrissen hervor: die sturmgebeugten Bäume, der aufgewühlte Strom mit den weißen Schaumköpfen, die vom Wind gepeitschten flockengroßen Regentropfen; die verschwommenen Zackenlinien der hohen Klippen am jenseitigen Ufer lugten ab und zu aus dem zerstiebenden und sich wieder verdichtenden Regenschleier. Hier und dort unterlag ein Baumriese der Gewalt des Sturmes und stürzte krachend ins Unterholz. Die furchtbaren Donnerschläge folgten hintereinander mit ohrenzerreißendem, explosionsähnlichem Schmettern, kurz und scharf und mit solcher Wucht, als ob sie die Insel in Stücke reißen, sie in Feuer verzehren, sie bis zu den Baumwipfeln in den Strom versenken, sie vom Erdboden hinwegfegen und jede lebende

Kreatur darauf vernichten wollten – alles auf einmal – in einem Augenblick! Es war eine schlimme Nacht für unsere jungen obdachlosen Helden!

Endlich aber war die Schlacht geschlagen, die feindlichen Mächte zogen sich zurück, das Drohen und Grollen wurde schwächer und schwächer und bald herrschte wieder Friede in der Natur. Die Jungens schlichen zum Lager zurück, noch verängstigt von dem Schrecken. Die große Platane, die ihr Lager beschattet hatte, lag zerschmettert da, sie konnten dankbar sein, dass sie während der Katastrophe nicht darunter gesessen hatten. Das ganze Lager war durchnässt und das Feuer erloschen; leichtsinnig, wie die Jugend nun einmal ist, hatten sie an Regen gar nicht gedacht. Der Verlust des Feuers war höchst beklagenswert, denn sie froren erbärmlich und waren nass bis auf die Knochen. Ihre Not machte sich in wortreichen Klagen Luft, bis sie auf einmal entdeckten, dass die Flammen an dem Baumstamm, unter dem das Feuer aufgeschichtet war, hochgezüngelt waren und dass, etwa eine Handbreit vom Boden entfernt, eine schwach glimmende Spur den löschenden Wasserfluten entgangen war. Mit Rindenstückchen und dürren Zweigen gelang es ihnen mit viel Mühe, die Flammen wieder anzufachen, und nachdem sie sich getrocknet und von ihrem Schinken gegessen hatten, saßen sie am Feuer und ereiferten sich über ihre nächtlichen Abenteuer, bis der Morgen graute, denn es gab ringsum kein trockenes Plätzchen zum Schlafen. Als die ersten Sonnenstrahlen über ihre Gesichter huschten, gingen sie zur Sandbank hinaus, wühlten sich dort in den Sand und schliefen, bis die sengende Hitze sie nicht mehr schlafen ließ.

Als sie aufwachten, waren ihre Glieder steif und wie eingerostet; verdrossen und wortkarg saßen sie beim Frühstück. Das Heimweh meldete sich auch wieder. Tom erkannte die drohenden Anzeichen und versuchte alles Mögliche, die melancholischen Piraten aufzuheitern. Aber es nützte nichts, weder Steinkugeln, Zirkus, Schwimmen oder sonst was konnte sie locken. Da erinnerte er sie an sein Geheimnis. Das hatte Erfolg, und ein Freudenschimmer erhellte ihre vergrämten Gesichter. Diese Stimmung nutzte er schleunigst aus, um sie für ein neues Spiel zu interessieren: Sie wollten das Piratentum eine Zeit lang beiseite legen und mal zur Abwechslung Indianer sein. Das war eine Idee! Und es dauerte nicht lange, da waren sie pudelnackt und tätowiert – bemalt vom Scheitel bis zur Sohle mit schwarzen Schmutzstreifen, sodass sie wie Zebras aussahen. Jeder war natürlich ein Häuptling, und sie rannten durch das Dickicht zum siegreichen Ansturm gegen eine englische Niederlassung. Darauf trennten sie sich in drei verschiedene feindliche Stämme, stürzten aus Hinterhalten mit gellendem Kriegsgeheul aufeinander los und töteten und skalpierten sich gegenseitig zu Tausenden. Es war ein blutiger Tag und daher höchst befriedigend.

Als sie sich zur Abendbrotszeit vergnügt und hungrig im Lager einfanden, ergab sich eine unvorhergesehene Schwierigkeit. Feindliche Indianer konnten doch unmöglich das Brot der Gastfreundschaft miteinander brechen, ohne zuvor Frieden geschlossen zu haben. Und dies wiederum war unmöglich ohne Friedenspfeife. Von einer anderen Möglichkeit hatten sie noch nie gehört. Zwei der Indianer hätten jetzt was drum gegeben, wenn sie Seeräuber geblieben wären, aber es gab keinen Ausweg. So forderten sie denn mit so viel Unbefangenheit, wie sie aufbringen konnten, die Pfeife, und jeder nahm, wie es sich gehörte, einen kräftigen Zug. Und siehe da – welches Glück, dass sie Wilde geworden waren! Denn nun merkten sie auf einmal, dass sie ein bisschen rauchen konnten, ohne auf die Suche nach einem verlorenen Messer gehen zu müssen. Sie hatten aber nicht die Absicht, diese neu erworbene Kunst etwa aus Mangel an Übung wieder zu verlernen. Oh nein, nach dem Abendessen übten sie gleich weiter, und zwar mit recht gutem Erfolg. Diese neue Errungenschaft machte sie stolzer und glücklicher, als wenn sie noch so viele Indianerstämme skalpiert und hingerichtet hätten. Wir wollen sie beim Rauchen, Schwatzen und Prahlen lassen, denn jetzt müssen wir sie nicht mehr im Auge behalten.

18. Kapitel

Aber in der kleinen Stadt herrschte an jenem friedlichen Sonnabendnachmittag durchaus keine Fröhlichkeit. Harpers und Tante Polly samt ihrer Familie legten unter vielen kummervollen Tränen Trauerkleider an. Eine ungewöhnliche Stille lag über dem Städtchen, in dem man sich auch sonst nie über allzu viel Lärm beklagen konnte. Mit zerstreuter Miene gingen die Leute ihren Geschäften nach, sprachen wenig und seufzten umso mehr. Den Kindern schien der schulfreie Nachmittag eine Last zu sein – sie hatten keine Freude an ihren Spielen und gaben sie bald auf.

Becky Thatcher schlich ganz melancholisch um das verlassene Schulhaus, aber sie fand auch dort nicht den ersehnten Trost. »Ach, wenn ich doch nur seinen Messingknopf wieder finden könnte«, sagte sie seufzend, »jetzt hab ich gar kein Andenken an ihn«, und sie unterdrückte ein Schluchzen. Dann blieb sie stehen. »Genau hier war's, wenn es doch noch einmal geschehen könnte, ich würd's nie mehr sagen, um nichts in der Welt! Aber nun ist er fort und ich werde ihn nie – niemals wieder sehen.« Dieser Gedanke brach ihr fast das Herz, sie schlich davon und die Tränen rollten über ihre Wangen. Nun kam eine Gruppe von Jungen und Mädchen, Kameraden von Tom und Joe; sie blieben am Zaun stehen und sprachen in leisem, ehrfürchtigem Ton davon, wie Tom das und das gesagt hatte, das letzte Mal, als sie ihn sahen, und was Joe gesagt hatte – und jede Kleinigkeit schien ihnen von schrecklicher Vorbedeutung gewesen zu sein. Und jeder zeigte dabei ganz genau an den Platz, wo die Vermissten damals gestanden hatten, und immer hieß es: »Und ich hab gerade so gestanden, wie ich jetzt steh, wenn du er wärst, genauso nah, und so hat er gelächelt, und dann lief's mir ordentlich kalt über den Rücken, ganz schauerlich – ich wusst natürlich damals nicht, warum, aber jetzt, jetzt weiß ich's.« Dann erhob sich ein Streit darüber, wer die Toten zuletzt im Leben gesehen habe. Von allen Seiten riss man sich um diese traurige Ehre, und einer überbot den andern und brachte durch mehr oder weniger Zeugen erhärtete Beweise dafür herbei. Ein kleiner Bursche, der sonst keinerlei Auszeichnung vorweisen konnte, rief mit sichtlichem Stolz: »Mich hat Tom Sawyer einmal verhauen!« Aber dieser ruhmheischende Trumpf erwies sich als gänzlich erfolglos. Die meisten Jungens konnten sich dessen rühmen und dadurch sank die Auszeichnung allzu sehr im Wert.

Als am nächsten Morgen die Sonntagsschule vorüber war, begannen alle Glocken feierlich zu läuten. Es war ein ungewöhnlich stiller Sonntag, und der traurig klagende Glockenton passte zu der feierlichen Ruhe, die über der Stadt lag. Die Kirchenbesucher blieben noch einen Augenblick in der Vorhalle stehen, um sich im Flüsterton über das traurige Ereignis zu unterhalten. Drinnen in der Kirche war's totenstill, nur das Rascheln der Frauenkleider unterbrach das Schweigen. Niemand konnte sich erinnern, die kleine Kirche je so voll gesehen zu haben. Nach einer stummen, erwartungsvollen Pause trat Tante Polly ein mit Sid und Mary, dann kam die Familie Harper – alle in tiefer Trauer. Die ganze Gemeinde – ja sogar der alte Pfarrer – erhob sich ehrfurchtsvoll von den Plätzen und blieb stehen, bis die Leidtragenden in der vordersten Reihe Platz genommen hatten. Dann war es wieder ganz still, nur hier und da hörte man ein ersticktes Schluchzen. Der Pfarrer erhob seine Stimme und betete, darauf wurde ein ergreifendes Lied gesungen, und dann kam die Predigt mit dem Text: »Ich bin die Auferstehung und das Leben.«

Der Geistliche entwarf ein so glänzendes Bild von den Tugenden, der Liebenswürdigkeit und den viel versprechenden Talenten der verlorenen Kinder, dass jeder der Zuhörer einen Stich im Herzen fühlte bei dem Gedanken, wie beharrlich blind er gegenüber all diesen Vorzügen gewesen war und wie er ebenso beharrlich immer nur Fehler und Mängel an den armen Jungens entdeckt hatte. Manch rührendes Ereignis aus dem Leben der Verstorbenen schilderte der Prediger, das so recht ihre sanfte, großherzige Natur erkennen ließ, und vielen gingen nun erst die Augen darüber auf, wie groß und erhaben eigentlich jene Vorkommnisse gewesen, die ihnen damals als arge Schelmenstreiche und Teufeleien einer tüchtigen Tracht Prügel wert erschienen waren. Die Rührung wuchs, je mehr der Geistliche seine ergreifende Rede ausspann, bis schließlich die ganze Gemeinde sich mit allgemeinem Schluchzen und Seufzen dem Klagen der trauernden Hinterbliebenen anschloss. Ja, selbst der Prediger wurde von seinen Gefühlen übermannt und seine Stimme war halb erstickt von unterdrücktem Weinen. Da raschelte es plötzlich auf der Empore. Einen Augenblick später knarrte eine Tür, der Geistliche erhob die tränenverschleierten Augen vom Taschentuch und – stand wie versteinert. Erst folgte ein Augenpaar der Richtung seines Blickes, dann ein zweites, und plötzlich, wie von einem gemeinsamen Impuls getrieben, flog die ganze Gemeinde von ihren Sitzen und starrte auf das Mittelschiff, wo – seelenruhig im Gänsemarsch – die toten Jungens den Mittelgang heraufspaziert kamen, Tom voran, dann Joe und zuletzt Huck, der als eine wandelnde Vogelscheuche aus Lumpen hinterhertrottete. Alle drei hatten auf der Empore verborgen gesessen und ihre eigene Grabrede mit angehört. Tante Polly, Mary und die Harpers stürzten sich auf die Wiederauferstandenen und erstickten sie fast mit ihren Küssen und Umarmungen. Der arme Huck aber stand blöde und verschüchtert daneben und wusste nicht, was er mit sich anfangen und wohin er sich wenden sollte vor so vielen glotzenden und abweisenden Augen. Er wandte sich halb um und versuchte sich heimlich fortzustehlen; aber Tom packte ihn am Ärmel und rief: »Tante

Polly, das ist nicht recht! Es muss sich auch jemand freuen, dass Huck wieder da ist.«

»Ja, das müssen wir, mein Junge, und ich tu's auch. Komm her, du armes, verlassenes Kind!«

Aber wenn etwas das Gefühl des Unbehagens bei Huck noch steigern konnte, so waren es die Zärtlichkeiten, mit denen Tante Polly ihn nunmehr überhäufte.

Plötzlich rief der Geistliche mit seiner lautesten Stimme in den Lärm hinein: »Lobet den Herrn, den mächtigen König der Ehren. Wir wollen singen.«

Und sie sangen. Aus hundert Kehlen erscholl das alte Lied mit triumphierender Macht, und die Töne stiegen und schwollen, sodass die Kirche unter ihnen erzitterte. Tom Sawyer, der Pirat, aber schaute um sich und als er alle Augen auf sich gerichtet sah, fühlte er, dass dies der stolzeste Augenblick seines Lebens sei.

Als die genasführte Gemeinde die Kirche verließ, meinten alle, sie würden sich gern noch einmal zum Besten halten lassen, nur um »Lobet den Herrn« wieder einmal so andächtig singen zu hören. Tom bekam an diesem Tag mehr Püffe und Küsse – je nach der wechselnden Stimmung von Tante Polly –, als ihm zuvor nur in einem Jahr zuteil geworden waren. Und er wusste nicht genau, in welchen von beiden sich mehr Dankbarkeit gegenüber Gott und mehr Liebe zu ihm selbst ausdrückte.

19. Kapitel

Das war also Toms großes Geheimnis gewesen: der Plan, mit seinen Piratenkumpanen nach Hause zurückzukehren und ihrem eigenen Trauergottesdienst beizuwohnen. Auf einem dicken Baumstamm waren sie am Abend vorher ans Missouriufer hinübergepaddelt, wo sie fünf oder sechs Meilen unterhalb des Städtchens gelandet waren. Dann hatten sie in dem Wald vor der Stadt bis zum Tagesanbruch geschlafen, waren durch mehrere abgelegene Gässchen zur Kirche geschlichen, wo sie sich auf der Empore zwischen einem Chaos ausgedienter, zerbrochener Kirchenbänke ausgeschlafen hatten.

Am Montagmorgen beim Frühstück waren Tante Polly und Mary besonders zärtlich zu Tom und lasen ihm seine Wünsche nur so von den Augen ab, und man konnte gar nicht aufhören mit dem Erzählen. »Weißt du«, sagte Tante Polly, »ich will ja glauben, dass es für euch Jungen ein Riesenspaß war, uns hier fast 'ne Woche lang in Kummer und Sorgen zu versetzen, während ihr da draußen herrlich und in Freuden gelebt habt. Aber schön war's wahrhaftig nicht von euch, sondern ganz unverzeihlich gefühllos. Hast du denn gar nicht daran gedacht, was du mir damit antust, Tom? Ebenso gut, wie du herüberkommen konntest, um deine Leichenrede zu hören, hättest du wohl auch kommen können und mir einen kleinen Wink geben, dass du nicht tot bist, sondern einfach nur weggelaufen.«

»Ja, Tom, das ist wahr, das hättest du tun müssen«, stimmte Mary bei, »und du würdest es wohl auch getan haben, wenn du dran gedacht hättest, nicht wahr?«

»Nicht wahr, Tom?«, fragte Tante Polly, und ihr Gesicht hellte sich erwartungsvoll auf. »Sag, hättest du's getan, wenn du dran gedacht hättest?«

»Ich – hm – ich – ich weiß nicht, das hätt doch alles verdorben.«

»Ich hab wirklich gemeint, dass du mich doch wenigstens so lieb haben würdest«, sagte Tante Polly in so betrübtem Ton, dass es dem Jungen unbehaglich wurde. »'s hätt ja schon genügt, wenn du nur dran gedacht hättest, auch wenn du's gar nicht getan hast.«

»Ach, Tante«, sagte Mary, »das ist doch nicht so schlimm, es ist nun mal Toms Art – er ist ja immer so in Eile, dass er nie an so was denkt.«

»Das ist es ja gerade! Sid hätte dran gedacht, der wär gekommen. Tom, du wirst's noch mal bereun, wenn's zu spät ist, und wünschen, du wärst besser zu deiner alten Tante gewesen, wo doch so wenig dazu gehört, mich ...«

»Ach, Tantchen, du weißt ja doch, dass ich dich lieb hab, nicht wahr?«, sagte Tom.

»Woher soll ich das wissen, wenn du's so wenig zeigst.«

»Ach, wenn ich doch bloß dran gedacht hätte«, sagte Tom in reuevollem Ton, »aber weißt du, ich hab von dir geträumt, das ist doch wenigstens was, nicht? Jawohl, Mittwochnacht hab ich geträumt, du sitzt dort drüben beim Bett, Sid auf'm Holzkasten und Mary neben ihm.«

»Ja, ja, so saßen wir auch, wie gewöhnlich, ich bin nur froh, dass du dir wenigstens im Traum die Mühe gemacht hast, an uns zu denken.«

»Ja, ich hab geträumt, Joe Harpers Mutter war auch da.«

»Wirklich? Das war sie auch. Nein, so was! Aber hast du noch mehr geträumt?«

»Och, noch 'ne ganze Menge, aber jetzt ist alles so verworren.«

»Na, besinn dich doch mal, geht's nicht?«

»Wart mal, ich mein, der Wind – der Wind hätt ...«

»Los, Tom, was hat der Wind?«

Tom legte in angestrengtem Nachdenken die Finger an die Stirn. »Richtig, jetzt hab ich's, der Wind ließ das Licht flackern und ...«

»Ja, wahrhaftig! Weiter, Tom, weiter.«

»Na, und ich glaub, du hast gesagt: ›Herrgott, die Tür ...‹«

»Weiter, Tom.«

»Wart mal 'nen Augenblick – ja, jetzt weiß ich wieder – du sagtest, die Tür wäre offen.«

»So wahr ich hier sitze, das hab ich gesagt, nicht, Mary? Weiter, und dann?«

»Und dann – ja, so genau weiß ich's nicht mehr, aber ich mein, du hättest Sid hingeschickt, und – und du sagtest – er soll hingehen und sie zumachen.«

»Nein, so was lebt nicht mehr! Herr, du mein Gott, es soll mir nur noch einer damit kommen, dass Träume nichts bedeuten! Das soll die superkluge Emilie Harper aber hören, eh noch 'ne Stunde vergeht. Ob sie dann wohl noch immer so von oben herab von Aberglauben und Unsinn reden wird? – Erzähl weiter, Tom.«

»Ach, jetzt ist mir alles auf einmal ganz klar! Dann hast du gesagt, ich wär nicht schlecht, nur leichtsinnig und voll dummer Streiche, so wie ein – ein Fohlen – oder so was.«

»Jawohl, ganz richtig! Herrgott noch mal! Weiter, Tom.«

»Dann hast du geweint.«

»Wahrhaftig, und nicht zum ersten Mal. Und dann?«

»Dann fing Joes Mutter auch an zu weinen und sagte, mit ihrem Joe wär's ganz genauso, und sie wollte nur, sie hätt ihn nicht verhauen, weil sie doch den Rahm selber weggeschüttet hat.«

»Allmächtiger! Tom, der Geist war über dir, das ist ja die reinste Sehergabe! Jawohl, das ist es! Mach weiter, Tom.«

»Dann kam Sid, der sagte ...«

»Ich glaub, ich hab gar nix gesagt«, warf Sid rasch ein.

»Doch, Sid, doch«, sagte Mary. »Sei still und lass Tom reden. Was hat Sid gesagt, Tom?«

»Er sagte – ja – ich glaub, er sagte, er hofft, dass ich's da besser hab, wo ich jetzt bin, aber wenn ich hier manchmal besser ...«

»Na, was sagt ihr nun?«, triumphierte Tante Polly. »Seine eigenen Worte!«

»Du hast's ihm aber ganz gehörig gegeben, Tantchen, und ...«

»Weiß Gott, das hab ich. Es muss 'n Engel hier gewesen sein, es muss 'n Engel hier irgendwo versteckt gewesen sein.«

»Ja, und dann – dann erzählte Mrs Harper, wie Joe 'n Knallfrosch direkt vor ihrer Nase losgelassen hat, und du hast von Peter und dem ›Schmerzenstöter‹ erzählt.«

»Ja, so wahr ich lebe!«

»Und dann kam 'n großes Gerede, wie man den Fluss nach uns abgesucht hat und dass am Sonntag der Trauergottesdienst sein soll, und ihr habt euch geküsst, du und Mrs Harper, und habt mächtig geweint, und dann ist sie weggegangen.«

»So war's, genauso war's! Du hättest es nicht genauer

erzählen können, wenn du dabei gewesen wärest! Und was dann weiter, Tom?«

»Und dann träumte ich, du hättest für mich gebetet, ich konnte dich sehen und jedes Wort hören, und du hast dich ins Bett gelegt, und ich war so traurig, dass ich 'n Stück Rinde genommen hab und draufschrieb: ›Wir sind nicht tot, wir sind nur fort, um Piraten zu werden.‹ Das hab ich auf den Tisch neben den Leuchter gelegt, und du hast so lieb ausgesehen, wie du dalagst und schliefst, dass ich geträumt hab, ich hätt mich über dich gebeugt und dich geküsst.«

»Wirklich, Tom, wirklich und wahrhaftig? Oh, dafür will ich dir alles, alles verzeihen!« Und sie schloss den Jungen mit einer solchen Zärtlichkeit in die Arme, dass Tom sich wie der elendigste, erbärmlichste Schuft vorkam.

»Ist ja recht lieb und nett, wenn's auch nur 'n Traum war«, murmelte Sid vor sich hin, doch so, dass es die andern hören konnten.

»Halt den Mund, Sid, man tut im Traum immer nur das, was man auch wachend tun würde. Hier, Tom, guck mal, den schönen Apfel, den hab ich für dich aufbewahrt, für den Fall, dass du doch wieder gefunden wirst. Jetzt aber fort mit euch in die Schule!«

Die Kinder gingen davon, und die Tante machte sich auf, um Mrs Harper zu besuchen und deren Unglauben mit Toms wunderbarem Traum wirksam zu bekämpfen.

»Wenn das nicht durchsichtig ist«, murmelte Sid, als er das Haus verließ, »so 'n ellenlanger Traum und ohne den allerkleinsten Irrtum! Na, wer das glaubt!« Er war aber klug genug, diesen Gedanken nicht laut zu äußern.

Was für ein Held war Tom geworden! Er sprang und

tollte nun nicht mehr herum, sondern bewegte sich mit würdevollem Ernst, wie es sich für einen ehemaligen Piraten gehörte, der das Auge der Öffentlichkeit auf sich ruhen fühlt – und dies war in der Tat der Fall. Zwar gab er sich den Anschein, als sähe er die Blicke und höre die Bemerkungen nicht, wenn er vorüberging, und doch trank sein Herz sie mit begieriger Wonne. Scharenweise liefen die kleineren Jungens hinter ihm her, voll Stolz, mit ihm gesehen und von ihm geduldet zu werden, der wie ein Trommler an der Spitze seiner Kompanie einhermarschierte oder wie ein Elefant, der einen Zirkus in die Stadt führt. Und wenn die »großen Jungens« auch so taten, als hätten sie ganz vergessen, dass er jemals fort gewesen war, so wusste er nur zu gut, wie sie sich innerlich vor Neid verzehrten. Sie hätten ja alle wer weiß was drum gegeben, eine ebenso dunkle, sonnengebräunte Haut zu haben wie er und eine ebenso glänzende Berühmtheit. Aber Tom hätte beides nicht hergegeben – nicht mal für einen Zirkus!

In der Schule aber wurde so viel Aufhebens von ihm und Joe gemacht und so viel beredte Bewunderung strahlte ihnen aus aller Augen entgegen, dass die beiden Helden schon bald eine unerträgliche Hochnäsigkeit zur Schau trugen. Sie taten nichts anderes, als ihren begierig lauschenden Zuhörern ihre Abenteuer zu schildern, ohne aber je über den Anfang hinauszukommen – denn eine solche Erzählung konnte ja überhaupt nie ein Ende finden, wenn eine so fruchtbare Phantasie wie die ihre stets von neuem unerschöpfliches Material lieferte. Und dann, als sie schließlich ihre Pfeife hervorzogen und anfingen, mit größter Gelassenheit zu paffen, da hatten sie den Gipfel ihres Ruhmes erstiegen!

Tom beschloss, sich in Zukunft nicht mehr um Becky Thatcher zu kümmern. Ruhm genügte ihm. Er wollte sein Leben dem Ruhme weihen. Natürlich würde sie sich jetzt, da er ein berühmter Held geworden war, gern wieder mit ihm vertragen. Oh, aber dann sollte sie schon sehen, dass er mindestens so kühl sein konnte wie gewisse andere Leute. Dort kam sie gerade. Tom tat, als sehe er sie gar nicht. Er wandte sich einer Gruppe von Jungen und Mädchen zu und begann eifrig mit ihnen zu plaudern. Aber er merkte sehr wohl, wie sie mit glühenden Wangen und glänzenden Augen hin und her trippelte und ganz damit beschäftigt schien, ihre Gefährtinnen zu necken und sie herumzujagen, und wie sie vor Vergnügen laut aufkreischte, wenn sie eine gefangen hatte – und er merkte auch, dass sich dieses Haschen stets ganz in seiner Nähe abspielte und dass sie ihm dabei ab und zu verstohlene Blicke zuwarf. Das schmeichelte seiner sündigen Eitelkeit mächtig, aber statt einzulenken verstellte er sich nur noch mehr und tat so, als wäre sie Luft für ihn. Da gab sie schließlich das Herumtoben auf, drückte sich unentschlossen von einer Gruppe zur andern, seufzte ein paarmal schmerzlich und schielte verstohlen und bedeutungsvoll zu Tom hinüber. Aber der unterhielt sich so angeregt mit Amy Lawrence, dass er scheinbar alles um sich herum vergessen hatte. Da durchzuckte sie ein heftiger Schmerz, sie wollte sich fortstehlen, aber ihre Füße trugen sie stattdessen mit unheimlicher Gewalt immer wieder zu der Gruppe in Toms Nähe. Einem Mädchen, das dicht neben ihm stand, rief sie mit gespielter Ausgelassenheit zu: »Oh, wart mal, Mary Austin, du warst ja gestern nicht in der Sonntagsschule.«

»Ich? Natürlich war ich da – hast du mich denn nicht gesehen?«

»Nein, tatsächlich? Ich hab dich nicht gesehen – und ich wollt dir doch von dem Picknick erzählen.«

»Ein Picknick! Oh, prima! Wer will denn eins machen?«

»Ich – meine Mutter hat's mir erlaubt.«

»Au fein! Hoffentlich darf ich auch kommen.«

»Natürlich, ich darf einladen, wen ich will, und dich will ich.«

»Oh, schön! Wann ist's denn?«

»Bald, vielleicht noch vor den Ferien.«

»Lädst du uns alle ein?«

»Ja, alle, die meine Freunde sind oder es sein wollen.« Dabei traf Tom ein verstohlener Blick, aber der redete immer noch auf Amy Lawrence ein und erzählte gerade von dem Gewitter auf der Insel und wie der Sturm die große Platane »in tausend Stücke« gerissen hatte, »keine drei Schritte von mir entfernt«.

»Darf ich auch kommen?«, fragte Gracie Miller.

»Ja.«

»Ich auch?«, fragte Sally Rogers.

»Ja.«

»Und ich?«, fiel Susy Harper ein. »Und Joe auch?«

»Ja.«

So ging's weiter, bis sich jeder in der Gruppe mit Jubel und Händeklatschen seine Einladung geholt hatte, außer Amy und Tom. Der hatte sich kühl umgedreht und ging nun mit Amy, immer noch plaudernd, auf und ab; Beckys Lippen zitterten und Tränen schossen ihr in die Augen. Aber mit erzwungener Heiterkeit verbarg sie diese Zeichen ihres Leids, und sie fuhr fort zu plappern und zu lachen, jedoch das Picknick hatte jetzt jeglichen Reiz für sie verloren – wie überhaupt alles andere auch. Sobald sie konnte, schlich sie sich davon und tat das, was man »sich so richtig ausweinen« nennt. Dann saß sie traurig und gekränkt da, bis die Schulglocke läutete. Da sprang sie mit rachedurstigem Blick auf, schüttelte ihre langen Zöpfe und sagte, sie wisse jetzt, was sie zu tun habe.

In der nächsten Pause setzte Tom seinen Flirt mit Amy Lawrence fort, wobei es ihm vor allem darum ging, dass Becky es merkte. Er suchte sie mit den Augen, und als er sie endlich entdeckte, da – da fiel er von seiner überlegenen Höhe herab – bis ins Bodenlose hinein. Ganz gemütlich saß sie hinter dem Schulhaus auf einem Bänkchen und schaute mit Alfred Temple zusammen in ein Bilderbuch – und so versunken waren die beiden und so dicht hatten sie die Köpfe über dem Buch zusammengesteckt, dass sie überhaupt nichts von dem zu bemerken schienen, was um sie herum vor sich ging. Eifersucht rieselte glühend heiß durch Toms Adern. Oh, wie hasste er sich nun selber, dass er die Gelegenheit zur Versöhnung, die Becky ihm geboten, von sich gewiesen hatte! Er nannte sich einen Esel und gab sich jeden Schimpfnamen, der ihm einfiel. Am liebsten hätte er vor Wut geweint. Inzwischen schnatterte Amy lustig weiter, sie war selig. Aber Toms Zunge hatte alle Schwungkraft verloren und er hörte kaum, was sie sagte. Sooft sie eine Pause machte, um seine Antwort abzuwarten, brachte er nur ein tölpelhaftes »Ja« oder »Nein« heraus, und noch dazu meist am verkehrten Platz. Sie gingen auf und ab, und gegen seinen Willen trieb es ihn immer wieder zu der Hinterseite des Schulhauses; es war, als würden seine Augen von dem verhassten Schauspiel förmlich angezogen. Es machte ihn beinahe verrückt, dass Becky Thatcher offenbar seine Anwesenheit gänzlich zu übersehen schien. Aber sie sah ihn recht gut und war sich ihres Sieges durchaus bewusst und triumphierte, dass er nun ebenso litt, wie sie zuvor hatte leiden müssen. Amys ahnungslos fröhliches Geplauder wurde ihm unerträglich. Umsonst gab Tom ihr zu verstehen, dass er noch alles Mögliche zu tun hatte, lauter unaufschiebbare Dinge – es nützte nichts, das Mädel schwatzte unaufhaltsam weiter. Hol sie der Kuckuck!, dachte Tom. Werd ich sie denn nie mehr los. Endlich gelang es ihm, sie von der Dringlichkeit seiner Geschäfte zu überzeugen, und sie versprach ihm treuherzig, nach der Schule auf ihn zu warten. Er wünschte sie zum Teufel und ging wütend davon.

Wenn's noch 'n anderer Junge wäre, dachte er zähneknirschend, jeder andere in der ganzen Stadt, nur nicht dieser Zierbengel, der sich wer weiß was einbildet und meint, weil er sich aufputzt, er wär besser als unsereiner. Warte nur, du Affe! Ich hab dir am ersten Tag das Fell verdroschen, als du kaum in die Stadt reingerochen hattest, da werd ich's jetzt wohl auch noch fertig bringen. Freu dich, wenn ich dich erwisch, mein Kerlchen, dann setzt's was, dass du blau und ... er schlug um sich, als ob er den Feind schon jetzt unter den Fäusten hätte, fuchtelte mit den Händen in der Luft herum und trat mit den Füßen, dass der Sand flog. »Wird's bald, he! Wirst du bald ›genug‹ schrein? So, jetzt lauf und merk dir's ein für alle Mal!« Und damit war die eingebildete Züchtigung zu Toms Zufriedenheit erledigt.

Mittags rannte er wie gejagt nach Hause – um Amy nicht zu treffen. Ihre dankbare Glückseligkeit konnte er einfach nicht mit ansehen, und die Qualen der Eifersucht wurden immer unerträglicher. Becky hatte mit Alfred von neuem das Buch vorgenommen. Als aber Minute auf Minute verrann und kein Tom sich sehen ließ, an dessen Qualen sie sich weiden konnte, da verringerte sich ihr Interesse an der Sache sehr entschieden. Sie wurde zerstreut und schließlich ganz melancholisch. Immer wieder spitzte sie die Ohren, wenn sich ein Schritt näherte, aber jedes Mal war es vergebliches Hoffen. Zuletzt wurde ihr ganz elend zumute und sie wünschte, sie hätte es nicht so weit kommen lassen. Der arme Alfred, der sah, wie sie sich ihm, ohne dass er's verhindern konnte, immer mehr entzog, suchte sie aufzumuntern: »Guck mal, hier ist was Feines, sieh doch nur!«, bis sie schließlich die Geduld verlor und unwillig rief: »Lass mich in Ruh! Mir liegt nichts dran!« Dann brach sie in Tränen aus und lief davon. Alfred trottete neben ihr her und wandte alles Mögliche an, um sie zu trösten, aber sie rief zornig: »Mach, dass du wegkommst, ich kann dich nicht ausstehen!« Ganz verdutzt blieb der Junge zurück, ohne zu begreifen, was er ihr nur getan haben könnte, sie hatte ihm doch vorher versprochen, während der ganzen Mittagspause Bilder mit ihm anzusehen – und nun lief sie einfach davon und weinte. Nachdenklich schlich er ins verlassene Schulzimmer. Er fühlte sich gedemütigt und tief verletzt, denn auf einmal ging ihm ein Licht auf: Das Mädchen hatte ihn nur dazu benutzt, ihrem Ärger über Tom Sawyer Luft zu machen. Diese Erkenntnis trug nicht gerade dazu bei, seinen Hass gegen Tom zu verringern. Nichts wünschte er mehr, als seinem Gegner irgendetwas einzubrocken – natürlich ohne selbst viel dabei zu riskieren. Da fiel ihm Toms Lesebuch ins Auge – da war sie ja, die ersehnte Gelegenheit! Erfreut schlug er das Buch bei der Lektion für den Nachmittag auf und – goss das Tintenfass über die ganze Seite. In diesem Augenblick schaute Becky hinter ihm zum Fenster hinein und sah alles mit an. Ohne sich zu verraten lief sie davon. Sie wollte Tom suchen und ihm von der Sache erzählen. Dann müsste er ihr doch dankbar sein und alles wäre wieder wie früher. Aber auf dem Wege nach Hause änderte sie ihren Entschluss. Der Gedanke daran, wie Tom sie behandelt hatte, als sie von ihrem Picknick erzählte, überfiel sie plötzlich wieder mit glühender Scham. Nein, sie wollte ihn mit dem verschmierten Buch ruhig in der Patsche sitzen lassen und ihn obendrein für immer und ewig von Herzen hassen und verachten.

20. KAPITEL

Tom kam sehr verdrießlich nach Hause, und die ersten Worte, mit denen ihn seine Tante begrüßte, zeigten ihm nur zu gut, dass hier nicht viel Trost für seinen Kummer zu finden sei.

»Wahrhaftig, Tom, ich möchte dir am liebsten das Fell über die Ohren ziehn!«

»Nanu, was hab ich denn getan?«

»Da fragst du noch? Ich bin so dumm und renne was ich kann zu der allerweltsklugen Mrs Harper, um ihr von deinem Traum zu erzählen und ihr klipp und klar zu beweisen, dass Träume durchaus nicht so unsinnig und ohne Bedeutung sind, wie sie immer behauptet – na, und da lacht sie mir ins Gesicht und sagt, sie hätt's aus dem Joe rausgekriegt, dass du an jenem Abend hier gewesen bist und alles selber gesehen und gehört hast. Tom, was soll nur aus 'nem Jungen werden, der so was tut? Ich bin ganz außer mir, dass du mich so zum Narren gehalten hast und mich zu Mrs Harper gehen lassen konntest.« Von dieser Seite hatte Tom die Sache allerdings noch nicht betrachtet. Sein schlauer Einfall war ihm heute Morgen als herrlicher Witz, ja als wahrhaft genial erschienen, und nun – wie schäbig und gemein kam ihm jetzt alles vor! Er senkte den Kopf, und kein Wort der Entschuldigung wollte ihm einfallen. Endlich stammelte er: »Tantchen, wirklich, ich wollt, ich hätt's nicht getan – aber – ich hab mir's eben nicht so überlegt.«

»Du überlegst eben nie etwas, denkst immer nur an dich und dein Vergnügen! Du hast natürlich, als du von der Jacksoninsel hierher gekommen bist, nur daran gedacht, über uns und unsern Kummer zu lachen und deine alte Tante mit dem verlogenen Traum zum Narren zu halten. Es ist dir aber nicht eingefallen, an unseren Jammer und unsere Sorge zu denken.«

»Tantchen, ich hab's nicht so gemeint, wirklich nicht! Und ich bin auch ganz gewiss nicht rübergeschwommen, um mich über euch lustig zu machen.«

»Ach, rede doch nicht. Warum denn sonst?«

»Nur, um dir zu sagen, du sollst keine Angst haben, weil wir doch nicht ertrunken waren.«

»Tom, wenn ich dir nur so was Gutes wirklich zutrauen könnte. Aber es ist sicher nicht so gewesen, Tom, und das weißt du ja selbst am allerbesten.«

»Doch, Tantchen, es war so, ganz bestimmt.«

»Ach, lüg doch nicht, du machst damit alles nur noch schlimmer.«

»Es ist nicht gelogen, Tante, es ist die reine Wahrheit – ich wollte nicht, dass du dir solche Sorgen machst, und einzig und allein deshalb bin ich gekommen.«

»Wenn ich das nur glauben könnte – es würde eine Menge wieder gutmachen, Tom. Ja, dann wollt ich gar nichts mehr davon sagen, dass du schlecht gewesen bist und weggelaufen. Aber, hör mal, wenn's wahr ist, warum hast du's mir denn damals nicht gesagt, sondern dich einfach wieder so davongeschlichen?«

»Warum? Ja, sieh mal, Tantchen, als ihr so vom Trauergottesdienst und alldem geredet habt, da kam mir auf einmal die Idee, wie lustig das wär, wenn wir heimlich zurückkommen würden und uns in der Kirche verstecken. Ich war so begeistert davon, weißt du, dass ich mir's absolut nicht verderben wollte. Na, und so hab ich mich denn heimlich verdrückt und meine Rinde wieder eingesteckt.«

»Welche Rinde?«

»Na, auf die ich geschrieben hab, wir wären Piraten geworden. Jetzt wollt ich wirklich, du wärst aufgewacht, als ich dich geküsst hab, jawohl, das wollt ich.«

Der strenge Ausdruck im Gesicht der Tante ließ nach und plötzlich strahlten ihre Augen voller Zärtlichkeit. »Du hast mich geküsst, Tom?«

»Jawohl.«

»Bist du sicher?«

»Aber ja, Tante, ganz sicher!«

»Warum hast du denn das getan?«

»Na, weil ich dich lieb hab und weil du so schrecklich geseufzt und gestöhnt hast und es mir so Leid tat und …«

Das klang aufrichtig. Die Tante konnte ein Zittern in ihrer Stimme nicht unterdrücken, als sie sagte: »Gib mir noch 'nen Kuss, Tom! – Und nun mach, dass du fortkommst, 's ist Zeit für die Schule. Und ärgere mich ja nie wieder so, hörst du.«

Kaum war er fort, da stürzte sie zum Schrank und holte die Lumpenjacke hervor, die Tom als Pirat getragen hatte. Dann hielt sie inne, die Jacke in der Hand, und flüsterte: »Nein, ich wag's doch nicht! Er hat sicher wieder geschwindelt – aber es war so lieb geschwindelt – 'n richtiger Trost für so 'n altes Herz. Ich hoffe, der Herr – nein, ich weiß, der Herr wird ihm verzeihen, weil er's diesmal aus lauter Gutherzigkeit getan hat. Ich will auch gar nicht weiter untersuchen, ob's geschwindelt war, nein, ich will's nicht.« Damit legte sie die Jacke beiseite. Und obwohl sie ihre Hand noch zweimal nach der Jacke ausstreckte, ließ sie es bleiben, bis ihr schließlich der Gedanke Mut machte: »Es macht nichts, wenn's auch gelogen war, 's war doch gut von ihm« – und schon hatte sie die Hand in die Jackentasche versenkt. Einen Moment später las sie unter strömenden Tränen, was Tom auf jenes Rindenstück gekritzelt hatte.

»Jetzt könnt ich dem Jungen alles verzeihen und wenn er 'ne Million Sünden auf dem Gewissen hätt«, schluchzte sie.

21. KAPITEL

In der Art, wie Tante Polly Tom geküsst hatte, lag etwas, das alle Niedergeschlagenheit wegfegte und ihn wieder leichtherzig und glücklich machte. Er stürzte zur Schule und hatte das Glück, unterwegs, am oberen Ende der großen Wiese, Becky Thatcher zu begegnen. Und da er sich immer von seiner augenblicklichen Stimmung leiten ließ, rannte er, ohne sich's lange zu überlegen, auf sie zu und sagte:

»Becky, ich war heute mordseklig zu dir, ich will's in meinem ganzen Leben nie, nie wieder sein. Bitte, wollen wir uns wieder vertragen?«

Das Mädchen blieb stehen und sah ihn verächtlich von oben bis unten an:

»Ich wäre Ihnen dankbar, wenn Sie mich mit Ihrer Gesellschaft verschonten, ich werde nie mehr mit Ihnen reden.«

Sie warf den Kopf zurück und ging weiter. Tom war dermaßen stumm, starr und sprachlos, dass er nicht einmal genug Geistesgegenwart hatte um zu sagen: »Was liegt mir dran, Fräulein Naseweis«, bis es zu spät dafür war. Deshalb sagte er überhaupt nichts, trotz seiner Wut. Niedergeschlagen trottete er auf den Schulhof und wünschte sich nur, sie wär 'n Junge, und stellte sich vor, wie er sie dann verprügeln würde. Als er in ihre Nähe kam, warf er ihr eine bissige Bemerkung zu, die sie auf die gleiche Weise erwiderte, und der Bruch war vollständig. In ihrer heftigen Wut schien es Becky, als könne sie den Schulbeginn überhaupt nicht erwarten, um zu sehen, wie Tom wegen des verschmierten Buchs seine Tracht Prügel bekäme. Wenn sie bisher noch eine winzige Neigung verspürt hatte, Alfred Temple als den Täter zu verraten, so hatte Toms letzter beleidigender Ausfall diese nun vollkommen verscheucht.

Das arme Mädchen ahnte nicht, wie rasch sich ihr selbst das Verderben nahte. Der Lehrer, Mr Dobbins, war ein Mann in mittleren Jahren, dessen Ehrgeiz unbefriedigt geblieben war. Sein Lieblingswunsch war es gewesen, Arzt zu werden; seine Armut hatte ihn aber zu nichts Höherem als einem Dorfschullehrer bestimmt. Alle Tage, sobald die verschiedenen Klassen beschäftigt waren, nahm er ein geheimnisvolles Buch aus seinem Pult, in das er sich eifrig vertiefte; sonst hielt er es streng unter Schloss und Riegel. In der ganzen Schule gab es nicht ein Kind, das nicht ganz versessen darauf war, nur ein einziges Mal einen Blick hineinwerfen zu können; es bot sich aber nie eine Gelegenheit. Jedes Mädchen und jeder Junge hatte sich seine eigene Vorstellung über die Art des Buches gemacht, von dem nicht eine der andern glich; aber etwas Genaues konnten sie absolut nicht in Erfahrung bringen. Als eben Becky an dem Pult vorbeikam, das nah an der Tür stand, bemerkte sie, dass der Schlüssel im Schloss steckte. Das war ein großer Augenblick. Sie sah sich um, sah, dass sie allein war, und hielt im nächsten Augenblick das Buch auch schon in der Hand. Das Titelblatt – »Anatomie von Professor Soundso« – war nicht dazu angetan, sie über den Inhalt aufzuklären, und so begann sie, drin herumzublättern. Gleich zu Anfang stieß sie auf ein wundervoll gemaltes Bild, eine menschliche Figur – aber im selben Augenblick fiel ein Schatten auf das Buch – Tom Sawyer war zur Tür hereingekommen und konnte gerade noch einen Blick auf das Bild werfen. Hastig wollte Becky das Buch schließen, aber dabei passierte ihr das Missgeschick, das Bild in der Mitte durchzureißen. Der Band flog ins Pult zurück, sie drehte den Schlüssel um und begann vor Scham und Ärger zu weinen. »Tom Sawyer, du bist der gemeinste Kerl, den's gibt! Dich so an 'nen Menschen ranzuschleichen und ihn auszuspionieren.«

»Wie konnte ich denn wissen, dass du gerade was ansiehst?«

»Du solltest dich vor dir selber schämen, Tom Sawyer! Du weißt ganz genau, dass du mich verraten wirst, und oh, was soll ich denn nur tun, was soll ich tun? Ich habe noch nie in der Schule Schläge bekommen, aber heute wird mich der Lehrer bestimmt verhauen.«

Als Tom nicht antwortete, stampfte sie mit ihrem kleinen Fuß auf und rief: »Na, dann sei doch so gemein und verrat mich, wenn's dir Spaß macht! Aber wart nur, ich weiß schon, was dir passieren wird. Du wirst noch was erleben, du abscheulicher, abscheulicher Kerl!« Damit stürzte sie unter einem neuen Tränenausbruch aus der Klasse.

Tom stand wie betäubt von diesem Angriff; dann sagte er zu sich selbst:

»Was für 'n komisches Ding ist doch so 'n Mädchen! Noch nie in der Schule Prügel gekriegt! Na und, was macht das schon! So sind aber die Mädchen – dünnes Fell und Hasenherz. Fällt mir gar nicht ein, sie zu verraten, aber raus kommt's doch. Der alte Dobbins wird fragen, wer das Buch zerrissen hat, und wenn er keine Antwort kriegt, dann fragt er einen nach dem andern und dann merkt er's schon am Gesicht. So 'n Mädchen verrät sich immer selbst, die haben nun mal kein Rückgrat. Dann kriegt sie ihre Tracht Prügel, die Becky Thatcher, da hilft nix! Na, mir kann's egal sein, sie würd mich ja am liebsten in der gleichen Patsche sehen; nun muss sie's eben selber ausbaden!«

Tom schloss sich draußen den lärmenden Schülern wieder an; kurz darauf kam der Lehrer und der Unterricht begann. Tom konnte den Aufgaben kein besonderes Interesse abgewinnen. Sooft er verstohlen zu den Mädchen hinübersah, beunruhigte ihn Beckys Gesicht. Eigentlich wollte er sie gar nicht bemitleiden; aber er konnte nicht anders. Er brachte es nicht fertig, einen Triumph zu empfinden, wenigstens keinen richtigen. Jetzt wurde das verschmierte Lesebuch entdeckt, und Tom wurde für eine Zeit lang ganz von seinen eigenen Angelegenheiten in Anspruch genommen. Dies rüttelte auch Becky aus ihrer Teilnahmslosigkeit auf und sie folgte den Vorgängen mit Aufmerksamkeit. Sie glaubte nicht, dass Tom sich herauslügen könnte, und sie hatte Recht damit, denn das Leugnen schien seine Sache nur noch schlimmer zu machen. Becky dachte, sie wäre froh darüber, und versuchte auch, froh zu sein, aber sie war doch nicht ganz sicher, ob sie's auch wirklich war. Als es am allerschlimmsten wurde, wäre sie fast aufgesprungen und hätte Alfred Temple verraten, aber sie bezwang sich und schwieg, weil sie sich sagte: Tom verrät ja doch, dass ich das Bild zerrissen hab. Ich sag kein Wort, und wenn ich ihm das Leben damit retten könnte.

Tom steckte seine Prügel ein und begab sich mit einem keineswegs gebrochenen Herzen wieder auf seinen Platz. Er dachte, es wäre möglich, dass er beim Herumtoben die Tinte über das Buch geschüttet hätte – so etwas konnte ja passieren. Er hatte nur der Form halber und weil es nun mal so Sitte war, geleugnet und war dann aus angeborener Dickköpfigkeit dabei geblieben.

Eine ganze Stunde verrann; der Lehrer saß nickend auf seinem Thron; das leise Gesumme der lernenden Kinder wirkte wie immer einschläfernd auf ihn. Nach und nach raffte sich Mr Dobbins aber auf, gähnte, schloss das Pult auf, griff nach dem Buch, schien aber noch unentschlossen, ob er's nehmen oder liegen lassen sollte. Die meisten Schüler blickten verschlafen auf ihn; nur zwei Augenpaare verfolgten all seine Bewegungen mit gespannter Aufmerksamkeit. Zunächst fingerte er noch etwas geistesabwesend an dem Buch herum, dann nahm er's heraus und lehnte sich in seinen Stuhl zurück um zu lesen.

Tom sah zu Becky hinüber. So hatte ihn mal ein gehetztes Kaninchen angesehen, gegen das er die Flinte erhoben hatte. Im Augenblick war aller Groll vergessen. Etwas musste geschehen, aber sofort, blitzschnell, sonst war's zu spät! Aber die Nähe der Gefahr schien seine Erfindungsgabe vollkommen zu lähmen. Schließlich kam ihm eine Erleuchtung! Wenn er hinstürzte, das Buch an sich riss und damit die Flucht ergriff? Aber die Größe des Plans ließ ihn einen kleinen Augenblick zögern, und darüber ging die Gelegenheit verloren; denn schon öffnete der Lehrer den Band. Wenn Tom nur die versäumte Gelegenheit hätte zurückrufen können! Zu spät! Nun gab es keine Hilfe mehr für Becky. Im nächsten Augenblick sah der Lehrer die Schüler an, und alle Augen senkten sich, es lag etwas in seinem Blick, das selbst den Unschuldigsten erzittern ließ. Eine kleine Weile blieb's totenstill, bis der Lehrer seine Wut etwas bezwungen hatte; dann fragte er mit fürchterlicher Stimme:

»Wer hat dieses Buch zerrissen?«

Kein Laut! Man hätte eine Stecknadel fallen hören können. Die Stille hielt an; der Lehrer forschte von Gesicht zu Gesicht nach einem Zeichen des Schuldgefühls.

»Benjamin Rogers, hast du das Buch zerrissen?«

Verneinung und Pause.

»Joseph Harper, warst du's?«

Wieder eine Verneinung.

Toms Unruhe wurde unter dieser langsamen Folter immer heftiger. Der Lehrer blickte die Knabenreihe durchdringend an, dachte eine Weile nach und wandte sich dann den Mädchen zu:

»Amy Lawrence?«

Kopfschütteln.

»Gracie Miller?«

Kopfschütteln.

»Susan Harper, hast du's getan?«

Wieder eine Verneinung.

Das nächste Mädchen war Becky Thatcher. Tom zitterte vor Aufregung und im Gefühl der Hoffnungslosigkeit von Kopf bis Fuß.

»Rebecca Thatcher!«

Tom sah, wie ihr Gesicht vor Entsetzen bleich wurde.

»Hast du mein – schau mich an!« Ihre Hände hoben sich flehend. »Hast du mein Buch zerrissen?«

Wie ein Blitzstrahl schoss Tom ein Gedanke durch den Kopf.

Er sprang auf und rief laut:

»Ich hab's getan!«

Sprachlos vor Staunen über so eine Dummheit starrten alle Augen auf ihn. Einen Moment stand Tom regungslos, um seine Kräfte zu sammeln, und als er dann ans Katheder ging, um sich bestrafen zu lassen, strahlte ihm so viel Über-

raschung, Dankbarkeit und Verehrung aus den Augen der armen Becky entgegen, dass er sich dadurch für hundert Trachten Prügel vollauf entschädigt fühlte.

Begeistert durch seine eigene Großmut ließ er die unbarmherzigste Züchtigung, die Mr Dobbins je ausgeteilt, ohne einen Laut über sich ergehen und nahm auch die weitere Grausamkeit eines zweistündigen Nachsitzens gleichmütig auf. Er wusste ja, wer draußen auf ihn warten und jede Minute bis zu seiner Befreiung aus der Gefangenschaft zählen würde.

Mit finsteren Racheplänen gegen Alfred Temple ging Tom am Abend ins Bett, denn Becky hatte ihm alles, auch ihren eigenen Verrat, gebeichtet. Aber selbst diese Rachegelüste mussten bald milderen Gefühlen und lieblicheren Bildern weichen, und noch beim Einschlafen klangen ihm Beckys letzte Worte süß in den Ohren: »Tom, wie edel du doch bist!«

22. KAPITEL

Die Ferien rückten näher. Der allzeit strenge Schulmeister wurde von Tag zu Tag noch strenger und gründlicher, denn er wünschte, dass seine Schule bei der Prüfung gut dastehe. Seine Rute und sein Lineal kamen gar nicht mehr zur Ruhe, wenigstens bei den kleinen Schülern. Nur die großen Jungens und die Damen von achtzehn und zwanzig Jahren waren vor ihnen sicher. Und Mr Dobbins' Schläge waren noch dazu äußerst kräftig; denn wenn sich auch unter seiner Perücke ein glänzender Kahlkopf verbarg, so war er doch ein Mann in den besten Jahren und die Stärke seiner Muskeln ließ nichts zu wünschen übrig. Je näher der große Tag heranrückte, desto mehr kam alle Tyrannei, die in ihm steckte, an die Oberfläche; und es schien ihm geradezu Vergnügen zu bereiten, selbst die geringsten Fehler und Versäumnisse zu ahnden. Die Folge davon war, dass die Kinder ihre Tage in Angst und Schrecken und ihre Nächte mit dem Schmieden finsterer Rachepläne verbrachten und keine Gelegenheit versäumten, ihrem Lehrer einen Streich zu spielen. Er war aber ständig auf der Hut, und die

Strafe, die jedem dieser Racheakte auf dem Fuße folgte, war so niederschmetternd und überwältigend, dass die Jungens das Feld jedes Mal als »Geschlagene« räumen mussten. Schließlich zettelten sie eine allgemeine Verschwörung an, die einen glänzenden Sieg verhieß. Sie zogen den Lehrling des Malers ins Vertrauen und baten ihn um seine Hilfe. Der hatte seine besonderen Gründe, davon entzückt zu sein, denn der Lehrer wohnte bei seinem Vater und hatte dem Jungen genug Anlass gegeben, ihn gründlich zu hassen. Die Frau des Lehrers wollte in den nächsten Tagen zu Besuch aufs Land fahren, so stand also der Ausführung des Planes nichts im Wege. Der Lehrer pflegte sich zur würdigen Vorbereitung auf große Anlässe nachhaltigen Mut aus der Flasche zu holen, und der Malerlehrling versprach, wenn er dann das richtige Stadium des »Mutes« erreicht haben und in seinem Stuhle eingenickt sein würde, so werde er die »Sache schon erledigen« und ihn dann so knapp vor der Prüfung wecken, dass er gleich zur Schule eilen müsse.

Der große Abend kam. Um acht Uhr war das Schulhaus festlich beleuchtet und mit Girlanden und Kränzen geschmückt. Der Lehrer thronte in seinem Stuhl auf dem hohen Katheder, die schwarze Tafel hinter sich. Er sah ziemlich angeheitert aus. Drei Reihen Bänke auf jeder Seite und sechs ihm gegenüber waren von den Honoratioren der Stadt und den Eltern der Schüler besetzt. Zu seiner Linken, hinter den Reihen der Bürger, stand heute ein großes Podium, auf dem die Schüler saßen, welche an den Prüfungen des Abends teilnehmen sollten. Es waren ganze Reihen kleiner Knaben, die vor Sauberkeit glänzten und sich äußerst unbehaglich fühlten, Reihen von linkischen großen

Jungen, schneeweiße Bänke voller Mädchen und Fräuleins und Batist und Musselin, die sich der unwiderstehlichen Wirkung ihrer nackten Arme, ihrer roten und blauen Bänder und ihrer mit Blumen geschmückten Haare sichtlich bewusst waren. Der übrige Raum war von den nicht mitwirkenden Schülern gefüllt.

Die Prüfungen begannen. Ein kleiner Knirps trat vor und leierte mit einem ausdruckslosen Schafsgesicht: »Kaum glaubt ihr's, dass solch kleiner Mann wie ich schon zu euch sprechen kann« und so weiter; und er begleitete seinen Vortrag mit stoßweisen, peinlich genauen Bewegungen, wie sie wohl eine Maschine ausgeführt hätte, und zwar eine Maschine, an der sich eine Schraube gelockert hat. Doch er kam trotz seiner Todesangst glücklich zum Ende, erntete bei seiner Taschenmesserverbeugung einen wahren Beifallssturm und zog sich aufatmend zurück. Ein kleines, schüchternes Mädchen lispelte: »Maria hatt ein kleines Lamm« und so weiter, machte einen Mitleid erregenden Knicks, bekam den ihr gebührenden Beifall, setzte sich errötend und lächelte glücklich. Nun trat Tom Sawyer voll stolzer Zuversicht vor, schmetterte mit donnerndem Pathos den Anfang des unvermeidlichen und unzerstörbaren »Gib mir die Freiheit oder gib mir den Tod!« hervor und unterstrich es mit wütenden und begeisternden Gesten. Doch in der Mitte verlor er den Faden, ein elendes Lampenfieber ergriff ihn, seine Beine zitterten und er war dem Umsinken nahe. Wohl hatte er das Mitleid des Hauses – leider aber auch dessen Schweigen auf seiner Seite, was schlimmer als alles Mitleid ist. Der Lehrer blickte grimmig drein und seine Miene verhieß Unheil. Tom stammelte und stotterte eine Weile, dann gab er's auf und zog sich zurück.

Ein schwacher Beifall, der sich erheben wollte, erstarb bald.

Es folgten noch: »Auf brennendem Deck der Knabe stand« und: »Es nahten die Assyrer sich« und andere Perlen der schönen Vortragskunst. Dann gab es Leseübungen und einen Wettkampf im Buchstabieren. Die spärliche Lateinklasse schnitt gut ab. Den Höhepunkt des Abends bildeten in der Regel – und auch jetzt – Originalaufsätze der jungen Damen. Nach der Reihe trat jede vor, räusperte sich, erhob ihr von einem zarten Bande umwundenes Manuskript und begann unter genauer Beachtung des Ausdrucks und der Satzzeichen zu lesen. Die Themen waren dieselben, die schon ihre Mütter, Großmütter und alle weiblichen Vorfahren bis rückwärts zu den Kreuzzügen bearbeitet hatten: »Freundschaft«, »Erinnerungen früherer Tage«, »Die Religion in der Geschichte«, »Das Land der Träume«, »Die Vorzüge der Kultur«, »Ähnlichkeiten und Gegensätze der politischen Regierungsformen«, »Melancholie«, »Kindliche Liebe«, »Herzenswünsche« und dergleichen mehr. Die meisten dieser Ergüsse zeichneten sich durch eine starke Vorliebe für das »Sentimentale« aus, allen gemeinsam war eine üppige Verschwendung »erhabener« Ausdrücke und eine Fülle von Gemeinplätzen und Phrasen, ebenso die »moralische Nutzanwendung«, die, möglichst an den Haaren herbeigezogen und dick aufgetragen, überall als Schwanz angehängt war; einerlei, welches Thema behandelt wurde. In allen Aufsätzen wurden die krampfhaftesten Anstrengungen unternommen, das Ganze mit einer äußerst erbaulichen Betrachtung zu krönen. Der erste Aufsatz, der vorgelesen wurde, trug den Titel: »Ist dies das Leben?« Vielleicht kann der Leser eine Probe daraus ertragen: »Wie schaut gewöhnlich das jugendliche Gemüt voll entzückender Gefühle den kommenden Freuden entgegen, die das Leben in Bereitschaft halten soll! Die Phantasie malt ihm geschäftig eine rosenfarbige Zukunft vor! In ihren Träumen sieht sich die jugendliche Schöne in festlich wogendem Gedränge, schauend und beschaut. Ihre anmutige Gestalt gleitet in weißen Hüllen auf den Wellen des Tanzes dahin; ihr Auge strahlt am hellsten, ihr Schritt ist der leichteste in der ganzen frohen Gesellschaft! Unter solch lockenden Träumen entschwindet die Zeit, und die Stunde der Erfüllung naht, welche die Tore zu jenem Elysium, genannt Welt, weit auftun soll. Wie feenhaft erscheint dem entzückenden Auge alles, was es erblickt! Jede neue Szene ist reizender, lockender als die frühere! Aber ach! Bald erkennt sie unter diesem glänzenden Äußeren die Eitelkeit und Hohlheit. Die Schmeichelei, die sie zuerst betört, nun schmerzt sie ihrem Ohr. Der Ballsaal hat seine Reize eingebüßt, und mit schwankender Gesundheit und verbittertem Herzen wendet sie sich mit der Überzeugung ab, dass weltliche Vergnügungen niemals die Sehnsucht der Seele befriedigen können!«

Und so ging's weiter! Ein beifälliges Gemurmel begleitet von Zeit zu Zeit die Lektüre, und leise Ausrufe: »Wie schön!«, »Gut gesagt!«, »Wie wahr!«, wurden hörbar. Und als das Machwerk mit einer besonders erhebenden moralischen Schlussbetrachtung endete, wurde der Beifall wahrhaft enthusiastisch.

Dann erhob sich ein dünnes, melancholisch aussehendes Mädchen, dessen Gesicht jene interessante Blässe aufwies, die von Pillen und schlechter Verdauung herrührt, und las eine eigene Dichtung vor, von der die zwei folgenden Verse als Probe dienen mögen:

»Abschiedslied der Missouri-Maid an Alabama

Leb wohl, Alabama, treu lieb ich dich!
Und dennoch muss ich jetzt meiden dich.
Ja, traurig Gedenken bedrängte mich sehr,
Erinnrung machet das Herz mir so schwer.
Wie bin ich gewandert auf blumiger Au,
Am lieblichen Ufer des Flusses so blau.
Dort hab ich gelesen, was herrlich nur ist;
Dort hat mich der Strahl Aurorens geküsst.

Nicht schämig verberg ich mein trauervoll Herz,
Noch berg ich vor andern das Auge voll Schmerz,
Nicht von der Fremde je wend ich mich fort,
Nicht Fremde sind es, die lass ich dort.
Willkommen und Heimat mir bot ja dies Land,
Von dem ich jetzt wend mich zum fremden Strand.
Kalt muss ich mich stellen, spricht kalt man von dir,
Und doch liegst, Alabama, am Herzen du mir!«

Sodann trat eine junge Dame vor, an der alles kohlpechra-
benschwarz war: Haare, Augen und beinah auch die Ge-
sichtsfarbe. Sie machte eine wirkungsvolle Kunstpause,
setzte eine tragische Miene auf und begann pathetischen
Tons vorzulesen:

»Eine Vision

Eine dunkle Sturmnacht! Am Himmelszelte funkelte kein
Stern, nur das dumpfe Dröhnen des Donners vibrierte in
unserem Ohr, während grelle Blitze in entfesselter Wildheit
die Himmelskammern durchrasten, als ob sie der Erfindung des großen Franklin spotten wollten. Selbst die stür-

mischen Winde kamen alle aus ihren geheimnisvollen Höhlen hervor und fegten und tosten daher, als ob sie durch ihre Gegenwart die tolle Szene noch verstärken wollten. Gleich trostlos und dunkel sah es um diese Stunde in meiner Seele aus und mein ganzes Sein schrie vergebens nach dem Balsam menschlichen Mitgefühls. Umsonst! Da plötzlich:

Erschien sie, die mein Trost, mein Führer und mein Rat,
Beistand in Leid und Freud, zur Seit mir trat –

Sie schwebte daher gleich einem jener anmutigen engelhaften Wesen, mit denen Jugend und Romantik sich die Fluren ihres sonnigen Edens bevölkert denken, wie eine Königin der Schönheit, nur mit ihrem eigenen Liebreiz angetan und gekrönt. Ihr Schritt gab keinen Laut, und nur der selige Wonneschauer, der mein ganzes Sein bei ihrer sanften Berührung durchrieselte, verriet mir ihre Gegenwart, sonst wäre sie ebenso unbeachtet vorbeigeglitten wie andere Schönheiten, die gleich ihr alles Aufdringliche vermieden. Wie eisige Tränen auf dem winterlichen Gewande des Dezembers lag eine sanfte Traurigkeit auf ihren Zügen, als sie auf den Kampf der Elemente da draußen wies und mich die beiden Wesen betrachten hieß, die diese darstellten.«

Dieser Spuk füllte ungefähr zehn Seiten und schloss mit einer so vernichtenden Predigt auf alle Ungläubigen, dass er mit dem ersten Preis gekrönt wurde. Der Aufsatz galt als die vollendetste Leistung des ganzen Abends. Der Bürgermeister überreichte der Verfasserin den Preis und sagte, es sei das Inhaltsvollste, was er je gehört, und Daniel Webster selbst hätte stolz darauf sein können.

Es soll nicht unerwähnt bleiben, dass die Zahl der Aufsätze, in denen der Ausdruck »wunderbar« beständig wiederkehrte und die menschliche Erfahrung als eine »Seite im Lebensbuche« erwähnt wurde, durchaus den üblichen Durchschnitt erreichte.

Jetzt erhob sich der Lehrer, den der Erfolg des Abends beinahe butterweich gemacht hatte, drehte dem Publikum den Rücken zu und begann auf der großen Tafel für die Geographieprüfung eine Karte von Amerika zu zeichnen. Da er aber einen Tatterich hatte, fiel das Ergebnis auf der Tafel recht unglücklich aus. Ein unterdrücktes Gekicher erklang im Saal; er wusste wohl, was es bedeutete, und nahm alle Kraft zusammen, um sich mit Erfolg aus der Affäre zu ziehen. Er wischte die misslungenen Linien aus und zog sie neu, aber die Zeichnung wurde nur noch konfuser und das Gekicher noch deutlicher. Er wollte sich aber nicht aus der Fassung bringen lassen und arbeitete mit wütender Entschlossenheit weiter. Er fühlte, dass alle Augen auf ihn gerichtet waren, aber obwohl er glaubte, sich nun endlich zurechtzufinden, nahm das Kichern immer noch zu. Und Grund genug dazu war vorhanden. Im oberen Stock befand sich nämlich eine Dachkammer, die eine Luke gerade über dem Platz aufwies, an dem der Lehrer stand. Durch diese Luke wurde an einem Strick um die Hinterläufe eine Katze runtergelassen, deren Kopf man mit einem Lumpen verbunden hatte, um das Miauen zu ersticken. Wie sie so langsam hinunterglitt, versuchte sie sich nach oben zu krümmen, um sich mit den Vorderpfoten am Seil festzuklammern, aber sie griff nur in die Luft. Das Gekicher schwoll zum Gelächter, die Katze war jetzt nur noch etwa sechs Zoll über dem Kopf des ganz in seine Zeichnung vertieften Lehrers entfernt. Sie sank tiefer und tiefer; noch ein

Stückchen, und nun packte sie mit verzweifeltem Griff die
Perücke des Lehrers, krallte sich in dem ersehnten Halt fest
und wurde im selben Augenblick mit der Siegesbeute in
den Klauen durch die Luke gezogen. Der kahle Schädel des
Lehrers aber glänzte in ungeahnter Pracht, denn der Malerlehrling hatte ihn vergoldet!

Das beendete die Vorstellung! Die Jungens waren ge-
rächt. Die Ferien hatten begonnen.

23. Kapitel

Tom trat dem neuen Orden »Ritter der Mäßigung« bei,
denn die prächtigen »Abzeichen« der »Ritter« zogen
ihn mächtig an. Er versprach, sich des Rauchens, des Kau-
gummikauens und des Fluchens zu enthalten, solange er
Mitglied sei. Dabei machte er eine neue Entdeckung, nämlich die, dass es kein besseres Mittel gäbe, etwas absolut
tun zu wollen, als das Gelöbnis, es zu unterlassen. Tom
fühlte sich bald geradezu gepeinigt von dem Verlangen zu
rauchen und zu fluchen, der Wunsch danach wurde so
übermächtig, dass nur die Hoffnung auf eine baldige Gelegenheit, sich mit seiner roten Schärpe öffentlich zeigen zu
können, ihn von dem Austritt aus dem Orden abhielt. Und
so setzte er denn seine ganze Zuversicht auf den alten Friedensrichter Frazer, der, wie es hieß, in den letzten Zügen
lag und der als hoher Beamter eine große öffentliche Leichenfeier bekommen würde. Drei Tage lang war das Befin-

den des Richters Toms größte Sorge, und er wartete begierig auf Neuigkeiten. Manchmal stiegen seine Hoffnungen, stiegen so hoch, dass er seine »Abzeichen« hervorholte und sie vor dem Spiegel anprobierte! Aber der Richter war sehr wankelmütig und man sprach von einer leichten Besserung und dann sogar von einer Rekonvaleszenz. Nun hatte Tom es aber satt – er empfand dies förmlich als persönliche Kränkung. Er reichte seinen Abschied ein, und in derselben Nacht hatte der Richter einen Rückfall und starb. Tom beschloss, nie mehr in seinem Leben irgendeinem Menschen zu trauen.

Die Leichenfeier war großartig. Die »Ritter« stolzierten in ihrem Prunk einher, auf eine Art und Weise, die das frühere Mitglied fast vor Neid platzen ließ. Nun, wenigstens war er jetzt wieder ein freier Junge – aber es war ein Haken bei der Geschichte. Er konnte wieder rauchen und fluchen, so viel er wollte, doch zu seiner Überraschung merkte er, dass er sich jetzt nicht das Geringste mehr daraus machte. Die einfache Tatsache, dass er's durfte, hatte nicht nur den Reiz, sondern auch den Wunsch getilgt. – Tom fand, dass die lang ersehnten Ferien sehr öde zu werden drohten.

Er fing ein Tagebuch an, aber da in drei Tagen absolut nichts passierte, gab er's wieder auf. Dann brachte endlich eine Vorstellung von schwarzen Sängern eine kleine Abwechslung in die Stadt. Tom und Joe Harper gründeten darauf selber eine Künstlertruppe und fühlten sich zwei Tage lang glücklich.

Selbst der ruhmreiche vierte Juli, der Tag der amerikanischen Unabhängigkeit, erwies sich in gewissem Sinne als ein Reinfall, denn es regnete in Strömen, infolgedessen fand kein Umzug statt. Und der größte Mann der Welt –

wenigstens in Toms Augen –, Mr Benton, ein leibhaftiger Senator der Vereinigten Staaten, war eine geradezu überwältigende Enttäuschung, denn er war keine fünfundzwanzig Fuß hoch, ja nicht einmal annähernd so viel! Ein Zirkus kam, und die Jungens spielten nach seinem Abzug drei Tage lang Zirkus in vier Zelten aus Flickenteppichen. Eintritt: drei Stecknadeln für Jungens, zwei für Mädchen. Dann hatten sie auch davon wieder genug.

Ein Heilkundler und ein Hypnotiseur kamen in die Stadt und ließen sie langweiliger und verschlafener zurück denn je.

Becky Thatcher war in den Ferien mit ihren Eltern nach Constantinople, ihrem Heimatort, gefahren; und so hatte das Leben gar keinen Lichtblick.

Das schreckliche Geheimnis um den Mord war zu einem chronischen Elend geworden. Es war wie ein böses Krebsgeschwür, beharrlich und schmerzhaft.

Und dann bekam Tom die Masern. Zwei Wochen lang war er ein Gefangener, wie tot für die Welt und ihre Ereignisse. Er war sehr krank und lag ganz teilnahmslos da. Als er zum ersten Mal wieder auf seinen wackligen Beinen durch die Stadt ging, merkte er, dass mit allem und jedem eine melancholische Veränderung vorgegangen war. Es hatte eine Erweckung stattgefunden und alle waren fromm geworden, nicht nur die Großen, sondern auch die Jungens und Mädchen. Tom lief umher in der stillen Hoffnung, wenigstens noch einem sympathischen, sündigen Gesicht zu begegnen – doch vergebens! Er fand Joe Harper über dem Neuen Testament brütend und wandte sich traurig ab von diesem deprimierenden Schauspiel. Er fahndete nach Ben Rogers und traf ihn, wie er die Armen mit einem Korb voll Traktätchen besuchte. Er spürte Jim Hollis auf, der auf Toms Masern als einen warnenden Fingerzeig Gottes hinwies. Jeder Junge, den Tom ansprach, hängte seinem ohnehin niedergeschlagenen Gemüt ein neues Gewicht an; und als er zuletzt seine Zuflucht bei Huckleberry Finn suchte und sogar dort mit einem Bibelwort empfangen wurde, schlich er nach Hause und kroch wieder ins Bett. Sein Herz brach fast, als er sich vorstellte, dass er allein in der ganzen Stadt für immer und ewig verloren sei.

In derselben Nacht brach ein furchtbarer Sturm los, mit einem Wolkenbruch und grässlichem Gewitter. Er versteckte seinen Kopf unter der Bettdecke und erwartete in qualvoller Angst sein Schicksal, denn er hatte nicht den geringsten Zweifel, dass dieser ganze Höllenspuk nur seinetwegen losgelassen wurde. Er glaubte, dass er die Geduld der göttlichen Mächte über alle Gebühr ausgenutzt habe, und dies wäre nun die Folge davon. Die Verschwendung, gleichsam mit Artilleriekanonen eine Wanze totzuschießen, wurde ihm gar nicht bewusst, vielmehr schien es ihm ganz natürlich, dass ein so kostspieliger Gewittersturm veranstaltet wurde, nur um das Universum von einem Insekt wie ihm zu befreien.

Nach und nach wurde das Tosen schwächer und erstarb, ohne seinen Zweck erfüllt zu haben. Toms erste Eingebung war, sich nun dankbar und reuig zu zeigen, die zweite aber, einfach abzuwarten; es musste ja nicht wieder so ein Gewitter kommen.

Am nächsten Tag rief man den Doktor von neuem. Tom hatte einen Schwächeanfall. Drei Wochen lang lag er still auf dem Rücken, sie schienen ihm eine ganze Ewigkeit. Als er endlich wieder hinauskonnte, war er kaum dankbar, denn er dachte daran, wie einsam und verloren er war. Lustlos schlenderte er durch die Straßen und fand Jim Hollis als Richter vor einem jugendlichen Gerichtshof, der einer Katze wegen Mordes den Prozess machte, und zwar in Anwesenheit ihres Opfers, eines Vogels. Er fand Joe Harper und Huck Finn, wie sie sich in einem Feldweg eine gestohlene Melone schmecken ließen. Die armen Kerle hatten ebenso wie Tom einen Rückfall erlitten.

24. KAPITEL

Endlich kam Leben in das verschlafene Städtchen. Der Mordprozess kam vors Gericht und wurde damit sofort zum einzigen Gesprächsstoff des Ortes. Tom hatte keinen anderen Gedanken mehr. Jedes Mal, wenn der Mord erwähnt wurde, jagte ihm ein Schauder durchs Herz, denn sein bedrücktes Gewissen und seine Angst ließen ihn in jeder Bemerkung einen »Fühler« wittern, der ihn ausforschen wollte. Er verstand nicht, wie er in den Verdacht geraten sein konnte, irgendetwas über den Mord zu wissen, aber jedenfalls beunruhigte ihn das Geschwätz in höchstem Maße. Er schleppte Huck an einen entlegenen Platz, um sich mit ihm zu beraten. Es musste ja auch schon eine Erleichterung sein, das Siegel eine kleine Weile von den Lippen zu lösen und die Last der Sorge mit einem anderen zu teilen. Zudem lag ihm daran zu erfahren, ob Huck wirklich verschwiegen geblieben war. »Huck, hast du 'ner Menschenseele was erzählt?«

»Was denn?«

»Du weißt schon!«

»Natürlich nicht!«

»Kein Sterbenswort?«

»Auf Ehr und Seligkeit, kein Sterbenswort! Warum fragst du?«

»Na, ich – ich hatte Angst.«

»Aber, Tom Sawyer, wir beide wären doch keine zwei Tage mehr am Leben, wenn's rauskäm! Das weißt du doch selber!«

Tom fühlte sich wesentlich erleichtert. Nach einer Pause: »Huck, es könnte doch keiner was aus dir rauskriegen, oder?«

»Rauskriegen? Da müsst ich ja Lust haben, von dem Teufel von Indianer ersäuft zu werden – sonst wahrhaftig nicht!«

»Gut, dann ist alles in Ordnung! Ich glaub, wir können ruhig sein, solange wir den Mund halten. Aber lass uns für alle Fälle noch mal schwören, das ist sicherer!«

»Ich hab nix dagegen!«

Und sie schworen nochmals einen fürchterlichen Eid.

»Worüber reden sie eigentlich am meisten in der Stadt, Huck? Ich hab alles durcheinander gehört!«

»Am meisten? Na, immer von Muff Potter, immer und ewig Muff Potter! Mir läuft dauernd der Angstschweiß runter, am liebsten möcht ich mir Watte in die Löffel stecken, um nix mehr davon zu hören.«

»So geht's mir auch. Ich glaub, der ist verloren! Tut dir's nicht auch manchmal Leid um ihn?«

»Beinah immer, wirklich, beinah immer! Er ist ja keine feine Nummer, aber er hat doch nie 'nem Menschen was getan. Angelt wohl mal 'n bisschen, um Geld zum Saufen zu kriegen, und bummelt 'n ganzen Tag rum, aber Herrgott, das tut ja jeder – wenigstens fast jeder. Und 'n guter Kerl is er doch, er hat mir mal 'n halben Fisch gegeben, wo der ganze wirklich nicht für ihn allein gelangt hätt, und hat mir schon manchmal aus der Patsche geholfen.«

»Und mir hat er den Drachen geflickt und Angelhaken an der Leine festgemacht. Ich wollt, wir könnten ihn da rausholen, Huck – ich gäb was drum!«

»Ach, das würd doch nix nützen, Tom, sie würden ihn ja gleich wieder erwischen!«

»Ja, das würden sie! Aber ich kann's nicht vertragen, wenn sie wie über den leibhaftigen Gottseibeiuns über ihn herfallen, wo er's doch gar nicht getan hat!«

»Ich auch nicht! Und dabei reden sie, als wär er der blutdürstigste Bösewicht im ganzen Land und 'n reines Wunder, dass er nicht schon längst gehängt wurde.«

»Ja, so reden sie! Ich hab sogar gehört, wie einer sagte, wenn er doch freikäm, würden sie ihn lynchen!«

»Du kannst dich drauf verlassen, sie würden es tun!«

Das Gespräch gab nur wenig Trost. Als es zu dämmern begann, befanden sie sich auf einmal vor dem kleinen einsamen Gefängnis, vielleicht in der geheimen Hoffnung, es könnte irgendetwas geschehen, das sie von ihren Kümmernissen befreien würde. Aber nichts geschah, es zeigten sich weder Engel noch Feen, die sich für den unglücklichen Gefangenen zu interessieren schienen.

Die Jungen traten wie schon so manches Mal ans Gitter, um Potter Tabak und Streichhölzer hineinzureichen.

Seine Dankbarkeit für ihre kleinen Geschenke hatte ihnen schon immer ins Herz geschnitten, heute aber war's schlimmer als je. Sie kamen sich wie die feigsten und gemeinsten Verräter vor, als Potter sagte: »Ihr seid so gut zu mir, Jungens, besser, als sonst irgendjemand aus der Stadt es war. Und das vergess ich euch nicht – ganz gewiss nicht. Ich sag mir oft, ich hab doch so vielen Jungens die Drachen geflickt und die besten Fischplätze gezeigt und getan, was ich nur für sie tun konnte, aber alle haben den alten Muff in seiner Not vergessen, alle – nur der Tom und der Huck nicht, die haben ihn nicht vergessen, sag ich, und der alte Muff, der vergisst sie auch nicht! Seht, Jungens, ich hab was Furchtbares angestellt, versoffen und dumm, wie ich bin, anders kann ich's mir nicht erklären, und dafür soll ich jetzt baumeln und das ist nur recht und billig. 's geschieht mir schon recht und 's wird wohl auch das Beste für mich sein, glaub ich. Na, wir wolln nicht weiter davon sprechen! Ich will euch nicht das Herz schwer machen mit meinem Gerede, ihr seid ja gut zu mir gewesen. Aber nur eins sag ich euch, betrinkt euch nie, wenn ihr groß seid, dann kommt ihr nicht hierher! Kommt mal näher ran, so ist's gut, 's ist ordentlich ein Trost, so 'n paar gute Gesichter zu sehen, wenn man tief im Dreck sitzt – gute, liebe Gesichter! So – so ist's recht! Die Hand möcht ich euch geben, ihr müsst aber eure kleinen Pfoten durchs Gitter strecken; meine Tatzen sind zu groß dazu. Kleine Hände – kleine schwache Hände sind das, und doch haben sie dem armen Muff Potter so geholfen und würden's noch mehr tun, wenn sie nur könnten.«

Tom schlich todelend nach Hause und hatte nachts die schrecklichsten Träume. Am nächsten und übernächsten

Tag strich er beständig um das Gerichtsgebäude herum, von einem fast unwiderstehlichen Drang getrieben hineinzugehen. Er hatte Mühe sich zu bezwingen. Huck erging es genauso. Sie wichen einander möglichst aus; jeder entfernte sich von Zeit zu Zeit, und doch erlagen sie immer von neuem der schrecklichen Anziehungskraft. Tom spitzte die Ohren, wenn wieder ein paar Müßiggänger aus dem Gerichtssaal herauskamen, aber er hörte unabänderlich betrübende Neuigkeiten. Das Netz der Beweise schloss sich enger und enger um den armen Potter. Am Ende des zweiten Tages hieß es, dass Indianer-Joe fest und unerschütterlich auf seiner Aussage beharre und dass über den Urteilsspruch gar kein Zweifel mehr bestehen könne.

Tom trieb sich an diesem Abend noch sehr lange draußen herum, kam durchs Fenster heim und befand sich in der fürchterlichsten Aufregung. Stundenlang wälzte er sich in seinem Bett herum ohne einschlafen zu können.

Am nächsten Morgen strömte, was nur Beine hatte, dem Gerichtsgebäude zu, der große Tag war gekommen, an dem die Entscheidung fallen sollte. Männlein und Weiblein saßen dicht gedrängt, wie die Heringe, im Zuhörerraum. Nach einer langen Wartezeit betraten die Geschworenen den Saal und nahmen ihre Sitze ein. Kurz darauf führte man den totenbleichen Potter in Ketten herein. Verschüchtert und hoffnungslos saß er da, während all die neugierigen Augen ihn unbarmherzig anstarrten. Und nicht weniger Aufsehen erregte Indianer-Joe, der unerschütterlich wie immer dreinschaute. Nach einer Pause erschien dann der Richter, und der Sheriff verkündete den Beginn der Verhandlung. Das gewohnte Geflüster unter den Anwälten und das Zurechtlegen der Akten folgten. All diese Einzelheiten und Umständlichkeiten riefen eine ebenso aufregende wie spannungsvolle Erwartung hervor.

Jetzt wurde ein Zeuge aufgerufen, der aussagte, daß er Muff Potter schon bei Tagesgrauen am Morgen nach der Mordtat gesehen habe, wie er sich gerade am Bach wusch und eilig davonschlich, als ob er den Beobachter bemerkte. Nach einigen weiteren Fragen sagte der Staatsanwalt: »Der Herr Verteidiger hat das Wort.«

Für einen Moment hob der Angeklagte die Augen, senkte sie aber sofort wieder, als der Verteidiger sagte: »Ich verzichte.«

Der nächste Zeuge beschwor, dass man das Messer in der Nähe der Mordtat gefunden habe. Der Staatsanwalt sagte abermals: »Der Herr Verteidiger hat das Wort«, und abermals verzichtete dieser auf jede Frage.

Ein dritter Zeuge gab an, das Messer öfter in Potters Besitz gesehen zu haben.

»Der Herr Verteidiger hat das Wort.«

Und zum dritten Mal erwiderte Potters Verteidiger ruhig: »Ich verzichte.«

Im Zuhörerraum entstand eine leise Unruhe. Wollte dieser Anwalt denn das Leben seines Klienten so einfach ohne die leiseste Anstrengung preisgeben?

Mehrere Zeugen berichteten über Potters verdächtiges Benehmen, als er an den Schauplatz der Tat geführt wurde. Auch sie wurden ohne jedes Kreuzverhör entlassen.

Jede Einzelheit der so äußerst verdächtigen Vorgänge auf dem Friedhof, an die sich jeder noch so gut erinnerte, wurde von glaubwürdigen Zeugen bestätigt; aber auch nicht ein einziger von ihnen wurde von Potters Verteidiger ins Verhör genommen. Das Publikum gab sein Staunen und seine Unzufriedenheit durch ein Gemurmel kund, das ihm einen Verweis des Richters eintrug. Dann ergriff der Staatsanwalt das Wort:

»Durch den Eid von Bürgern erhärtet, deren einfaches Wort schon über jeden Zweifel erhaben ist, sehen wir uns gezwungen, das furchtbare Verbrechen dem unglücklichen Gefangenen zur Last zu legen. Die Verhandlung ist hiermit abgeschlossen.«

Dem armen Potter entrang sich ein gequältes Stöhnen, er bedeckte das Gesicht mit den Händen, und sein Körper schrumpfte gleichsam zusammen. Ein fast schmerzhaftes Schweigen herrschte in dem Saal. Alle Männer waren bewegt und die Frauen verrieten ihr Mitleid durch Tränen – der Verteidiger ergriff das Wort:

»Hoher Gerichtshof! Zu Beginn der Verhandlungen ließen wir durchblicken, dass wir unsere Verteidigung darauf aufbauen wollten, dass der Klient die Tat im Zustand sinnloser Trunkenheit begangen habe. Wir haben diese Absicht aufgegeben, wir werden auf diese Beweisführung verzichten.« – Dann zu dem Gerichtsdiener: »Man rufe Thomas Sawyer!«

Auf allen Gesichtern zeigte sich unverhohlenes Erstaunen, selbst auf dem Potters. Jedes Auge klebte förmlich voll maßlosem Interesse an Tom fest, als er aufstand und seinen Platz vor der Zeugenschranke einnahm. Verstört genug sah der Junge freilich aus; er schien große Angst zu haben. Nachdem er geschworen hatte, begann das Verhör:

»Thomas Sawyer, wo warst du am 17. Juni um die Mitternachtsstunde?«

Tom warf einen flüchtigen Blick auf das Gesicht des Indianer-Joe, und die Stimme versagte ihm. Die Zuhörer lauschten atemlos, aber die Worte wollten ihm nicht kommen. Nach ein paar Augenblicken hatte er aber wieder Kraft genug, sich wenigstens den Nächstsitzenden verständlich zu machen:

»Auf dem Friedhof!«

»Ein wenig lauter, bitte, nur keine Angst! Also wo?«

»Auf dem Friedhof!«

Ein verächtliches Lächeln zuckte über das Gesicht des Indianer-Joe.

»Warst du irgendwo in der Nähe des Grabes von Hoss Williams?«

»Ja, Herr Verteidiger!«

»Noch ein bisschen lauter! Wie nah ungefähr?«

»So nah wie bei Ihnen!«

»Warst du dort versteckt oder nicht?«

»Ich war versteckt.«

»Wo?«

»Hinter den Ulmen, die dicht dabeistehn!«

Da fuhr Indianer-Joe fast unmerklich zusammen.

»War noch jemand dabei?«

»Ja, ich war mit ...«

»Lass nur! Wir brauchen den Namen deines Begleiters noch nicht, wir werden ihn schon zur rechten Zeit anführen. Hast du etwas bei dir gehabt?«

Tom zögerte und schaute verwirrt um sich.

»Nur heraus damit, fürchte dich nicht! Die Wahrheit zu sagen macht immer Ehre. Was also war es?«

»Nur – nur – eine tote Katze!«

Ein leises Gekicher ließ sich hören, dem aber sofort Einhalt geboten wurde.

»Wir werden uns später erlauben, das Skelett der Katze

als Beweis vorzulegen. Jetzt aber, mein Junge, erzähl uns alles, was passiert ist, erzähl's ganz ruhig auf deine Art. Verbirg uns nichts und fürchte dich nicht!«

Tom begann zuerst stotternd, dann aber wurde er warm und seine Worte flossen ihm leichter von den Lippen. Nach ein paar Augenblicken erstarb jedes Nebengeräusch im Saale, nur seine eigene Stimme war hörbar. Jedes Auge war auf ihn gerichtet, mit offenem Mund und stockendem Atem hingen die Zuhörer an seinen Lippen. Alle schienen der Welt entrückt, so hielt sie die Erzählung von der grausigen Tat in Bann. Die Erregung erreichte ihren Höhepunkt, als der Junge sagte: »Und wie der Doktor mit dem Brett auf Muff Potter einschlug und er umfiel, da sprang der Indianer-Joe mit dem Messer auf und . . .«

Ein Krach! Wie der Blitz war Indianer-Joe auf das Fenster zugestürzt, hatte alle, die sich ihm entgegenstellten, weggeschleudert, und ehe man zur Besinnung kam – war er verschwunden.

25. KAPITEL

Wieder war Tom zum strahlenden Helden der Stadt geworden – der Liebling der Alten, der Neid der Jungen. Sein Name wurde sogar durch den Druck unsterblich gemacht, denn das Wochenblättchen verherrlichte ihn in allen Tonarten. Es gab sogar Leute, die behaupteten, er würde noch einmal Präsident werden, falls er nicht vorher gehängt würde!

Wie's so geht, schloss die wankelmütige, gedankenlose Welt nunmehr Muff Potter in demselben Maße in ihr Herz und verwöhnte ihn, wie sie ihn vorher beschimpft hatte. Da ihr dies aber, im Grund genommen, zur Ehre gereicht, wollen wir sie dafür nicht tadeln.

Tom erlebte Tage des Glanzes und Entzückens, aber seine Nächte waren voll Schrecken und Grauen. Indianer-Joe spukte in all seinen Träumen herum und Tod und Vernichtung drohten aus seinen Augen. Keine noch so große Versuchung hätte jetzt den Jungen mehr bewegen können, sich nachts auf der Straße herumzutreiben. Dem armen Huck ging es nicht besser, auch er schwebte in beständiger Furcht, denn Tom hatte am Abend vor der letzten großen Gerichtssitzung dem Verteidiger die ganze Geschichte erzählt, und Huck zitterte davor, dass sein Anteil an der Sache doch noch durchsickern könne, obgleich ihn die Flucht von Indianer-Joe ja vor dem Übel einer öffentlichen Aussage bewahrt hatte. Der arme Kerl hatte aber den Verteidiger beschworen, den Mund zu halten, und der hatte es ihm auch versprochen, aber was nutzte ihm das? Seit die Gewissensbisse Tom dazu getrieben hatten, sich bei Nacht und Nebel ins Haus des Verteidigers zu schleichen und das Fürchterliche zu berichten trotz all der schrecklichen Eide, die sie sich so feierlich geschworen hatten, war Hucks Vertrauen in das menschliche Geschlecht erschüttert – ja vernichtet.

Muff Potters Dankbarkeit, dass Tom geredet hatte, erfüllte den Jungen bei Tag mit Freude und Stolz, nachts aber wünschte er sich inständig, seine Lippen wären versiegelt geblieben. Einmal fürchtete Tom, Indianer-Joe würde nie erwischt werden, dann wieder zitterte er bei dem Gedanken, dass man ihn doch finden könnte. Das aber fühlte er: Ruhig atmen würde er erst wieder können, wenn dieser Mensch tot sei und er selbst seinen Leichnam gesehen habe.

Belohnungen waren ausgesetzt, die ganze Gegend durchforscht worden, aber kein Indianer-Joe wurde gefunden. Man hatte eines jener allwissenden, Ehrfurcht gebietenden Wunderwesen, einen Detektiv, aus St. Louis kommen lassen. Der schnüffelte überall herum, machte ein kluges, geheimnisvolles Gesicht, schüttelte den Kopf und hatte denselben erstaunlichen Erfolg, den die meisten seiner Kollegen erringen: Er entdeckte, wie er sagte, »den Schlüssel des Rätsels«. Aber da man nun mal einen »Schlüssel« nicht des Mordes anklagen und hängen konnte, fühlte sich Tom, nachdem der weise Mann wieder abgereist war, ebenso unsicher wie zuvor.

Die Tage schleppten sich trübselig dahin, zum Glück aber nahm jeder neu anbrechende ein klein wenig von der Seelenangst weg, die auf dem armen Jungen lastete.

26. KAPITEL

Im Leben jedes normalen Jungen kommt einmal eine Zeit, in der er sich rasend danach sehnt, nach einem verborgenen Schatz zu graben. Dieses Verlangen hatte eines Tages auch Tom gepackt. Er wollte gleich mit Joe Harper darüber sprechen, der war jedoch nirgends aufzutreiben. Dann suchte er Ben Rogers, und der war fischen gegangen. Zufällig stieß er auf Huck Finn, »den Bluthändigen«. Der war ihm auch recht. Er schleppte ihn an einen geheimen Ort und zog ihn dort ins Vertrauen. Huck war einverstanden; er war immer bereit, an einem Unternehmen teilzunehmen, das Vergnügen versprach und kein Kapital erforderte, denn er hatte einen Überfluss von der Art Zeit, die kein Geld ist.

»Wo sollen wir graben?«, fragte er.

»Na, überall.«

»Ja, gibt's denn überall 'nen verborgenen Schatz?«

»Was du dir einbildest! Die sind immer nur an ganz ausgefallenen Plätzen, zum Beispiel mal auf 'ner Insel, dann in 'ner verfaulten Kiste, die unter 'nem Baumstamm verscharrt ist, grad da, wo der Schatten um Mitternacht drauffällt, aber meistens liegen sie unterm Fußboden in Häusern, wo's spukt.«

»Wer versteckt sie denn da?«

»Natürlich Räuber, wer denn sonst, oder meinst du vielleicht Sonntagsschullehrer?«

»Was weiß ich? Ich weiß, wenn der Schatz mir gehört, würd ich ihn nicht verstecken, sondern das Geld ausgeben und mir damit feine Tage machen.«

»Ja, ich auch, aber die Räuber sind anders, sie verstecken's und lassen's liegen.«

»Gucken sie denn nie mehr danach?«

»Nee! Sie wollen wohl, aber dann vergessen sie die Zeichen oder sterben meistens. Er liegt dann 'ne Ewigkeit und wird rostig und schließlich findet mal einer so 'n altes, vergilbtes Papier, an dem muss man über 'ne Woche rumbuchstabieren, um's zu entziffern, weil lauter schwere Zeichen und Hieroglyphen drauf sind.«

»Hiero – was?«

»Hieroglyphen! Bilder und Krakelfüße und so Zeugs, die immer was bedeuten, weißt du!«

»Hast du denn solche Papiere gefunden, Tom?«

»Nee!«

»Ja, aber wie willst du denn die Zeichen rauskriegen?«

»Ach was – ich brauch keine Zeichen! Sie vergraben den Schatz doch immer bloß unter 'nem Spukhaus oder auf 'ner Insel oder unter 'nem abgestorbenen Baum, der nur noch 'nen Ast ausstreckt. Na, wir haben ja schon 'n bisschen auf der Jacksoninsel rumgestöbert, dort können wir's noch mal probieren. Und dann haben wir noch das alte verfallene Spukhaus oben am Stillhausbach, und da gibt's 'ne Masse abgestorbene Bäume, sag ich dir.«

»Liegt da unter jedem 'n Schatz vergraben?«

»Esel! Nein.«

»Wie kannst du dann aber wissen, wo du graben sollst?«

»Na, wir graben mal bei allen.«

»Ja, aber Tom, da geht doch der ganze Sommer drauf!«

»Was schadet denn das! Stell dir vor, du fändest 'n Kupferkessel mit hundert alten Dollar drin oder 'ne verfaulte Kiste mit lauter Diamanten, he?«

Hucks Augen funkelten. »Das wär so was für mich, Tom. Wenn du mir nur die hundert Dollar lässt, nach den Diamanten frag ich nicht.«

»Mir auch recht! Ich werf dir die Diamanten bestimmt nicht hinterher! Manche davon sind gut und gern ihre zwanzig Dollar das Stück wert, und 's ist kaum einer dabei, für den du nur fünfundzwanzig Cent oder 'nen Dollar kriegst.«

»Nee, wahrhaftig?«

»Das kann dir jeder sagen! Hast du denn noch nie 'n Diamanten gesehen?«

»Nicht, dass ich wüsste!«

»Oh, Könige haben ganze Haufen davon!«

»Ich kenn aber keine Könige, Tom!«

»Natürlich nicht, wenn du aber nach Europa gehen würdest, könntest du sie in ganzen Scharen herumhopsen sehen!«

»Was? Hopsen die denn?«

»Hopsen! Bist wohl verrückt? Nein, hopsen tun sie nicht.«

»Na, warum hast du's dann gesagt?«

»Rindvieh! Das soll doch nur heißen, du könntest sie sehen, und zwar 'ne ganze Menge davon, denn sie sind überall rum verstreut, zum Beispiel den alten buckligen Richard.«

»Richard? Wie heißt er denn sonst noch?«

»Er hat keinen andern Namen. Könige haben immer nur 'n Vornamen.«

»So, wirklich?«

»Wenn ich's doch sag!«

»Na, wenn's ihnen recht ist – mir soll's egal sein. Ich möcht aber kein König sein und nur so einen lumpigen Namen haben wie 'n elender Neger. Aber, sag mal, wo wollen wir zuerst graben?«

»Tja, ich weiß selber noch nicht so recht! Wie wär's, wenn wir uns zuerst mal an den alten Baum ranmachen, drüben auf dem Hügel hinterm Stillhausbach?«

»Einverstanden!«

So verschafften sie sich denn eine etwas ramponierte Schaufel und eine Hacke und machten sich auf ihren drei

Meilen weiten Marsch. Keuchend und erhitzt kamen sie endlich dort an, rekelten sich im Schatten einer benachbarten Ulme und qualmten tüchtig drauflos. »So gefällt's mir!«, sagte Tom.

»Mir auch«, meinte Huck.

»Du, Huck, wenn wir jetzt 'n Schatz finden, was fängst du mit deinem Teil an?«

»Ich? Na, dann ess ich jeden Tag Kuchen und Pastete und trink Sodawasser und geh in jeden Zirkus, der hierher kommt. Das soll schon 'ne verflucht feine Zeit werden.«

»Ja, willst du denn gar nix davon sparen?«

»Sparen? Zu was?«

»Na, um später noch was zum Leben zu haben!«

»Och, das würd mir auch nix nützen! Mein Alter kommt doch wieder mal in die Stadt, und wenn er das Geld in seine Klauen kriegt, würd er's schnell durchbringen, wenn ich mich nicht vorher beeile. Was wirst du denn mit deinem anfangen, Tom?«

»Ich, ich kauf mir erst mal 'ne neue Trommel und 'n richtiges Schwert und 'ne rote Krawatte und 'ne junge Bulldogge, und dann – ja, dann verheirat ich mich.«

»Was – heiraten?«

»Jawohl!«

»Tom, du – du bist wohl übergeschnappt?«

»Wart nur ab – wirst's schon sehen.«

»Tom, das wär einfach das Allerdümmste, was du tun könntest! Denk nur mal an meinen Vater und meine Mutter, nix als Keilerei den lieben langen Tag! Ich erinnere mich nur noch zu gut!«

»Das beweist gar nix. Das Mädchen, das ich heirat, prügelt sich nicht rum.«

»Tom, glaub's nicht, eine ist wie die andere, und das Prügeln versteht jede. Überleg dir's lieber noch mal, rat ich dir. Wie heißt denn das Mädel?«

»'s kein Mädel, es ist ein Mädchen!«

»Das ist doch egal, Mädel oder Mädchen, das kommt auf eins raus! Na also, sag mir, wie sie heißt!«

»Später mal, jetzt noch nicht!«

»Mir auch recht. Nur, wenn du dich verheiratest, werd ich noch viel einsamer sein als jetzt!«

»Nein, bestimmt nicht. Du musst dann bei mir wohnen. Aber jetzt wollen wir an die Arbeit gehen.«

Eine halbe Stunde lang gruben sie im Schweiße ihres Angesichts. Kein Erfolg. Noch eine weitere halbe Stunde der Mühe und Anstrengung. Immer noch kein Erfolg. Da sagte Huck: »Vergraben sie den Schatz immer so tief unten?«

»Manchmal, nicht immer! Gewöhnlich nicht, ich glaube, wir haben nicht den richtigen Platz erwischt.«

Sie verzogen sich an eine andere Stelle und begannen nochmals. Die Arbeit ging ihnen jetzt etwas weniger rasch von der Hand, aber sie kamen doch vorwärts. Sie gruben eine Zeit lang ohne zu reden. Schließlich lehnte sich Huck auf seine Schaufel, wischte sich mit seinem Ärmel den Schweiß von der Stirn und fragte: »Wo gehn wir nachher hin, wenn wir hier fertig sind?«

»Ich denk, an den alten Baum, oben auf'm Cardiffhügel hinterm Haus der Witwe Douglas.«

»Au ja, da ist 'n guter Platz. Aber wird die Witwe uns den Schatz nicht wegnehmen, weil der Baum doch auf ihrem Land steht?«

»Wegnehmen? Soll's mal probieren! Wer 'n verborgenen Schatz findet, der kriegt ihn auch, ganz egal, wem das Land gehört.«

Das war 'ne Beruhigung. Sie arbeiteten weiter, endlich sagte Huck: »Verflucht! 's muss wieder der falsche Platz sein. Was meinst du?«

»Das ist doch merkwürdig, Huck, ich versteh's gar nicht. Manchmal mischen sich auch Hexen ein, 's kann sein, dass die uns so 'ne Schererei machen!«

»Unsinn! Hexen sind doch am hellen Tag machtlos!«

»Ja, du hast Recht, daran hab ich gar nicht gedacht. Ach, jetzt weiß ich aber, was los ist! Was für Schafsköpfe wir sind! Man muss doch erst rauskriegen, wohin der Schatten um Mitternacht fällt, und da liegt der Schatz.«

»Na, dann hol's der Teufel! Da haben wir uns die ganze Arbeit für nix und wieder nix gemacht, nun müssen wir also nachts noch mal hierher zurück. 's ist 'n scheußlich weiter Weg! Kannst du denn so einfach auskneifen?«

»Natürlich! Wir müssen noch diese Nacht wieder her, denn wenn einer kommt und sieht die Löcher hier, dann weiß er gleich, was los ist, und schnappt uns womöglich die ganze Sache vor der Nase weg.«

»Na schön! Ich komm heut Nacht zu dir und miau.«

»Gut. Und die Werkzeuge verstecken wir hier im Gebüsch.«

Nachts zur verabredeten Zeit waren dann auch die Jungens wieder an Ort und Stelle. Wartend saßen sie im Schatten. Es war ein einsamer Ort und eine nach alten Überlieferungen geheimnisvolle Stunde. Geister flüsterten im raschelnden Laub, Gespenster huschten in dunklen Ecken umher, aus der Ferne ertönte das tiefe Gebell eines Hundes, dem eine Eule mit Grabesstimme antwortete. Die Jungen fühlten sich bedrückt durch die unheimliche Umgebung und wagten nur leise zu sprechen. Als es nach ihrer Schätzung Mitternacht sein musste, kennzeichneten sie die Stelle, auf die der Schatten fiel, und begannen dort zu graben. Ihre Hoffnungen steigerten sich und ihr Interesse und ihr Fleiß wuchsen im gleichen Maße. Das Loch wurde tiefer und tiefer, aber jedes Mal, wenn die Hacke auf etwas Festes stieß und ihnen das Herz vor freudiger Erregung klopfte, wurden sie grausam enttäuscht. Es war immer nur ein Stein oder ein alter Holzknüppel. Schließlich sagte Tom: »'s hat keinen Zweck, Huck, wir sind wieder am falschen Platz.«

»Das kann doch nicht sein, Tom, wo wir den Schatten doch so haarscharf abgesteckt haben!«

»Das weiß ich. Dann ist eben was andres schuld.«

»Was denn?«

»Ja, wir haben die Zeit doch nur erraten, vielleicht war's zu früh oder zu spät!«

Huck ließ die Schaufel fallen. »Das ist's, ganz gewiss, da liegt der Hund begraben! Wir müssen's schon aufgeben, denn wie sollen wir je die genaue Zeit rauskriegen? Und außerdem – es ist so gruselig hier zur Nachtzeit, mit all den Hexen und Gespenstern, die überall rumflattern. Ich hab die ganze Zeit das Gefühl, hinter mir ist was, und ich hab Angst, mich umzusehen, weil dann vielleicht auch eins vor mir stehn könnt, das nur die Gelegenheit abwartet, um – hu, mir läuft's dauernd eiskalt den Buckel runter!«

»Mir geht's beinah ebenso! Meistens begraben sie auch bei dem Schatz noch 'n toten Menschen unter so 'm Baum, der Wache halten soll.«

»Um Gottes willen!«

»Ja, ja! Ich hab's immer so gehört!«

»Tom, ich hab nicht gern was mit Toten zu tun; die machen einem immer nur Unannehmlichkeiten.«

»Ich hab auch keine Lust sie aufzuwecken, Huck! Stell dir vor, wenn da jetzt plötzlich einer seinen Schädel rausstrecken und was zu uns sagen würd!«

»Sei doch still, Tom, das ist ja grässlich!«

»Ja, das ist's, Huck; ich fühl mich auch nicht gerade wohl in meiner Haut.«

»Du, Tom, wir geben's hier auf und graben lieber mal woanders!«

»Ja, es ist wahrscheinlich besser, aber wo?« Er dachte 'ne Weile nach und sagte: »Ich hab's: im Spukhaus!«

»Teufel! Ich kann keine Spukhäuser leiden, Tom, da sind

Gespenster, die sind noch schlimmer als Tote! Tote sprechen dich vielleicht mal an, aber sie fegen doch nicht in Leintüchern rum wie so 'n Gespenst und grinsen dir nicht mit einem Mal über die Schulter und klappern mit den Zähnen und Beinen. Nee, du, das könnt ich nicht aushalten, Tom, kein Mensch könnt so was!«

»Ja, aber Huck, Gespenster spuken doch nur nachts, am Tag werden die uns doch nicht bei der Arbeit stören!«

»Ja, das ist wahr! Aber du weißt selber, dass niemand gern in die Nähe von dem Spukhaus kommt, nicht bei Tag und nicht nachts.«

»Na, das ist doch nur, weil dort mal einer ermordet worden ist. Es hat sich aber nie was ums Haus rum gezeigt in der Nacht, höchstens mal so 'ne kleine blaue Flamme am Fenster, aber nie 'n wirklicher Geist.«

»Ja, aber wenn du so 'n blaues Flämmchen siehst, Tom, kannst du Gift drauf nehmen, dass auch 'n Geist in der Nähe ist. Das ist doch ganz klar! Wer sonst sollte denn so 'n blaues Flämmchen benutzen, außer 'n Geist!«

»Das kann sein. Aber auf keinen Fall kommen sie bei Tag raus. Da brauchen wir keine Angst zu haben!«

»Gut, mir soll's recht sein! Machen wir uns also an das Spukhaus ran, aber ich glaub, das ist ziemlich riskant!«

Inzwischen waren sie am Fuß des Hügels angelangt; dort, inmitten des mondbeglänzten Tales, stand das Spukhaus. Völlig vereinsamt lag es vor ihnen, die Umzäunung war längst verfallen und rankendes Unkraut überwucherte Tür und Treppenstufen. Der Kamin war eingestürzt, leer starrten die Fensterhöhlen, ein Teil des Daches war abgedeckt. Eine Zeit lang sahen die Jungens unverwandt zu dem gespenstischen Ort hinüber, immer in der Erwartung, dass sich ein blaues Licht zeigen würde, und sprachen, der unheimlichen Stätte angemessen, nur im Flüsterton. Dann machten sie einen weiten Bogen um das Spukhaus und schlugen sich heimwärts durch die Wälder, welche die Rückseite des Cardiffhügels mit ihrem saftigen Grün schmückten.

27. Kapitel

Um die Mittagsstunde des nächsten Tages gingen die Jungens zu dem abgestorbenen Baum. Sie wollten ihre Geräte holen. Tom war ungeduldig und hatte es sehr eilig, zu dem Spukhaus zu kommen, und Huck ebenso, aber plötzlich sagte er:

»Weißt du eigentlich, Tom, was heut für 'n Tag ist?«

Tom ließ im Geist die Tage der Woche Revue passieren, sah dann betroffen in die Höhe und rief: »Nein, so was! Daran hab ich gar nicht mehr gedacht, Huck!«

»Ich zuerst auch nicht, mit einem Mal ist mir's siedend heiß eingefallen, dass ja Freitag ist.«

»Zum Kuckuck! Man kann doch nie vorsichtig genug sein, da hätten wir ja schön in die Patsche geraten können, wenn wir so was am Freitag gemacht hätten!«

»Geraten können? Ich würd eher sagen: geraten müssen! 's gibt Glückstage, aber der Freitag gehört ganz sicher nicht dazu!«

»Das weiß doch 'n Pferd, Huck! Du bildest dir doch

nicht ein, dass du der Erste bist, der das rausgefunden hat?«

»Hab ich das vielleicht behauptet? Aber der Freitag allein ist's noch gar nicht, ich hab heut Nacht 'n verflucht scheußlichen Traum gehabt, von Ratten.«

»Auch das noch! Das ist ganz gewiss 'n schlechtes Zeichen! Haben sie sich rumgebissen?«

»Nee.«

»Na, das ist noch gut, Huck. Wenn sie sich nicht rumbeißen, soll's nur heißen, dass Unheil in der Nähe ist. Da brauchen wir einfach nur ordentlich aufzupassen, dass wir ihm rechtzeitig ausweichen können. Auf jeden Fall wollen wir die Geschichte für heute sein lassen und lieber spielen. Kennst du Robin Hood?«

»Nee! Wer ist denn das?«

»Ja, der war einer der größten und besten Männer, die je in England gelebt haben, und 'n Räuber dazu!«

»Prima! Ich wollt, ich wär auch einer! Wen hat er denn beraubt?«

»Och, nur Sheriffs und Bischöfe und reiche Leute und Könige und so was. Die Armen hat er in Ruhe gelassen, die hat er geliebt und immer brüderlich mit ihnen geteilt!«

»Der muss ja 'n Prachtkerl gewesen sein!«

»Ja, das garantier ich dir. So 'n edler Mensch hat vorher und nachher nicht mehr gelebt! Der konnt jeden Mann in England unterkriegen, selbst wenn man ihm eine Hand auf'm Rücken gefesselt hat. Und mit seinem Eibenbogen konnt er jedes Zehncentstück auf 'ne Entfernung von anderthalb Meilen treffen!«

»Was ist denn 'n Eibenbogen?«

»Was weiß ich? Irgend'ne Art Bogen natürlich. Und

wenn er das Geldstück statt in der Mitte mal nur am Rand getroffen hat, hat er sich jedes Mal hingesetzt und vor Wut geheult und geflucht. Komm, wir spielen Robin Hood, das macht Spaß, ich zeig's dir.«

»Ist gut.«

So spielten sie dann den ganzen Nachmittag Robin Hood, ab und zu warfen sie einen sehnsüchtigen Blick auf das Spukhaus und machten auch gelegentlich eine Bemerkung über ihre Aussichten und Pläne für den folgenden Tag.

Als die Sonne sich gen Westen neigte, schlugen sie den Heimweg ein, quer durch die langen Schatten der Bäume, und waren bald im Wald des Cardiffhügels verschwunden.

Samstag, kurz nach zwölf Uhr mittags, waren die Jungens wieder an dem alten Baum. Erst rauchten und schwatzten sie eine Weile in seinem Schatten, dann gruben sie noch ein wenig in dem alten Loch herum, wenn sie auch keine große Hoffnung mehr hatten. Tom sagte, es wär doch schon oft vorgekommen, dass man das Schatzgraben sechs Zoll von der richtigen Stelle aufgegeben hätte und dass dann ein anderer mit einem einzigen Spatenstich die ganze Herrlichkeit entdeckte. Die Sache schlug aber wieder fehl, und so schulterten sie ihre Geräte und zogen mit ihnen ab, im erhebenden Bewusstsein, nichts versäumt und keineswegs mit dem Glück gespielt, sondern im Gegenteil alle Anforderungen erfüllt zu haben, die an einen echten und rechten Schatzgräber gestellt werden können.

Als sie das Spukhaus erreichten, lag es in seiner Totenstille so schauerlich und unheimlich in der sengenden Glut der Sonnenstrahlen, dass sich die beiden in dem Gefühl dieser bedrückenden Verlassenheit erst gar nicht hineintrauten. Endlich schlichen sie sich doch an die Tür und hielten zitternd Ausschau. Sie sahen einen mit Unkraut überwucherten Raum, den Boden ohne Dielen, die Wände ohne Putz, mit eingefallenem Kamin, leeren Fensterhöhlen und einer halb verfallenen Treppe. Von der Decke und den Wänden hingen verstaubte Spinnweben. Mit Herzklopfen traten sie zögernd ein, die Ohren gespitzt und stets sprungbereit, um beim leisesten Geräusch die Flucht ergreifen zu können.

Nach kurzer Zeit waren sie mit ihrer Umgebung vertraut, und ihre Furcht machte einer kritischen und eingehenden Prüfung der Örtlichkeit Platz. Sie wunderten sich selbst über ihren Mut und wollten schließlich auch noch das obere Stockwerk untersuchen. Das bedeutete sich den Rückzug abzuschneiden, aber sie wollten sich nun einmal in Tapferkeit überbieten und so warfen sie denn Hacke und Schaufel in eine Ecke und kletterten hinauf. Oben fanden sie dieselben Spuren des Verfalls. In einem Winkel entdeckten sie einen geheimnisvollen Wandschrank, der sich aber als eine Enttäuschung erwies – er war leer. Ihr Mut war nun ganz auf der Höhe, und eben wollten sie hinuntergehen und ihre Arbeit beginnen, als Tom zusammenfuhr und zischte: »Pscht!«

»Was gibt's?«, flüsterte Huck, totenbleich vor Schreck.

»Pscht – hörst du nichts?«

»Ja, oh Gott! Lass uns weglaufen!«

»Sei still! Mucks dich nicht. Sie kommen auf die Tür zu.«

Die Jungens streckten sich in ihrer Todesangst längelang auf den Dielen aus und spähten durch die Ritzen hinunter.

»Sie bleiben stehn! Nein, sie kommen rein! Da, da sind

sie schon! Kein Wort mehr, Huck! Herrgott – wären wir hier nur schon raus!«

Zwei Männer traten ein. Jeder der Jungens sagte sich: Der eine ist der alte taubstumme Spanier, den man in der letzten Zeit 'n paarmal in der Stadt gesehen hat – den andern kenn ich nicht! Der »andere« war ein zerlumpter, ungekämmter Strolch, der wenig Vertrauen erweckend aussah. Der Spanier war in seine Mantilla gehüllt, er hatte einen struppigen weißen Schnauzbart, langes weißes Haar war unter dem breiten Hut zu sehen und er trug eine grüne Brille. Als sie hereinkamen, sprach gerade »der andere« mit leiser Stimme. Sie setzten sich auf den Boden, den Rücken gegen die Wand, das Gesicht zur Tür, und der Sprechende fuhr in seinen Bemerkungen fort, wobei seine Bewegungen immer weniger vorsichtig und seine Worte immer lauter wurden. »Nein«, sagte er, »ich hab's mir überlegt, wir lassen's lieber, die Sache ist doch zu gefährlich!«

»Zu gefährlich?«, grunzte der taubstumme Spanier zur ungeheuren Überraschung der Jungens. »Waschlappen!«

Diese Stimme ließ die beiden Lauscher schaudern vor Entsetzen. Es war die Stimme des Indianer-Joe. Einen Augenblick war's still, dann fuhr er fort: »Gibt's denn was Gefährlicheres als das Ding«, er wies nach dem Städtchen, »das ich dort drüben gedreht hab? Und ist da vielleicht was rausgekommen?«

»Das ist doch ganz was andres! So weit flussaufwärts und kein einziges Haus in der Nähe! Wie soll denn da überhaupt was rauskommen, wo wir's doch bloß probiert und nix erreicht haben.«

»So, und was ist denn gefährlicher, als bei Tag hierher zu kommen? Wer uns sieht, der schöpft doch Verdacht!«

»Das weiß ich! Aber nach dem missglückten Stückchen von neulich war kein Versteck so gut wie dies. Doch ich muss raus hier aus der Bude. Hab's gestern schon gewollt, aber wie kann ich's denn, wenn diese Teufelsjungen gerade drüben auf'm Hügel vor unserer Nase spielen.«

Die Teufelsjungen erschauderten von neuem bei dieser Bemerkung und dachten, welches Glück es doch war, dass sie gestern noch rechtzeitig an den Freitag gedacht und gewartet hatten. Im innersten Herzen wünschten sie, statt des einen Tages ein volles Jahr gewartet zu haben. Die beiden Männer holten etwas Essen heraus und aßen. Nach einem langen, nachdenklichen Schweigen sagte Indianer-Joe: »Hör mal, mein Freund! Du machst dich wieder auf die Socken flussaufwärts, wo du hingehörst! Da wartest du, bis ich was von mir hören lasse. Ich schleich mich doch noch mal in die Stadt, und wenn ich dort rumgeschnüffelt hab und alles gut aussieht, wollen wir die ›gefährliche‹ Sache anpacken. Und dann ab nach Texas! Das machen wir zusammen.«

Der Plan fand Beifall. Beide Männer gähnten und Indianer-Joe sagte: »Ich bin todmüde! Diesmal hast du die Wache!«

Er rollte sich im Winkel zu 'nem Knäuel zusammen und gleich darauf schnarchte er. Sein Kamerad stieß ihn ein paarmal an, worauf es still wurde. Bald nickte auch der Wächter ein, sein Kopf sank tiefer und tiefer und dann schnarchten beide um die Wette.

Die Jungens atmeten erleichtert auf. Tom flüsterte: »Jetzt nix wie weg!«

Huck sagte: »Ich kann nicht! Ich fall tot um, wenn sie aufwachen!«

Tom drängte. Aber Huck zögerte noch immer. Schließlich erhob sich Tom vorsichtig und machte sich allein auf den Weg. Aber beim ersten Schritt knarrte die morsche Diele so abscheulich, dass er halb tot vor Schreck wieder niedersank. Er wagte keinen zweiten Versuch mehr. So lagen denn die Jungens da und zählten die träge dahinfließenden Sekunden, die ihnen wie eine Ewigkeit vorkamen.

Jetzt hörte einer zu schnarchen auf. Indianer-Joe setzte sich auf, stieß seinen Gefährten mit dem Fuß an und sagte: »Du bist mir 'n feiner Wächter! Gut, dass nix passiert ist.«

»Was? Ich hab doch nicht – hab ich denn wirklich geschlafen?«

»Na, so halb und halb ganz gewiss; jetzt wird's aber Zeit zum Abzug. Was machen wir mit dem bisschen Geld, das wir noch haben?«

»Weiß ich's? Hier lassen, wie wir's immer gemacht haben, das wird wohl das Beste sein. 's hat keinen Zweck, ständig sechshundertfünfzig Dollar in Silber mit sich rumzuschleppen, bis wir uns nach Süden verziehen.«

»Na gut! Schließlich liegt ja auch nix dran, wenn wir noch mal hierher müssen.«

»Nee! Aber ich schlag doch vor, nachts zu kommen, wie früher, 's ist doch besser für alle Fälle.«

»Meinetwegen, aber hör mal: Vielleicht dauert's 'ne ganze Zeit lang, eh sich die rechte Gelegenheit zu unserem Stückchen bietet. Es könnten allerlei Zufälle eintreten. 's ist doch kein besonders guter Platz hier. Wir wollen's lieber vergraben – recht tief vergraben!«

»Das ist 'n guter Gedanke«, sagte sein Gefährte, ging quer durch den Raum, kniete am Kamin nieder, lockerte dort einen Backstein und zog einen Beutel heraus, der verheißungsvoll klingelte. Er entnahm ihm zwanzig bis dreißig Dollar für sich selbst und ebenso viel für Indianer-Joe und reichte diesem, der inzwischen den Boden mit seinem langen Jagdmesser gelockert hatte, den Sack.

Die ganze Angst und das ganze Elend der Jungens waren auf einmal wie weggeblasen. Mit glühenden Augen folgten sie jeder Bewegung. So ein Glück! Diese Pracht übertraf ihre kühnsten Erwartungen! Sechshundert Dollar waren genug und übergenug, ein halbes Dutzend Jungens reich zu machen! Das nannte sich Schatzgraben unter den verheißungsvollsten Umständen, da gab's keine ermüdende Ungewissheit, wo man graben solle. Sie stießen sich jeden Augenblick verständnisinnig an, und jeder Rippenstoß besagte: Na, bist du jetzt nicht doch froh, dass wir hier sind?

Joes Messer stieß auf etwas Hartes. »Hallo!«, rief er.

»Was ist los?«, fragte sein Kamerad.

»'ne verfaulte Diele – nee, sieh nur, ich glaub, 's ist 'ne Kiste. Los, pack an, wolln gleich mal nachsehen! Aber lass nur, ich hab 'n Loch reingehauen.«

Er streckte die Hand in das Loch und zog sie wieder heraus. »Menschenskind, 's ist Geld!«

Die beiden Männer untersuchten die Hand voll Münzen. Es war Gold! Die Jungens oben waren nicht weniger entzückt und aufgeregt als die beiden unten.

Joes Kamerad sagte: »Wollen kurzen Prozess machen! Dort in der Ecke steht 'ne alte rostige Hacke, ich hab's vorhin gesehen.«

Indianer-Joe nahm die Hacke, betrachtete sie misstrauisch, schüttelte den Kopf, brummte was vor sich hin und machte sich dann an die Arbeit.

Die Kiste war rasch ausgegraben. Sie war nicht sehr

groß, mit eisernen Bändern beschlagen und schien sehr stabil gewesen zu sein, bevor sie mit der Zeit langsam verfault war. Die Männer starrten eine Zeit lang schweigend mit gierigen Blicken auf den Schatz.

»Mensch, das sind gut und gern tausend Dollar!«, sagte Indianer-Joe.

»Man hat ja immer gemunkelt, dass die Murrelsbande sich mal 'n Sommer lang hier rumgetrieben hat«, bemerkte der Fremde. »Ich weiß, und das hier sieht ganz danach aus.«

»Jetzt können wir doch das andere Stückchen aufgeben, was?«

Der Mischling runzelte die Stirn. »Du verstehst mich nicht! Wenigstens die Geschichte nicht, um die sich's hier handelt. 's geht mir diesmal nicht ums Stehlen – 's ist Rache.« Ein böses Licht flammte in seinen Augen auf. »Und ich brauch deine Hilfe dabei, und wenn's erledigt ist, dann auf nach Texas. Geh jetzt heim zu deiner Nancy und deinen Bälgern; wenn ich dich brauche, hörst du von mir!«

»Gut, wenn du's sagst! Aber was wolln wir mit dem hier machen? Es wieder vergraben?«

»Ja!« (Überwältigendes Entzücken im oberen Stockwerk.) »Nein, beim Satan, nein!« (Tiefste Niedergeschlagenheit eine Treppe höher.) »Beinah hätt ich's vergessen. An der Hacke da war ja frische Erde!« (Die Jungens wurden fast ohnmächtig vor Schrecken.) »Was hat 'ne Hacke und 'ne Schaufel hier zu suchen? Und dann noch mit frischer Erde dran? Wer hat sie hergebracht und wo sind die Kerle hin? Hast du was gehört oder jemand gesehen? Wie? Es wieder hier vergraben, damit die Kerle nachher kommen und sehn, dass der Boden frisch aufgewühlt ist? Nee, das sollte mir grad fehlen! Wir schleppen's in meine Höhle.«

»Natürlich! Daran hätt ich auch vorher denken können! Meinst du Versteck Nummer eins?«

»Nein, Nummer zwei, unterm Kreuz! Der andre Platz ist nix wert – ist zu gewöhnlich.«

»Gut! 's ist bald dunkel genug zum Aufbrechen!«

Indianer-Joe ging von Fenster zu Fenster und spähte vorsichtig hinaus. Plötzlich sagte er: »Wer kann nur die Geräte hierher gebracht haben? Glaubst du, dass jemand oben ist?«

Den Jungen stockte der Atem. Indianer-Joe nahm sein Messer in die Hand, zögerte einen Augenblick unentschlossen und wandte sich dann der Treppe zu. Die Jungen dachten an den Wandschrank, aber ihre Kräfte hatten sie vollständig verlassen. Die Schritte kamen krachend die Treppe herauf; die fast unerträgliche Not ihrer Lage weckte die erlahmte Entschlusskraft der Burschen. Gerade waren sie auf dem Sprung sich in den Wandschrank zu flüchten, da gab's einen Krach von splitterndem Holz, und Indianer-Joe landete auf der Erde, inmitten der Trümmer der zusammengefallenen Treppe. Fluchend raffte er sich auf, und sein Kamerad sagte: »Wozu das Ganze? Wenn welche da oben sind, lass sie bleiben – was kümmert's uns? Wenn sie nachher runterspringen und sich was brechen wollen, was macht das schon? In 'ner Viertelstunde ist's stockdunkel, dann soll uns verfolgen, wer will. Ich meine, die Kerle, die das Zeugs hier reingeschleppt haben, müssen uns gesehen und für Geister oder Teufel oder so was gehalten haben und sind dann weggerannt. Ich möcht wetten, die laufen noch!«

Joe brummte noch 'ne Weile, dann gab er seinem Gefährten Recht, das letzte Tageslicht noch zu den nötigen Vorbereitungen auszunützen. Bald darauf schlüpften sie aus dem Haus in die Dämmerung hinein und schlugen mit ihrer kostbaren Last die Richtung zum Fluss ein. Tom und Huck erhoben sich, immer noch schwach, aber doch sehr erleichtert, und starrten ihnen durch die Ritzen im Gebälk nach. Folgen? Kein Gedanke! Sie waren froh, dass sie wieder festen Boden unter sich hatten, ohne sich den Hals gebrochen zu haben, und machten sich dann über den Hügel auf den Heimweg. Sie sprachen nicht viel; sie waren zu be-

schäftigt mit ihrer Wut über sich selbst, über ihre bodenlose Dummheit, die Hacke und die Schaufel mit dorthin zu
nehmen und sie liegen zu lassen. Wenn das nicht gewesen
wäre, hätte Indianer-Joe niemals einen Verdacht geschöpft.
Er hätte das Geld mit dem Gold vergraben, bis seine
Rachepläne ausgeführt waren, und dann hätte er die über-
raschende Entdeckung machen müssen, dass sein Geld verschwunden war. So 'n verdammtes Pech, die Werkzeuge
stehn zu lassen! Sie nahmen sich aber vor, ein Auge auf den
Spanier zu werfen, wenn er sich, um 'ne günstige Gelegenheit für seinen Racheakt auszuspionieren, in der Stadt sehen ließe, und ihm nach Versteck Nummer zwei zu folgen,
wo's auch sein mochte. Auf einmal dämmerte Tom ein
fürchterlicher Gedanke: »Rache? Wenn er uns damit
meint, Huck!«

»Ach, sei still!«, stotterte Huck, einer Ohnmacht nahe.

Diese grausame Möglichkeit beschäftigte sie den ganzen
Weg, und als sie die Stadt erreicht hatten, waren sie zu der
Ansicht gekommen, dass er vielleicht doch jemand anderen
im Auge habe – im schlimmsten Fall könne er nur Tom
allein meinen, weil ja nur der gegen ihn ausgesagt habe. Es
war ein sehr schwacher Trost für Tom, sich so allein in Gefahr zu wissen! Einen Leidensgefährten zu haben wäre entschieden besser gewesen, dachte er.

28. KAPITEL

Die Abenteuer des Tages quälten Tom nachts im Traum. Viermal hatte er seine Hand auf den Schatz gelegt und viermal war er ihm unter den Fingern zerronnen, sobald er vom Schlaf im Stich gelassen wurde und das Erwachen ihm die harte Wirklichkeit seines Missgeschicks wieder vor Augen führte. Als er dann am frühen Morgen wach dalag und sich die Ereignisse des großen Abenteuers ins Gedächtnis rief, schien es ihm schon ganz verwischt und so fern zu sein, als ob es sich in einer anderen Welt oder vor langer, langer Zeit zugetragen habe; ja, schließlich kam er sogar auf den Gedanken, alles sei nur ein Traum gewesen! Besonders ein Umstand sprach entschieden dafür, nämlich, dass es so ungeheuer viel Geld auf einem Haufen ja in Wirklichkeit gar nicht geben konnte! Er hatte nie mehr als fünfzig Dollar beisammen gesehen, und wie alle Jungens seines Alters dachte er, dass alle »Hunderte« oder gar »Tausende« nichts als phantastische Redensarten seien, und nicht einen Augenblick hätte er gedacht, dass eine solche Summe wie hundert Dollar sich tatsächlich in jemandes Besitz befinden könnte. Wenn er bisher von »vergrabenen Schätzen« gesprochen hatte, hatte er sich höchstens eine Hand voll Schillinge darunter vorgestellt. Die Einzelheiten des Ereignisses aber traten, je mehr er darüber nachdachte, wieder schärfer und klarer hervor, und er ertappte sich bei dem Gedanken, dass möglicherweise doch nicht alles ein Traum gewesen sei. Dieser Unsicherheit musste ein Ende gemacht werden. Schnell schlang er sein Frühstück hinunter und suchte Huck auf.

Er fand ihn auf dem Rande eines flachen Ruderbootes

sitzend, wie er die Beine ins Wasser baumeln ließ und melancholisch vor sich hin starrte. Tom beschloss, Huck zuerst von der Geschichte anfangen zu lassen. Tat er's nicht, so war dies ein Beweis dafür, dass er nur geträumt hatte.

»Hallo, Huck!«

»Hallo, ebenfalls!«

Minutenlanges Schweigen. »Tom, wenn wir die verdammten Geräte bei dem toten Baum gelassen hätten, würden wir jetzt das Geld haben. Ist's nicht zum Verrücktwerden?«

»'s war also kein Traum! Wirklich kein Traum!«

»Was soll 'n Traum gewesen sein?«

»Och, die Geschichte von gestern. Ich hab so halb und halb gedacht, es wär einer!«

»'n Traum? Wenn die Treppe nicht zusammengebrochen wär, hättest du schon gemerkt, was für 'n Traum das war! Ich hab heut Nacht Träume genug gehabt. Die ganze Nacht ist mir der triefäugige spanische Teufel nachgegangen. Hol ihn der Henker!«

»Aber nicht gleich, zuerst wollen wir ihn und das Geld finden!«

»Tom, wir werden ihn nie mehr finden. Die Gelegenheit, so 'ne Masse Geld zu kriegen, bietet sich 'nem Menschen nur einmal im Leben und die haben wir verscherzt. Ich würd zu Tode erschrecken, wenn er mir noch mal begegnete!«

»Ja, ich auch, aber ich möcht ihn trotzdem gern sehen und ihm nachschleichen bis zu seiner Nummer zwei.«

»Nummer zwei, ja, das ist's! Ich denk immerzu drüber nach, aber ich kann's nicht rauskriegen. Was glaubst du, was das bedeutet?«

»Weiß ich nicht, ist mir zu hoch. – Sag, Huck, könnt's vielleicht 'ne Hausnummer sein?«

»Du meine Güte! – Ach nein, Tom, ich glaub's nicht. Und wenn's eine wäre, dann gewiss nicht hier, wo's doch überhaupt keine Hausnummern gibt!«

»Stimmt! Lass mich aber mal 'ne Minute nachdenken. Halt! 's muss die Nummer von 'nem Zimmer sein – von 'nem Wirtshaus, weißt du.«

»Zum Teufel, das ist 'ne Idee! Und weil hier nur zwei Wirtshäuser sind, werden wir's bald raushaben.«

»Huck, wart hier, bis ich wiederkomm!«

Tom war wie der Blitz auf und davon. Er wollte sich in Hucks Gesellschaft nicht in der Öffentlichkeit sehen lassen. Eine halbe Stunde war er fort. Als er wieder zu Huck zurückkam, hatte er erfahren, dass in dem besseren Gasthaus das Zimmer Nummer zwei schon lange von einem jungen Advokaten bewohnt sei. Nummer zwei des andern Wirtshauses dagegen sei selbst für den Sohn des Wirtes ein Geheimnis. Der sagte, es werde immer verschlossen gehalten, nur nachts höre er manchmal Geräusche und sehe Licht drin. Näheres wusste er nicht, und er hätte schon immer gedacht, es müsse drin spuken. »Das hab ich rausgefunden, Huck«, schloss Tom erregt. »Ich glaub sicher, das ist die Nummer zwei, die wir suchen!«

»Kann schon sein, Tom! Was wollen wir aber jetzt tun?«

»Lass mich mal nachdenken!«

Tom dachte 'ne Weile nach, dann sagte er: »Pass mal auf: Siehst du, die Hintertür von Nummer zwei geht auf den schmalen Weg zwischen der Schenke und der alten Rattenfalle von Ziegelei. Du klaust jetzt alle Schlüssel, die du erwischen kannst, und ich nehm meiner Tante ihre, und in

der ersten dunklen Nacht schleichen wir hin und probieren, ob einer passt. Und dass du mir auf den Spanier Acht
gibst! Du weißt, er will noch mal in die Stadt kommen.
Wenn du ihn siehst, gehst du ihm nach und guckst, ob er
nach Nummer zwei geht, wenn nicht, ist's natürlich der
falsche Ort.«

»Teufel, ich trau mich aber nicht ihm nachzugehen!«

»Unsinn! Er kommt bestimmt nachts. Er sieht dich nicht
– und wenn doch, denkt er sich nichts dabei.«

»Also ja – wenn's richtig dunkel ist, will ich's machen –
das heißt, ich – ich weiß noch nicht genau! Aber – na ja, ich
will's versuchen!«

»Du kannst dich darauf verlassen, Huck, wenn's ganz
dunkel ist, würd ich's sofort tun. Denk doch, wenn's nun
nix wird mit seiner Rache, und er geht dann gleich hin und
holt das Geld!«

»Du hast Recht, Tom! Ich geh ihm nach, beim Henker,
ich tu's!«

»Na, das ist 'n Wort! Und werd bloß nicht schwach,
dann werd ich's auch nicht.«

29. KAPITEL

Am Abend waren Tom und Huck zu ihrem Abenteuer
bereit. Sie trieben sich bis gegen neun Uhr in der
Nachbarschaft der Schenke herum, einer, um den schmalen Weg, der andere, um das vordere Tor zu bewachen.

Aber niemand betrat oder verließ den schmalen Gang, und niemand, der dem Spanier geglichen hätte, betrat oder verließ das Tor der Herberge. Die Nacht versprach hell zu werden; und so ging Tom nach Hause, nachdem sie verabredet hatten, dass Huck, falls es doch noch dunkel werden sollte, kommen und miauen würde, worauf Tom sich dann wegschleichen und die Schlüssel ausprobieren wollte. Aber die Nacht blieb klar und Huck gab gegen zwölf Uhr seine Wache auf und kroch dann in eine leere Zuckertonne, um sich auszuruhen.

Dienstagnacht hatten die Jungens das gleiche Pech, ebenso Mittwoch. Der Donnerstag aber versprach besser zu werden. Tom entwischte rechtzeitig von daheim, bewaffnet mit der alten Blechlaterne seiner Tante und einem großen Handtuch zum Abblenden. Er versteckte die Sachen in Hucks Zuckerfass und die Wache begann. Eine Stunde vor Mitternacht wurde die Schenke geschlossen und ihre Lichter – die einzigen ringsumher – ausgelöscht. Kein Spanier hatte sich blicken lassen und niemand hatte den schmalen Gang betreten. Alles sah günstig aus. Die Nacht war kohlrabenschwarz und die tiefe Stille wurde nur hin und wieder durch ein fernes Donnerrollen unterbrochen. Tom holte seine Laterne, zündete sie im Zuckerfass an, wickelte sie fest in das Tuch, und die beiden Abenteurer schlichen sich in der Dunkelheit zur Herberge. Huck stand Wache und Tom tastete sich vorsichtig den Gang entlang. Dann kam eine lange, fast unerträglich lange Wartezeit, die sich wie ein Berg auf Hucks Gemüt legte. Er sehnte sich danach, einen kleinen Schimmer der Laterne zu entdecken – es hätte ihn zwar erschreckt, aber es würde ihm doch zeigen, dass Tom noch lebte.

Stunden schienen verflossen, seit Tom verschwunden war. Gewiss lag er irgendwo ohne Bewusstsein oder am Ende war er gar tot, vielleicht war sein Herz gebrochen vor Schrecken und Aufregung. In seiner Angst drängte sich Huck dem Gang näher und näher, wobei er sich die grässlichsten Dinge vorstellte und jeden Augenblick eine Katastrophe erwartete, die ihm den Atem vollends rauben würde. Viel war da allerdings nicht mehr zu rauben, denn er war nur noch fähig, die Luft fingerhutweise einzuatmen, und sein Herz schlug in solchem Tempo, dass es jeden Augenblick aussetzen musste. Plötzlich zuckte ein Lichtstrahl auf, und Tom schoss keuchend an ihm vorüber.

»Lauf«, schrie er, »lauf, so schnell du kannst!«

Er brauchte den Ruf nicht zu wiederholen; einmal genügte; Huck lief bereits dreißig oder vierzig Meilen die Stunde, ehe die zweite Warnung ausgesprochen war. Die Jungens stürzten davon und hielten nicht an, bis sie den Schuppen eines alten verlassenen Schlachthauses am unteren Ende des Ortes erreicht hatten. Gerade, als sie dort hineingeschlüpft waren, brach das Gewitter los und es regnete in Strömen. Sobald Tom Atem schöpfen konnte, stöhnte er:

»Ach, Huck, es war grässlich! – Ich hab zwei von den Schlüsseln probiert, so leise ich konnte, aber sie haben doch so 'nen Heidenlärm gemacht, dass ich kaum atmen konnte, solche Angst hatte ich. Sie haben sich auch nicht im Schloss rumdrehen lassen. Und dann, ohne zu wissen, was ich tu, fass ich nach der Klinke, und – die Tür geht auf! Sie war gar nicht abgeschlossen! Ich rein, heb das Tuch von der Laterne und – großer Gott!«

»Was? Was hast du denn gesehen, Tom?«

»Huck, ich bin beinah auf Indianer-Joes Hand getreten!«

»Nee!«

»Doch! Da lag er auf'm Boden und schlief ganz fest mit ausgestreckten Armen.«

»Mein Gott – was hast du denn da gemacht? Ist er aufgewacht?«

»Nee, nicht mal gerührt hat er sich, wahrscheinlich ist er betrunken. Ich hab nur noch schnell das Handtuch genommen und nix wie weg!«

»Ich hätt ganz gewiss nicht mehr an das Handtuch gedacht!«

»Na, aber ich! Tante Polly hätt mir die Hölle heiß gemacht, wenn ich's verloren hätt!«

»Du, Tom, hast du die Kiste gesehen?«

»Ich hab mir wahrhaftig keine Zeit genommen rumzugucken. Ich hab weder 'ne Kiste noch 'n Kreuz gesehen. Nix hab ich gesehen als 'ne Flasche und 'n Zinnbecher auf dem Boden neben Indianer-Joe. Ja, und dann noch zwei Fässchen und 'ne Masse Flaschen. Weißt du jetzt, was in dem Zimmer spukt?«

»Was denn?«

»Was? Na, Whisky spukt drin! Ob wohl alle Abstinenzler-Wirtshäuser so 'n Spukzimmer haben? Was meinst du, Huck?«

»Ja, das kann schon sein. Wer hätt aber so was gedacht! Aber hör mal, Tom, wenn Indianer-Joe doch so besoffen ist, wär das nicht 'ne gute Gelegenheit jetzt die Kiste zu holen?«

»Na, versuch's doch.«

Huck schauderte: »Nee, nee, lieber nicht.«

»Sag ich auch, Huck. Bei dem Kerl lag nur eine leere Flasche, das reicht nicht. Ja, wenn's drei gewesen wären, dann hätt man's wagen können.«

Langes, nachdenkliches Schweigen folgte, dann sagte Tom: »Hör mal, Huck, ich mein, wir sollen die Sache nicht mehr probieren, bis wir bestimmt wissen, dass Joe nicht drin ist. Es ist zu grässlich! Wir stehn aber jede Nacht Wache, und einmal muss er doch raus aus seinem Loch. Und dann schnappen wir uns die Kiste schneller als 'n Blitz.«

»Gut! Ich will gern die ganze Nacht wachen, jede Nacht meinetwegen, wenn du nur den anderen Teil der Arbeit machst!«

»Ist mir recht! Du brauchst nur vor unserm Haus zu miauen, und wenn ich eingeschlafen bin, werf 'ne Hand voll Kies gegen 's Fenster, dann komm ich schon!«

»Einverstanden!«

»So, Huck, jetzt hat der Regen aufgehört, jetzt will ich nach Hause. In zwei Stunden wird's hell. Du gehst zurück und wachst noch so lange, in Ordnung?«

»Ich hab gesagt, Tom, ich will's tun, und da tu ich's auch, und wenn's 'n Jahr dauert – ich bin jede Nacht da. Ich werde eben bei Tag schlafen.«

»Prima! Aber wo schläfst du denn?«

»Auf Ben Rogers' Heuboden. Der hat nix dagegen und Onkel Jack – weißt du, der alte Neger, der im Hause ist – auch nicht. Ich hol ihm immer das Wasser, wenn er mich drum bittet; und er hat mir schon manchmal was zu essen gegeben, wenn er sich's absparen konnt. 's ist ein verdammt guter Neger, der Onkel Jack! Er hat mich gern, weil ich nicht so tu, als wär ich was Besseres als er. Ich hab mich manchmal auch schon zu ihm gesetzt und mit ihm gegessen. Das brauchst du aber niemand zu sagen, Tom. Wenn man so 'n Hunger hat wie ich manchmal, dann tut man manches, was man sonst nicht tun würd.«

»Also, Huck, wenn ich dich bei Tag nicht brauche, lass ich dich schlafen. Ich werd nicht kommen und dich stören. Und wenn du in der Nacht was Besonderes merkst, schleichst du zu mir rüber und miaust!«

30. Kapitel

Das Erste, was Tom am Freitagmorgen erfuhr, war eine freudige Nachricht – Richter Thatchers Familie war in der Nacht in die Stadt zurückgekommen. Beides, Indianer-Joe und der Schatz, sanken für den Augenblick zu zweitrangiger Bedeutung herab, und Becky nahm Toms ganzes Interesse in Anspruch. Er sah sie, und sie verlebten wundervolle Stunden mit Ball- und Versteckspielen in Gesellschaft anderer Schulkameraden. Der Tag wurde auf besonders zufrieden stellende Weise gekrönt: Becky entlockte ihrer Mutter noch die Erlaubnis, den folgenden Tag für das lang geplante und immer wieder verschobene Picknick festzulegen. Das Glück des Mädchens war grenzenlos und Toms nicht weniger. Noch vor Sonnenuntergang wurden die Einladungen versandt, die bei dem ganzen jungen Volk ein wahres Fieber freudiger Erwartung und eifriger Vorbereitung hervorriefen. Die Aufregung erleichterte es Tom, noch lange wach zu liegen und auf Hucks Miauen zu warten. Er hoffte sehr auf das Zeichen, denn wie herrlich wäre es doch gewesen, die ganze Gesellschaft bei dem Picknick durch den Besitz des Schatzes in Erstaunen zu versetzen. Aber kein Signal ertönte in der langen Nacht.

Endlich wurde es Morgen und zwischen zehn und elf Uhr sammelte sich eine lärmende, freudig erregte Schar vor dem Haus des Richters. Alles war zum Aufbruch bereit. Es war dort nicht Sitte, dass ältere Leute solch ein Picknick durch ihre Anwesenheit störten, vielmehr glaubte man die Kinder unter den Fittichen einiger junger Damen von achtzehn und ein paar junger Herren von zwanzig bis dreiundzwanzig Jahren genügend behütet. Man hatte diesmal die alte Dampffähre gemietet, und bald schon setzten sich die lustigen Gäste, mit ihren Vorratskörben bewaffnet, die Hauptstraße hinunter in Bewegung. Sid war krank, er musste auf das Vergnügen verzichten, und Mary leistete ihm zu Hause Gesellschaft. Das Letzte, was Frau Thatcher noch zu Becky sagte, war: »Ihr werdet wohl spät heimkommen; am Ende ist es besser, wenn du bei einer deiner Freundinnen übernachtest, die in der Nähe der Fähre wohnen.«

»Dann bleib ich bei Susy Harper, Mutti!«

»Meinetwegen. Aber benimm dich ordentlich und falle niemandem zur Last!«

Als sie dann miteinander die Straße hinuntertrabten, sagte Tom zu Becky:

»Pass mal auf, was wir machen: Statt zu Joe Harper zu gehen, steigen wir den Hügel rauf zur Witwe Douglas, die hat sicher Eiscreme – sie hat fast immer was, haufenweise. Und sie wird sich riesig freuen, wenn wir sie besuchen!«

»Oh ja, das wird 'n Spaß!«

Dann aber dachte Becky einen Augenblick nach und meinte:

»Was wird aber meine Mama dazu sagen?«

»Wie soll sie's denn erfahren?«

Das Mädchen überlegte hin und her und sagte dann zögernd:

»Ich weiß, es ist unrecht, aber ...«

»Ach, Unsinn! Deine Mutter erfährt's doch nicht; und was ist denn schon dabei? Sie will doch nur, dass du gut aufgehoben bist; ich wett, sie hätt selbst gesagt, du sollst dorthin gehn, wenn sie dran gedacht hätt.«

Die großzügige Gastfreundschaft der Witwe Douglas war eine zu große Versuchung. Sie und Toms Überredungskünste trugen den Sieg davon; es wurde beschlossen, niemandem etwas von dem nächtlichen Programm zu sagen.

Auf einmal kam es Tom in den Sinn, dass Huck am Ende gerade in dieser Nacht das Zeichen geben könne; dieser Gedanke beeinträchtigte seine freudigen Erwartungen ganz erheblich, aber er konnte sich doch nicht entschließen, den Plan mit der Witwe Douglas aufzugeben. Und warum auch? Er sagte sich, in der vorigen Nacht sei ja auch alles ruhig geblieben, warum sollte das Signal gerade in dieser Nacht ertönen? Das sichere Vergnügen überwog bei weitem die unsichere Aussicht auf den Schatz, und er nahm sich vor – wie Jungens nun einmal sind –, der stärkeren Neigung nachzugeben und sich jeden Gedanken an die Geldkiste vorerst aus dem Kopf zu schlagen.

Die Fähre landete drei Meilen unterhalb der Stadt an einer von Wald umschlosssenen Bucht. Die fröhliche Schar schwärmte ans Ufer; und bald tönte es zwischen Wald und felsigen Höhen nah und fern von heiterem Stimmengewirr und Gelächter. Sämtliche Möglichkeiten, sich heiß und müde zu machen, wurden durchprobiert, bis sich nach und nach die ganze wilde Bande mit einem beachtlichen Appetit im Lager einfand und sich über die köstlichen Vorräte hermachte. Nach dem Schmaus ruhte man sich plaudernd im Schatten der weit ausladenden Eichen aus. Nach einer Weile rief jemand:

»Wer geht mit in die Höhle?«

Alle waren dazu bereit. Ganze Bündel von Kerzen wurden ausgekramt; und gleich liefen alle den Hügel hinauf. Hoch oben lag der Eingang zur Höhle, eine schwarze gähnende Öffnung in der Form eines A. Die schwere Eichentür stand offen. Im Innern war zunächst ein kleiner Raum, in dem es so kalt war wie in einem Eiskeller. Die von der Natur gebildeten festen Kalkmauern waren mit kaltem Tau bedeckt, und es lag ein geheimnisvoller Zauber darin, von dieser düsteren Atmosphäre hinauszusehen auf das sonnige grüne Tal. Dieser Zauber war aber schnell verflogen und die laute Fröhlichkeit und das Herumtoben begannen von neuem. Sobald jemand eine Kerze anzündete, versuchten die andern sie auszublasen; es folgte ein Kampf gegen den tapferen Verteidiger; die Kerze wurde ihm schließlich entrissen, zu Boden geworfen und ausgelöscht, worauf in der Dunkelheit von neuem die fröhliche, wilde Jagd begann. Aber alles nimmt einmal ein Ende; nach und nach ordnete man sich zu einer Kerzen tragenden Prozession und bewegte sich vorsichtig den schroffen Abstieg zur Haupthöhle hinunter, wobei der flackernde Schein der Lichter die mächtigen Felswände zu beiden Seiten undeutlich erkennen ließ, fast bis zu dem Punkt, wo sie in einer Höhe von etwa sechzig Fuß oben zusammenstießen.

Der Weg war hier nicht mehr als acht bis zehn Fuß breit. Alle paar Schritte zweigten sich andre, noch engere, aber ebenso hohe Gänge nach beiden Seiten ab, denn die Douglas-Höhle war ein einziges ungeheures Labyrinth gewundener Gänge, die ineinander und wieder auseinander liefen und deren Ende noch niemand entdeckt hatte. Man sagte, dass man immer tiefer und tiefer bis ins Erdinnere hinuntersteigen könne und selbst dort sei es genau das Gleiche: ein Labyrinth nach dem anderen und jedes ohne Ende. Niemand kannte die Höhle ganz – das war ein Ding der Unmöglichkeit. Die meisten der jungen Besucher kannten nur einen kleinen Teil davon, denn gewöhnlich wagte sich keiner über diesen allgemein begangenen Teil hinaus. Auch Tom Sawyer kannte sie nicht besser als die andern. Zuerst bewegte sich der ganze Zug drei viertel Meilen lang in geschlossener Reihe, allmählich aber trennten sich Gruppen und Paare davon ab, die in den Seitengängen verschwanden, sich an den Kreuzungen der Wege wieder mit anderen trafen und sich gegenseitig erschreckten, wenn sie plötzlich voreinander standen. Halbe Stunden lang konnte man so Versteck spielen, ohne sich auch nur einen Fußbreit von dem bekannten Gebiet der Höhle zu entfernen.

Nach und nach fand sich aber die Gesellschaft wieder vor dem Ausgang der Höhle zusammen. Sie war außer Atem, aber sehr vergnügt und von oben bis unten mit Talg beträufelt und mit Lehm beschmiert, was aber das Entzücken über diesen erfolgreichen Tag keineswegs beeinträchtigte. Man war ganz erstaunt, dass es inzwischen beinah Nacht geworden war. Schon seit einer halben Stunde mahnte die Glocke des Fährboots zur Heimkehr, und als die Fähre mit ihrer wilden Fracht in den Strom hinauslief, bedauerte nur einer an Bord die verschwendete Zeit, und das war der Kapitän.

Huck hatte bereits seinen Posten bezogen, als die Lichter der Fähre vorüberglitten. Nichts regte sich an Bord, denn die jungen Gäste waren so still und zahm geworden, wie man's eben wird, wenn man sich in Lust und Übermut todmüde getobt hat. Huck überlegte sich eine Weile, was für ein Boot das wohl sein könne und warum es nicht an der gewöhnlichen Anlegestelle lande, doch dann vergaß er es und richtete seine Aufmerksamkeit wieder auf seine eigenen Angelegenheiten. Die Nacht war wolkig und dunkel. Zehn Uhr schlug's. Das Wagengerassel verstummte, hier und da gingen die vereinzelten Lichter aus, die zurückgebliebenen Fußgänger verschwanden nach und nach. Das Städtchen versank in Schlummer und ließ den kleinen Wächter allein mit der Stille ringsum und den Geistern.

Elf Uhr nachts; auch die Lichter in der Schenke waren erloschen; tiefes Dunkel breitete sich über alles. Huck wartete, wie ihm selber schien, eine Ewigkeit, ohne dass sich irgendetwas ereignete. Sein Vertrauen geriet ins Wanken. Hatte die ganze Sache denn überhaupt einen Zweck? Warum sie nicht lieber aufgeben und sich schlafen legen?

Da drang mit einem Mal ein Geräusch an sein Ohr. Im Nu hatte es seine ganze Aufmerksamkeit. Die Tür zum Gang hin schloss sich leise. Er sprang zur Ecke der Mauer, und fast gleichzeitig huschten zwei Männer an ihm vorbei, von denen einer etwas unter dem Arm zu tragen schien. Das musste die Geldkiste sein! Der Schatz wurde also fortgeschleppt! Sollte er Tom rufen? Das wäre ja blödsinnig, denn inzwischen würden die Kerle mit der Kiste Gott weiß wohin verschwinden. Nein, er wollte sich an ihre Fersen heften und ihnen folgen; er wollte auf die Dunkelheit vertrauen. Während er dies mit sich selbst ausmachte, schlüpfte er aus seinem Versteck und schlich katzenartig auf bloßen Füßen hinter den beiden her, gerade so weit entfernt, dass er sie nicht aus dem Auge verlor.

Sie gingen drei Häuserblocks weit am Fluss entlang und bogen dann links in eine Seitenstraße ein. Immer steil hinauf, kamen sie schließlich zu dem Weg, der zum Cardiffhügel führte, dann ging's am Haus des alten Wallisers vorbei, höher und immer höher.

Gut, dachte Huck, sie wollen's im alten Steinbruch vergraben! Aber nein, sie ließen den Steinbruch hinter sich und kletterten weiter bis auf den Gipfel. Jetzt tauchten sie auf einem schmalen Pfad in das dichte Sumachgehölz ein und waren auf einmal in der Dunkelheit verschwunden. Huck näherte sich ihnen und verkürzte den Abstand, denn hier konnten sie ihn unmöglich sehen. Eine Weile rannte er, verlangsamte dann aber wieder seine Schritte, aus Furcht, zu rasch vorwärts zu kommen. Er ging noch ein Stück, dann hielt er an und horchte – kein Ton, keiner, außer seinem eigenen Herzschlag! Das Gekrächze einer Eule klang aus dem Tal herauf – unheilvoller Laut! Aber keine Schritte. Himmel, hatte er sie verloren? Eben wollte er Hals über Kopf vorwärts stürmen, als sich jemand, keine vier Fuß von ihm entfernt, räusperte. Sein Herz wollte ihm in die Kehle fahren, aber er schluckte es wieder hinunter. Dann stand er da, zitternd wie Espenlaub, als ob ihn tausend kalte Schauer auf einmal gepackt hätten und ihn schüttelten, dass ihm Sehen und Hören verging, er meinte, vor Schreck und Schwäche umfallen zu müssen. Er wusste nun, wo er war. Kaum fünf Schritte entfernt musste der

Zaun sein, der das Anwesen der Witwe Douglas umgab. Umso besser, überlegte er. Wenn sie's hier vergraben, wird's eine Leichtigkeit sein, es wieder auszubuddeln!

Jetzt hörte er eine leise Stimme – eine sehr leise Stimme, die er trotzdem erkannte – es war die des Indianer-Joe:

»Hol sie der Henker! Hat sicher wieder Gesellschaft! 's ist noch Licht, obwohl 's doch schon spät ist!«

»Ich kann nichts sehen!«

Das war die Stimme des Fremden – des Fremden aus dem Spukhaus.

Eiseskälte durchfuhr Hucks Herz. – Dies hier war womöglich »die Rache«! Sein erster Gedanke war Flucht. Dann aber dachte er daran, wie gut und freundlich die Witwe Douglas immer zu ihm, dem armen Strolch, gewesen war und dass diese Elenden sie am Ende ermorden wollten. Ach, wenn er nur wagte, sie zu warnen, aber er wusste, dass er's nicht konnte, weil die Kerle ihm nachjagen und ihn fangen würden. All dies und mehr noch schoss ihm durch den Kopf in dem einen Augenblick, der zwischen der Bemerkung des Fremden und der darauf folgenden Antwort Indianer-Joes lag:

»Du siehst nix, weil der Busch im Weg ist. Komm hierher! So – jetzt siehst du's doch, oder?«

»Ja! Sie muss Gesellschaft haben, besser, wir geben's auf!«

»Aufgeben? Jetzt, wo ich dem verdammten Land für immer den Rücken kehren will? Aufgeben, wo sich mir vielleicht nie mehr 'ne Gelegenheit zur Rache bietet? Ich sag dir, was ich dir schon mal gesagt hab: Ich frag den Teufel nach ihrem Krempel; du kannst alles für dich nehmen. Aber ihr Mann hat mich gemein behandelt, nicht nur einmal, sondern wieder und wieder. Er war ja der Hund von Richter, der mich immer wieder wegen Landstreicherei ins Loch steckte. Und das ist noch lange nicht alles, noch nicht der millionste Teil davon! Durchpeitschen hat er mich lassen – durchpeitschen vor dem Gefängnis wie 'n Neger. Die ganze Stadt konnt's sehn! Durchpeitschen – weißt du, was das heißt? Er ist meiner Rache zuvorgekommen und gestorben; aber ihr will ich's zeigen!«

»Och, du – nee, du wirst sie doch nicht umbringen?«

»Umbringen? Wer redet denn davon? Ihn hätt ich kaltgemacht, wenn er da wär – nicht sie! An einem Frauenzimmer nimmt man ganz anders Rache, so was schlägt man nicht tot! Das bringt man um die hübsche Fratze, man schlitzt ihm die Nase auf – schneidet ihm die Ohren ab, wie 'ner Sau.«

»Teufel, das ...«

»Behalt deine verdammte Meinung für dich, das wird's Beste für dich sein! Ich bind sie an ihr Bett fest, wenn sie dann verblutet, was kann ich dafür? Ich wein ihr nicht nach! Hör mal, guter Freund, du wirst mir dabei helfen, dazu bist du da, allein schaff ich's nicht. Wenn du auskneifst, kriegst du eins, dass du krepierst, verstehst du mich? Und wenn ich dich zusammenschlagen muss, dann bring ich sie auch um, und ich schwör dir's, dann soll mir keiner dahinter kommen, wer die Sache besorgt hat.«

»Na also, wenn's nicht anders sein kann, dann je schneller, desto besser.«

»Jetzt, solange die Leute auf sind? Sollt dir wahrhaftig nicht trauen, scheint mir. Nichts da, abgewartet wird, bis die Lichter aus sind – ich hab keine Eile!«

Huck wusste, dass jetzt Schweigen eintreten würde –

schauerlicher und gefährlicher als die mörderischen Reden. Er hielt den Atem an und trat vorsichtig Schritt für Schritt zurück, wobei er zuvor sorgfältig mit einem Fuß tastete, ehe er den anderen fest aufsetzte, sodass er beinah das Gleichgewicht verloren hätte. Jetzt brach ein Ast unter seinem Fuß mit leise knirschendem Geräusch. Der Atem blieb ihm beinahe stehen. Er lauschte. Nichts war zu hören – tiefe Stille. Seine Dankbarkeit war grenzenlos. Jetzt drehte er sich lautlos um und ging mit der größten Behutsamkeit den Weg zwischen den hohen Sumachbüschen wieder zurück, bis er das Haus des alten Wallisers erreichte. Er trommelte an die Tür; und gleich darauf erschien der Alte mit seinen beiden stämmigen Söhnen am Fenster unweit der Tür:

»Was zum Teufel ist denn los? Wer poltert denn da so herum? He, was willst du?«

»Schnell, lasst mich rein, dann sag ich Euch alles!«

»Wer – ich?«

»Ich, Huckleberry Finn! Schnell, macht auf!«

»Huckleberry Finn – so! Das ist grad kein Name, dem sich gleich alle Türen öffnen. Aber lasst ihn rein, Jungens, wolln sehn, was er hat.«

»Verratet's um Himmels willen niemand, dass ich's Euch gesagt hab«, waren Hucks erste Worte, als er hereinkam. »Bitte, bitte, verratet mich nicht – sie würden mich umbringen! Aber die Witwe ist schon oft so gut zu mir gewesen, und ich will's sagen, wenn Ihr versprecht, mich nicht zu verraten!«

»Bei Gott, das muss was Wichtiges sein, sonst würd er sich nicht so anstellen!«, rief der alte Mann aus. »Raus damit, mein Junge! Keiner hier wird dich verraten!«

Drei Minuten später stieg der Alte mit seinen Söhnen gut bewaffnet den Hügel hinauf und schlich sich mit aller Vorsicht durch das Sumachgebüsch. Huck begleitete sie nicht weiter. Er verbarg sich hinter einem Felsblock und lauschte. Zuerst ein drückendes angstvolles Schweigen – plötzlich mehrere Schüsse und ein gellender Aufschrei! Huck war nicht erpicht auf weitere Einzelheiten. Er sprang auf und floh im Sturmschritt den Hügel hinunter, so schnell ihn seine Füße tragen konnten.

31. Kapitel

Als der nächste Tag – es war ein Sonntagmorgen – leise zu dämmern begann, kroch Huck wieder den Hügel hinauf und klopfte schüchtern an die Tür des Wallisers. Die Hausbewohner schliefen noch, aber ihr Schlummer war nach dem aufregenden nächtlichen Ereignis nur sehr leicht. Sofort ertönte ein Ruf vom Fenster:

»Wer ist da?« Hucks ängstliche Stimme antwortete in leisem Ton:

»Lasst mich rein! Ich bin's nur, Huck Finn!«

»Das ist 'n Name, dem sich diese Tür bei Tag und Nacht öffnet. Willkommen, mein Junge.«

Das waren ungewohnte Worte für den kleinen Landstreicher und die angenehmsten, die er je gehört hatte. Er konnte sich nicht erinnern, dass der alte Mann ihn jemals mit »Willkommen!« gegrüßt hatte. Rasch wurde die Tür aufgeschlossen und Huck trat ein. Man bot ihm einen Stuhl an, während der Alte und seine Riesensöhne sich eilig ankleideten.

»So, mein Junge! Ich hoffe, du hast 'n tüchtigen Hunger mitgebracht. Das Frühstück soll mit Sonnenaufgang fertig sein, und zwar 'n gehöriges! Meine Söhne und ich hatten eigentlich gehofft, du würdest gestern noch mal vorbeikommen und bei uns übernachten!«

»Ich kriegte so 'ne Heidenangst, dass ich den Berg runtergerannt bin. Wie's zu krachen anfing, bin ich gelaufen und gelaufen, über drei Meilen weit ohne anzuhalten. Jetzt bin ich nur gekommen, weil ich gern wissen möcht von – Ihr wisst schon –, und hab mich vor Tagesanbruch auf die Beine gemacht, weil ich den Teufeln nicht über den Weg laufen möcht, nicht mal, wenn sie tot wären.«

»Armer Kerl, man sieht dir wirklich an, dass du 'ne böse Nacht hinter dir hast! Aber, wart nur, nach dem Frühstück sollst du 'n Bett haben! – Nee, tot sind die Lumpenkerle leider nicht, mein Junge – tut uns Leid genug! Durch deine Beschreibung wussten wir ja genau, wo wir sie erwischen konnten; wir schlichen uns also auf den Zehenspitzen ran bis vielleicht auf fünfzehn Schritt Entfernung, und so stockdunkel wie in 'nem Keller war's in den Büschen drin; da, auf einmal musst ich niesen. So 'n Pech! Will's natürlich zurückhalten, aber nee – ging absolut nicht, 's wollt kommen und 's kam – und wie! Ich war der Vorderste von uns und hielt die Pistole schussbereit. Wie nun die Nieserei losgeht, raschelt's im Gebüsch, ich schrei: ›Feuer! Jungens!‹, und wir schießen in die Richtung, woher das Geraschel kam. Jawoll, prost Mahlzeit! Die Kerle waren flinker als der Wind und wir wie die wilde Jagd hinter ihnen her –

immer tiefer in die Wälder rein. Gekriegt haben wir sie aber nicht. Bevor sie wegrannten, feuerten sie auf uns, aber ihre Kugeln sind an uns vorbeigepfiffen und haben uns nichts getan. Als wir ihre Schritte nicht mehr hören konnten, haben wir die Verfolgung aufgegeben, sind runter in den Ort gegangen und weckten die Polizisten. Die machten sich auch gleich auf, um das Ufer zu bewachen; und sobald's hell ist, wollen sie und der Sheriff die Wälder absuchen; meine Söhne sollen auch dabei sein. Ich wollt, einer könnt uns die Schurken beschreiben, das würd uns gute Dienste leisten, aber du konntest wohl nicht viel von ihnen in der Dunkelheit erkennen, was?«

»Nee, aber ich hab sie ja schon unten in der Stadt gesehen und bin ihnen nachgegangen!«

»Großartig! Beschreib sie uns mal, mein Junge!«

»Einer davon ist der taubstumme alte Spanier, der sich schon ein paar Tage hier herumtreibt, und der andere sieht gemein und verlumpt aus ...«

»Schon genug, mein Junge, kenn die Kerle! Bin ihnen schon mal im Wald, hinter dem Haus der Witwe, begegnet, und sie haben sich gleich verzogen, als sie mich sahn. Jetzt aber fort mit euch, Jungens! Morgen ist auch noch Zeit zum Frühstücken; und sagt alles, was ihr hier gehört habt, so schnell wie möglich dem Sheriff!«

Die Söhne des Alten machten sich sofort auf den Weg. Als sie die Stube verlassen wollten, sprang Huck auf und rief flehend:

»Oh, bitte, bitte, sagt aber niemand, dass ich's war, der sie beschrieben hat! Bitte, nicht!«

»Gut, wenn du's nicht willst. Aber du bringst dich damit um den Lohn für das, was du getan hast, Huck!«

»Ach nein, nein, bitte, sagt nichts!«

»Sie werden nichts sagen«, beruhigte ihn der Alte, »und ich auch nicht. Aber warum soll's denn keiner wissen?«

Huck ließ sich auf keine weitere Erklärung ein, sondern sagte nur, er wisse schon mehr als zu viel über den einen der beiden Kerle und wollte nicht um die Welt, dass der dahinter komme, denn sonst würde er ihn sicher umbringen.

Der Alte versprach ihm nochmals zu schweigen und sagte: »Wie kamst du denn darauf, die beiden zu verfolgen? Sind sie dir so verdächtig vorgekommen?«

Huck blieb still, um sich eine einigermaßen glaubhafte Erklärung zurechtzulegen; dann erwiderte er: »Ja, sehn Sie, ich bin doch so 'ne Art Strolch; wenigstens sagen es die Leute immer wieder; und ich kann nix Rechtes dagegen einwenden. Manchmal kann ich aber deshalb nicht schlafen und muss immer drüber nachdenken, ob und wie das anders mit mir werden könnt. So war's auch wieder gestern Nacht. Ich konnt nicht schlafen und so steh ich wieder auf und bummle mal, so gegen Mitternacht, die Straßen runter, um mir das alles zu überlegen. Wie ich dann an die alte Mauer bei der Abstinenzler-Schenke komm, lehn ich mich mit dem Rücken dran, um weiter nachzudenken. Ja, und da streichen auf einmal die beiden Kerle dicht an mir vorbei, der eine trägt was unterm Arm, und ich denk, das hat er bestimmt gestohlen. Einer rauchte und der andere wollte Feuer von ihm. Da halten sie dicht bei mir an, und bei dem Schein von den Zigarren seh ich, dass der eine der taubstumme Spanier ist und der andre 'n ruppiger, zerlumpter ...«

»Was, du hast auch die Lumpen bei dem Licht der Zigarren sehen können?«

Das machte Huck einen Augenblick stutzig; dann aber meinte er: »Ja, ich weiß auch nicht recht, aber 's ist mir so vorgekommen.«

»Dann gingen sie also weiter, und du ...«

»Ja, ich ging ihnen nach. Wollt mal sehen, warum sie sich so verdächtig rumschleichen. Ich hab ihre Fährte bis zum Garten von der Witwe verfolgt und habe da im Dunkeln gestanden und gehört, wie der Zerlumpte für die Witwe bat und wie der Spanier geschworen hat, ihr das Gesicht zu verhunzen, so wie ich's Ihnen und Ihren Söhnen schon gestern erzählt hab.«

»Was? Der Taubstumme hat das gesagt?«

Da – nun hatte Huck schon wieder einen schrecklichen Fehler begangen! Er hatte doch sein Möglichstes getan, um den Alten nicht auf die Spur zu führen, wer der Spanier eigentlich war, und trotz aller Vorsicht schien ihm seine Zunge immer wieder Unannehmlichkeiten bereiten zu wollen. Er machte krampfhafte Anstrengungen, sich aus der Schlinge zu ziehen, aber unter den fest auf ihn gerichteten Augen des Alten machte er einen Schnitzer nach dem andern. Plötzlich sagte der Walliser: »Vor mir brauchst du dich nicht zu fürchten, mein Junge. Mit meinem Willen soll dir keiner ein Haar auf deinem Kopf krümmen! Ich will dir schon helfen, kannst dich drauf verlassen. Der Spanier ist nicht taubstumm, so viel ist dir nun schon rausgerutscht und kannst es nicht mehr zurücknehmen. Du weißt aber noch mehr über ihn, was du gern verschweigen möchtest. Komm mal her, Junge, vertrau mir, sag, was es ist! Du kannst mir ruhig alles erzählen, ich verrat dich nicht.«

Huck sah einen Augenblick in die ehrlichen Augen des

Alten; dann beugte er sich vor und flüsterte ihm ins Ohr: »Er ist ja gar kein Spanier – 's ist Indianer-Joe!«

Der Walliser fiel fast von seinem Stuhl. Nach kurzer Pause sagte er: »Jetzt ist mir alles klar! Als du vom Ohrenabschneiden und Nasenaufschlitzen gesprochen hast, dacht ich, das wär deine eigene Erfindung, denn ein Weißer rächt sich nicht auf solche Art. Aber 'n Indianer! Das verändert die Sache allerdings!«

Während des Frühstücks erzählte der alte Mann, dass seine Söhne und er, noch bevor sie zu Bett gingen, mit einer Laterne den Zaun und seine Umgebung nach Blutspuren abgesucht hätten. Es waren aber keine da, wohl aber 'n großes Bündel mit ...

»Mit was?!!«

Ein Blitzstrahl hätte nicht rascher niedersausen können, als diese Worte Hucks blassen Lippen entfuhren. Seine Augen waren weit geöffnet; sein Atem kam stoßweise, während er mit Zittern auf eine Antwort wartete. Der Walliser stutzte, starrte Huck wieder an, drei Sekunden – fünf Sekunden – zehn – endlich sagte er: »Na, mit Diebeswerkzeugen. Aber sag mal, was ist denn mit dir los, Junge?«

Huck sank erleichtert aufatmend zurück. Der Alte beobachtete ihn mit neugieriger Spannung und sagte: »Ja, Diebeswerkzeuge! Das scheint dir ja 'ne gewaltige Erleichterung zu sein? Was hast du denn gedacht? Was hätten wir denn sonst finden sollen?«

Da saß Huck wieder in der Patsche. Die Augen seines Gegenübers waren forschend auf ihn gerichtet, und er hätte wer weiß was um eine einigermaßen glaubhafte Antwort gegeben. Aber ihm fiel nichts Passendes ein. Der forschende Blick bohrte sich tiefer und tiefer, es blieb keine

Zeit zum Überlegen, und so sagte er auf gut Glück kläglich: »Vielleicht – Sonntagsschulbücher!«

Der arme Huck war viel zu niedergeschlagen, um sich ein Lächeln abnötigen zu können, aber der alte Mann lachte so laut und schallend, dass sein ganzer Umfang wackelte. Als er wieder zu Atem kam, meinte er, so ein Lachen sei bares Geld wert, weil's den Doktor spare. Dann fuhr er fort: »Armer, kleiner Kerl, du siehst ganz bleich und angegriffen aus. 's ist kein Wunder, dass du 'n bisschen aus dem Gleichgewicht geraten bist. Ruhe und Schlaf werden dich schon wieder in die Reihe bringen, hoff ich.«

Huck hätte sich verprügeln mögen, dass er sich wie ein Esel benommen und so eine verdächtige Aufregung gezeigt hatte. Dabei waren ihm doch schon, als er die Schurken bei dem Zaun der Witwe sah, Zweifel gekommen, ob das Paket der Schatz sei. Jedoch war dies ja nur eine Vermutung von ihm; sicher gewusst hatte er es noch nicht, und so war die Erwähnung des Werkzeugbündels zu viel gewesen für seine Selbstbeherrschung. Im Grunde freute er sich aber, dass dieser kleine Zwischenfall passiert war, denn nun hatte er wenigstens die Gewissheit und es wurde ihm wieder ruhig und behaglich zumute. Alles schien jetzt wirklich im rechten Geleise zu verlaufen; der Schatz musste sich noch in Nummer zwei befinden, die beiden Kerle würden wohl noch heute erwischt werden; und er und Tom konnten sich dann mühe- und gefahrlos in den Besitz des Goldes bringen.

Wie sie gerade gefrühstückt hatten, klopfte es an die Haustür. Huck sprang auf ein Versteck zu, denn er hatte nicht die geringste Lust, mit den letzten Ereignissen in Verbindung gebracht zu werden. Der Walliser öffnete und ließ verschiedene Herren und Damen, darunter die Witwe Douglas, herein; dabei sah er, dass ganze Gruppen von Bürgern die Hügel heraufkamen, um den Schauplatz der nächtlichen Taten zu besichtigen. Die Nachricht hatte sich demnach schon verbreitet.

Der Alte musste den Besuchern die Geschichte der Nacht haarklein berichten und die Witwe Douglas sprach ihm ihren Dank aus. »Bitte, kein Wort mehr, Madame. Es gibt einen, dem Sie viel größeren Dank schulden als mir und meinen Söhnen; er will aber nicht genannt sein. Ohne ihn wären wir nie zur Stelle gewesen.«

Natürlich wurde dadurch die Spannung in so hohem Grade erhöht, dass man die Hauptsache beinah darüber vergaß. Der Alte aber ließ sich durch seine Besucher, deren Neugier sich nach und nach in dem ganzen Städtchen verbreitete, nicht irremachen und behielt sein Geheimnis für sich. Nachdem alle Einzelheiten erörtert waren, sagte die Witwe: »Ich las noch im Bett und schlief dann so fest ein, dass ich gar nichts hörte von all dem Lärm. Warum haben Sie mich denn nicht geweckt?«

»Wir dachten, es wär nicht der Mühe wert. Diese Kerle würden kaum wiederkommen, nachdem sie keine Werkzeuge mehr hatten; weshalb sollten wir Sie da aufwecken und Ihnen 'nen Todesschreck einjagen? Meine drei Neger haben den Rest der Nacht hindurch Ihr Haus bewacht; eben sind sie zurückgekommen.«

Mehr und mehr Besucher kamen; und die Geschichte wurde ein paar Stunden lang immer wieder von neuem erzählt.

Während der Ferien war keine Sonntagsschule – und, wie immer an ereignisreichen Tagen, kam alles sehr frühzeitig in die Kirche. Das aufregende Erlebnis wurde gründlich besprochen, und man erzählte, dass man bis jetzt noch keine Spur von den Bösewichten entdecken konnte. Als die Predigt zu Ende war, kam die Frau des Richters Thatcher auf Mrs Harper zu und fragte: »Schläft meine Becky denn heute den ganzen Tag? Ich hab mir's aber gedacht, dass sie todmüde sein würde.«

»Ihre Becky?«

»Ja«, erwiderte Mrs Thatcher erschrocken, »hat sie denn nicht die Nacht bei Ihnen verbracht?«

»Nein!«

Mrs Thatcher sank leichenblass in einen Kirchenstuhl zurück, gerade als Tante Polly in lebhaftem Gespräch mit einer Freundin vorbeikam. Tante Polly sagte: »Guten Morgen, Mrs Thatcher. Guten Morgen, Mrs Harper. Ich hab wieder mal 'nen verlorenen Sohn. Er wird wohl bei einer von Ihnen beiden übernachtet haben und traut sich jetzt nicht in die Kirche. Ich hab ein Hühnchen mit ihm zu rupfen.«

Mrs Thatcher schüttelte den Kopf und wurde noch bleicher.

»Bei uns ist er nicht gewesen«, sagte Mrs Harper, die jetzt auch ängstlich aussah. Tante Pollys Gesicht zeigte alle Anzeichen des Schreckens.

»Joe Harper, hast du Tom heute früh schon gesehen?«

»Nein.«

»Wann hast du ihn zuletzt gesehen?«

Joe versuchte sich darauf zu besinnen, konnte es aber nicht sagen. Man war allmählich auf die bestürzte Gruppe aufmerksam geworden. Die Leute blieben stehen, ein Flüstern ging durch die Gemeinde, und auf allen Gesichtern zeigte sich Unruhe und Besorgnis. Die Kinder und die jungen Lehrer wurden ängstlich ausgefragt, aber alle sagten, dass sie in der Dunkelheit auf dem Fährboot nicht bemerkt hätten, dass Tom und Becky auf dem Heimweg nicht mit dabei gewesen wären. Keiner hatte daran gedacht nachzusehen, ob auch niemand fehle. Endlich äußerte ein junger Mann die Befürchtung, sie könnten am Ende noch in der Höhle sein. Mrs Thatcher fiel in Ohnmacht; Tante Polly weinte und rang die Hände.

Die Schreckensnachricht sprang von Mund zu Mund, von Gruppe zu Gruppe, von Straße zu Straße. Fünf Minuten später läutete es Sturm; und die ganze Stadt war auf den Beinen. Das Ereignis am Cardiffhügel sank im Augenblick in nichts zusammen; die Räuber waren vergessen. Pferde wurden gesattelt, Schiffe bemannt, die Fähre zur Abfahrt gerichtet; und ehe der neue Schrecken noch eine halbe Stunde alt war, strömten schon zweihundert Menschen den Hauptweg hinunter, dem Fluss und der Höhle zu.

Den ganzen Mittag über lag der Ort wie ausgestorben da. Viele Frauen besuchten Mrs Thatcher und Tante Polly, um sie zu trösten oder mit ihnen zu weinen – und das war besser als alle Worte.

Die ganze lange Nacht hindurch wartete man im Städtchen auf Nachricht, aber als es endlich dämmerte, bekam man nur zu hören: »Schickt mehr Kerzen und Lebensmittel!« Mrs Thatcher und Tante Polly waren fast von Sinnen. Richter Thatcher sandte von Zeit zu Zeit ein Wort der Hoffnung und Ermutigung aus der Höhle, das aber keinen rechten Trost brachte.

Der alte Walliser kam in der Morgendämmerung mit

Kerzentalg bespritzt und lehmbeschmiert und todmüde nach Hause zurück. Er fand Huck noch immer in dem Bett, das für ihn hergerichtet worden war, und der Junge phantasierte in den tollsten Fieberträumen. Da alle Ärzte mit in der Höhle waren, kam die Witwe Douglas und nahm sich des Patienten an. Sie sagte, sie wolle ihr Bestes für ihn tun, denn, ob er nun gut, schlecht oder keines von beiden sei, so sei er doch Gottes Geschöpf; und nichts, was des Herrn sei, dürfe vernachlässigt werden. Der Alte sagte, es stecke ein guter Kern in Huck; und die Witwe erwiderte: »Ganz gewiss – den hat der Herr in ihn gelegt. Er unterlässt es nie – und irgendetwas Gutes versenkt seine Hand ja doch in jedes Geschöpf.«

Am frühen Vormittag kehrten ganze Trupps erschöpfter Männer in die Stadt zurück, während die stärkeren noch weiter suchten. Alles, was man erfahren konnte, war, dass die entlegensten Winkel der Höhle abgesucht wurden, die man nie zuvor gekannt hatte, dass jede Ecke und jede Nebenhöhle gründlich durchforscht werde und dass man überall, wohin man sich auch wende, in dem Gewirr der Gänge Lichter hin und her huschen sehe und dass fortwährend Pistolenschüsse von den Felsengründen widerhallten. An einer Stelle, die sonst niemals von Touristen besucht werde, habe man die Namen »Tom« und »Becky« mit Kerzenrauch an die Felswand eingeschwärzt gefunden und dicht dabei ein mit Talg beflecktes Band. Mrs Thatcher erkannte es und vergoss Tränen darüber. Sie sagte, das sei das letzte Andenken an ihr Kind und kein andres sei ihr so wertvoll wie dieses, denn sie hätte es bis zuletzt auf ihrem Körper getragen, bevor ihn der grausame Tod zerstörte. Einige erzählten, wie dann und wann in der Höhle an einer ganz entfernten Stelle ein Licht aufflimmerte und wie sich dann ein Trupp Männer unter lauten Freudenrufen drauflosstürzte. Immer aber folgte bittere Enttäuschung – es waren nicht die vermissten Kinder, sondern nur die Kerze eines Suchenden.

Drei schreckliche Tage und Nächte dehnten sich zu endloser Länge und der Ort versank in dumpfe Mutlosigkeit. Keinem stand der Sinn nach irgendeiner Arbeit. Die zufällige Entdeckung, dass der Besitzer des Abstinenzler-Gasthauses heimlich Schnaps ausschenkte, erregte kaum die Gemüter, so unerhört auch die Tatsache an und für sich war.

In einem lichten Augenblick versuchte Huck mit schwacher Stimme das Gespräch auf die Wirtshäuser im Allgemeinen zu lenken und fragte schließlich, das Schlimmste befürchtend, ob, seit er krank sei, irgendetwas in der Abstinenzler-Wirtschaft entdeckt worden sei.

»Ja«, bestätigte die Witwe.

Mit wild starrenden Augen fuhr Huck im Bett in die Höhe.

»Was – was denn?«

»Schnaps! Deshalb ist sie auch sofort geschlossen worden. Lieg still, Kind – wie hast du mich erschreckt!«

»Sagen Sie mir nur noch eins; bitte, bitte, nur dies eine: Hat's Tom Sawyer entdeckt?«

Die Witwe brach in Tränen aus. »Still, Kind! Ich hab dir doch schon gesagt, du sollst nicht sprechen. Du bist sehr, sehr krank!«

Also nur Schnaps wurde gefunden; denn von dem Gold hätte man doch sicher ein großes Aufsehen gemacht. Der Schatz war demnach verloren – für immer und ewig verloren! Warum aber weinte die Witwe? Sonderbar, was hatte sie wohl zu weinen?

Diese Erwägungen arbeiteten sich mühsam einen Weg durch Hucks mattes Gehirn und erschöpften ihn so, dass er einschlief. Die treue Pflegerin beobachtete ihn und flüsterte: »Da – nun schläft er wieder, der arme kleine Kerl! Ob's Tom Sawyer fand? Großer Gott, wenn nur jemand den Tom Sawyer selbst finden würde! Ach, es sind ja nur noch wenige übrig, die genug Hoffnung und Stärke haben um weiterzusuchen.«

32. Kapitel

Kehren wir jetzt zu Tom und Becky beim Picknick zurück. Sie schlenderten mit der übrigen Gesellschaft durch die unheimlichen Gänge, um die bekannten Wunder der Höhle zu besichtigen – Wunder, denen man übertriebene Namen gegeben hatte, wie »der Sitzungssaal«, »die Kathedrale«, »Aladins Palast« und dergleichen.

Als dann das Versteckspiel losging, beteiligten sich Tom und Becky eine Zeit lang mit Eifer daran, bis sie der Sache schließlich müde wurden. So wanderten sie durch die viel verschlungenen Gänge, hielten die Kerzen hoch und entzifferten das Gewirr von Namen, Daten und Adressen, die mit Kerzenrauch gemalt auf den Felswänden wie Fresken prangten. Sie gingen weiter und plauderten und bemerkten kaum, dass sie nun in einem Teil der Höhle waren, wo es keine Inschriften auf den Wänden mehr gab. Auf einem überhängenden Felsblock brachten sie ihre eigenen Namen an und schlenderten weiter. Nun kamen sie an eine Stelle, wo ein kleines, von einer Wand niederrieselndes Wässerchen, das einen kalkigen Bodensatz mit sich führte, im Laufe endloser Zeiträume einen Miniatur-Niagarafall aus schimmerndem, unvergänglichem Gestein gebildet hatte. Tom zwängte seinen schmalen Körper dahinter, um zu Beckys Freude dieses Werk zu beleuchten, und entdeckte, dass es gewissermaßen einen Vorhang vor einer steilen natürlichen Treppe bildete, die zwischen engen Felswänden in die Tiefe führte. Da packte ihn der Entdeckerehrgeiz. Becky folgte seinem Ruf, und nachdem sich die beiden noch mit Rauch ein Erkennungszeichen für den Rückweg an die Wand gemacht hatten, traten sie ihre Entdeckungsreise an. Sie schlugen in der Tiefe bald diesen, bald jenen Weg ein und gelangten nach und nach in die geheimsten Schlupfwinkel der Höhle; sie machten sich wieder ein Erkennungszeichen und zweigten von neuem ab, um immer neue Wunder zu erforschen und dann der staunenden Oberwelt davon berichten zu können. Sie kamen zu einer geräumigen Halle, von deren Decke riesige, schimmernde Tropfsteingebilde herunterhingen. Staunend sahen sie sich diese Pracht an und verließen die Halle durch einen der zahlreichen Seitengänge. Dieser führte sie bald zu einer reizenden kleinen Quelle, die in ein Becken sprudelte, das von glitzernden Kristallen ganz überzogen war. Diese Quelle befand sich inmitten eines neuen Gewölbes, dessen Decke von schimmernden Pfeilern gestützt wurde, die durch das jahrhundertelange Herabrieseln der Wassertropfen entstanden waren. Unter der Wölbung hatten sich riesige Klumpen von

Fledermäusen zusammengeballt, Hunderte auf einem Knäuel. Der Schein der Kerzen störte das Nachtgetier auf, sodass es in Scharen niederflatterte und mit tollem Gequieke auf die Lichter losschoss. Da Tom ihre Art kannte, begriff er auch die Gefahr, die in dem Verhalten der Tiere lag. Er griff Becky bei der Hand und zog sie schnell in den ersten besten Gang hinein, der sich vor ihnen auftat. Es war nicht zu früh gewesen, denn schon hatte eine der Fledermäuse Beckys Kerze mit ihren Flügeln ausgelöscht. Die aufgescheuchten Tiere verfolgten die Kinder noch ein gutes Stück, sodass die beiden vor ihnen her in immer neue Gänge flohen, bis sie endlich der Gefahr entronnen waren. Kurz darauf fand Tom einen unterirdischen See, dessen Ufer sich im ungewissen Dunkel verlor. Er wollte diese Ufer erforschen. Doch zuvor beschlossen die Kinder sich etwas auszuruhen. Jetzt, zum ersten Mal, legte sich die Stille des Ortes wie eine eiskalte Hand auf ihre Gemüter, und Becky sagte: »Ich habe nicht darauf geachtet, aber mir kommt's wie 'ne Ewigkeit vor, seitdem wir die andern nicht mehr gehört haben.«

»Na, Becky, denk doch nur, wie tief wir unter ihnen sind und wie viel weiter nördlich oder südlich oder östlich oder was es ist, 's ist ganz unmöglich, hier etwas von ihnen zu hören.«

Becky wurde ängstlich: »Ich möchte wissen, wie lang wir schon hier unten sind, ich glaub auch, 's ist höchste Zeit umzukehren!«

»Ja, ich glaub, 's wird besser sein.«

»Weißt du den Weg, Tom? Mir kommt es wie das krümmste Durcheinander vor.«

»Ja, ich glaub schon, ich find ihn; aber 's ist nur wegen

der Fledermäuse. Wenn die uns nun die Kerzen auslöschen? Wir wollen's lieber mit 'nem andern Weg versuchen!«

»Gut! Aber ich hoffe, wir verirren uns nicht; das wär ja schrecklich!«

Das Kind schauderte beim Gedanken an diese fürchterliche Möglichkeit. Sie begannen ihren Rückweg durch einen Gang, den sie lange schweigend durchschritten, dabei starrten sie in jeden neuen Seitenweg, ob sie kein bekanntes Zeichen entdeckten; aber alles hier war ihnen fremd. Sooft Tom die Wände prüfte, sah ihm Becky ängstlich ins Gesicht, um etwas Ermutigendes darin zu finden. Er sagte auch jedes Mal in heiterem Ton: »Ist schon recht, wenn wir das Zeichen auch noch nicht haben, wir werden bestimmt hinkommen!« Er wurde aber immer mutloser bei jeder neuen Enttäuschung und begann schließlich die Gänge nur noch auf gut Glück zu durchwandern, in der verzweifelten Hoffnung, so schließlich doch noch den rechten Weg zu finden. Er sagte immer noch: »Ja, ja« und »Schon recht!«. Aber auf seinem Herzen lastete so eine bleierne Furcht, dass die Worte allen Klang verloren hatten und sich so anhörten, als ob er sagte: »Alles ist verloren!« Becky drängte sich in ihrer Angst fest an seine Seite und kämpfte vergebens gegen ihre Tränen an. Schließlich sagte sie: »Oh, Tom, was machen schon die Fledermäuse, lass uns zurückgehen, hier scheint's ja immer schlimmer zu werden!«

Tom blieb stehen.

»Horch!«, sagte er.

Tiefes, tiefes Schweigen, sodass die Kinder ihren eigenen Atem hören konnten. Tom rief ein paar Worte, die in den einsamen Gängen gewaltig widerhallten und in der Ferne als schwacher Laut erstarben, was einem Hohngelächter glich.

»Oh, Tom, mach das nicht wieder! 's ist zu grässlich!«, flehte Becky.

»Ja, grässlich ist's, aber es ist doch besser, wenn ich's tu, Becky, man könnte uns doch vielleicht hören!«

Das »könnte« war fast noch schrecklicher als das geisterhafte Lachen, lag doch solch verzweifelte Hoffnungslosigkeit darin! Die Kinder standen still und lauschten, aber wieder vergebens! Tom machte sogleich kehrt und schlug ein rascheres Tempo ein. Bald darauf ließ eine gewisse Unsicherheit und Unruhe in seinem Benehmen Becky eine andere fürchterliche Tatsache ahnen: Er konnte den Rückweg nicht mehr finden.

»Oh, Tom, du hast ja gar keine Zeichen mehr gemacht!«

»Ja, Becky, ich war ein Esel, ein dummer Esel! Ich hab gar nicht daran gedacht, dass wir wieder zurückmüssen! Nein, ich kann den Weg nicht mehr finden; es geht ja hier alles durcheinander.«

»Tom, Tom, wir sind verloren, wir sind verloren! Wir kommen nie mehr aus dieser fürchterlichen Höhle raus; nie – nie mehr! Oh, warum sind wir auch von den andern weggegangen?«

Sie warf sich auf den Boden und brach in ein so herzzerreißendes Weinen aus, dass es Tom angst und bang wurde, sie könnte sterben oder den Verstand verlieren. Er setzte sich zu ihr und schlang die Arme um sie; sie barg ihr Gesicht an seiner Brust, klammerte sich fest an ihn und ließ ihrer Angst und ihrer Reue freien Lauf, und das ferne Echo verzerrte alles in höhnisches Gelächter. Tom bat sie, wieder Mut zu fassen, doch sie sagte, sie könne es nicht. Da begann er, sich Vorwürfe zu machen, dass sie allein durch seine Schuld in diese furchtbare Lage geraten sei!

Das wirkte besser. Sie sagte, sie wolle versuchen wieder zu hoffen und ihm überallhin folgen, wohin er sie auch führe, nur dürfe er nicht so reden, denn er sei nicht mehr schuld als sie selber.

So setzten sie sich also wieder in Bewegung, ziellos, planlos, auf gut Glück. Alles, was sie tun konnten, war vorwärts zu gehen. Eine kurze Zeit lang belebte sich ihre Hoffnung von neuem, nicht, weil irgendein Grund dazu vorhanden gewesen wäre, sondern einfach, weil es nun einmal in der Natur der Hoffnung liegt, nicht zu erlahmen, solange Alter und Enttäuschungen ihr nicht die Schwingen geknickt haben.

Bald darauf griff Tom nach Beckys Kerze und löschte sie aus; diese Sparsamkeit war viel sagend und es bedurfte keiner Worte. Becky verstand und ihre Hoffnung starb wieder. Sie wusste, dass Tom noch eine ganze Kerze und drei oder vier Stümpfchen in der Tasche trug – und doch musste er sparen.

Nach und nach machte die Müdigkeit ihre Rechte geltend; die Kinder versuchten, sie nicht zu beachten, denn es kam ihnen schrecklich vor, sich auszuruhen, da doch die Zeit so kostbar war. Sich vorwärts zu bewegen nach einer beliebigen Richtung bedeutete doch immerhin einen Fortschritt, der erfolgreich sein konnte. Sich hinzusetzen hieß den Tod herbeirufen und beschleunigen.

Schließlich versagten Beckys schwache Glieder aber doch ihren Dienst; sie musste sich setzen. Tom ließ sich neben ihr nieder und sie sprachen von zu Hause, von ihren Freunden und von ihren behaglichen Betten und vor allem – vom Tageslicht! Becky weinte, und Tom zermarterte sich das Hirn, wie er sie wohl trösten könne, aber jedes ermunternde Wort war schon längst verbraucht und klang beinahe wie Hohn. Bleierne Erschöpfung lastete auf Becky und drückte ihr schließlich die Augen zu. Tom war glücklich darüber. Er saß da und schaute in ihr bekümmertes Gesicht und sah, wie es sich unter dem Einfluss heiterer Träume entspannte und die natürlichen Züge wiederkehrten, und nach einer Weile zeigte sich ein Lächeln. Von dem friedlichen Gesicht strömte etwas wie Frieden und Trost in seine eigene Seele, und seine Gedanken wandten sich vergangenen Tagen und träumerischen Erinnerungen zu. Während er so tief im Nachsinnen versunken war, erwachte Becky mit einem leisen Lachen, das ihr aber sofort auf den Lippen erstarb und einem Schluchzen Platz machte.

»Oh, wie konnte ich nur schlafen! Ich wollte, ich wäre nie – nie wieder aufgewacht! Nein, nein, 's ist ja nicht wahr, Tom. Sieh mich doch nicht so traurig an; ich werd's nie mehr sagen!«

»Ich bin ja so froh, Becky, dass du geschlafen hast; du fühlst dich jetzt bestimmt ausgeruht und wir werden den Weg schon finden.«

»Wir wollen's versuchen, aber ich hab im Traum so ein wunderschönes Land gesehen – ich glaube, wir gehn dorthin!«

»Noch nicht, Becky – vielleicht noch nicht! Nur Mut, lass es uns nur wieder probieren!«

Sie standen auf und wanderten weiter Hand in Hand, aber sie hatten keine Hoffnung. Sie versuchten zu schätzen, wie lange sie wohl schon in der Höhle herumirrten, aber sie wussten nur, dass es ihnen wie Tage und Wochen vorkam, und es war ihnen klar, dass es nicht sein konnte, denn ihre Kerzen waren noch nicht abgebrannt.

Lange Zeit danach – sie hätten nicht sagen können, wie lange –, da schlug Tom vor, leise zu gehen und zu horchen, ob sie nicht irgendwo Wasser herabrieseln hörten – sie müssten eine Quelle finden.

Bald darauf fanden sie wirklich eine, und Tom meinte, nun wäre es Zeit, sich auszuruhen. Beide waren todmüde; trotzdem sagte Becky, dass sie gern noch ein wenig weitergehen wolle. Zu ihrer Überraschung widersprach Tom, sie konnte nicht verstehen, warum. So setzten sie sich, und Tom befestigte seine Kerze mit ein wenig Lehm an der Felswand. Die Gedanken kamen und gingen, aber gesprochen wurde lange Zeit nichts. Schließlich brach Becky das Schweigen:

»Tom, ich hab Hunger!«

Tom zog etwas aus der Tasche.

»Kennst du das?«, fragte er.

Sie lächelte ein wenig: »'s ist unser Festkuchen, Tom!«

»Ich wollt, 's wär so groß wie 'ne Tonne«, brummte Tom, »'s ist alles, was wir haben!«

»Ich hab's uns vom Picknick aufbewahrt, um davon zu träumen, so wie's die großen Leute mit Hochzeitskuchen machen; aber es wird unser ...«

Sie sprach den Satz nicht aus. Tom teilte den Kuchen, und Becky aß ihr Stückchen mit gutem Appetit, während Tom nur an seiner Hälfte herumknabberte. Es gab eine Menge kaltes Wasser, mit dem das Festessen beendet wurde. Schließlich drängte Becky zum Weitergehen. Tom schwieg einen Augenblick, dann sagte er:

»Becky, kannst du's ertragen, wenn ich dir was sage?«

Becky erbleichte, aber sie erwiderte, sie glaube es zu können.

»Na also, dann, Becky, wir müssen hier bleiben, wo wir Wasser haben, denn das hier – ist unser letztes Kerzenstümpfchen.«

Nun brach Becky doch in Tränen aus und wimmerte

leise. Tom tat sein Bestes, um sie zu trösten, aber mit wenig Erfolg. Schließlich hauchte sie: »Tom!«

»Ja, Becky.«

»Sie werden uns doch daheim vermissen und uns suchen!«

»Natürlich tun sie das – ganz sicher.«

»Vielleicht sucht man uns jetzt schon, Tom?«

»Vielleicht – ich hoff's wenigstens.«

»Wann können sie uns wohl vermisst haben?«

»Na, ich denk, wie sie aufs Boot zurückkamen!«

»Tom, da ist's schon dunkel gewesen – da konnten sie vielleicht gar nicht merken, dass wir fehlten.«

»Das kann natürlich sein. Aber dann hat dich sicher deine Mutter vermisst, als die andern heimgekommen sind.«

Ein erschreckender Blick aus Beckys Augen zeigte Tom, dass er einen Fehler gemacht hatte. Becky sollte ja diese Nacht gar nicht heimkommen! Die Kinder wurden still und nachdenklich. Ein neuer Tränenausbruch von Becky bewies Tom, dass ihr der gleiche Gedanke gekommen war wie ihm, der halbe Sonntagmorgen könnte noch vergehen, ehe ihre Mutter bemerken würde, dass Becky gar nicht über Nacht bei Harpers gewesen sei. Die Kinder hefteten ihre Augen auf das kleine Stückchen Kerze und beobachteten, wie es erbarmungslos kleiner und kleiner wurde, wie schließlich nur noch ein halber Zoll Docht übrig war – sie sahen die Flamme auf und nieder flackern, eine kleine Rauchsäule vom Docht aufsteigen, und dann – dann brachen die Schrecken der Dunkelheit herein.

Wie lange danach sich Becky dämmernd bewusst wurde, dass sie weinend in Toms Armen lag, hätte keiner von beiden sagen können. Sie wussten nur, dass sie nach einer anscheinend endlosen Zeit aus einem totenähnlichen Schlaf erwacht waren, und nun wurden sie sich wieder ihres Elends bewusst. Tom meinte, es müsse Sonntag, vielleicht auch schon Montag sein. Er versuchte, Becky zum Sprechen zu bringen, aber ihr Kummer war zu niederdrückend, sie hatte alle Hoffnung verloren. Tom behauptete, man müsste sie schon lange vermisst haben und sie wären zweifellos schon auf der Suche nach ihnen. Er wolle schreien, sagte er, dann werde sie schon jemand finden! Er versuchte es; aber in der Dunkelheit klang das ferne Echo so schauerlich, dass er's nicht zum zweiten Mal wagte. Die Stunden dehnten sich endlos und die armen Gefangenen wurden aufs Neue vom Hunger gequält. Ein Stückchen von Toms Kuchen war noch übrig, sie teilten es, aber die armseligen Krümel erweckten nur das Verlangen nach mehr.

Auf einmal sagte Tom: »Pscht! Hörst du nichts?«

Beide lauschten angestrengt mit angehaltenem Atem. Ein Laut drang an ihr Ohr, der wie ein schwacher Ruf aus weitester Entfernung klang. Sogleich antwortete Tom, und Becky bei der Hand fassend tastete er sich mit ihr den Gang entlang, der Richtung entgegen, aus der der Ton kam. Er horchte von neuem; wieder wurde der Schall hörbar und diesmal schon ein wenig näher.

»Sie sind's! Sie kommen! Komm, Becky, nun ist alles gut!« Die Freude der Gefangenen war geradezu überwältigend. Sie kamen aber nur langsam vorwärts wegen der vielen Spalten im Boden, vor denen sie sich in Acht nehmen mussten. Bald standen sie vor einer und konnten nicht weiter. Sie war vielleicht nur drei Fuß tief, vielleicht aber auch hundert – wer konnte das wissen? Jedenfalls war an ein Hinüberkommen nicht zu denken. Tom legte sich auf den Bauch und versuchte, so weit er konnte, hinunterzugreifen. Kein Boden! Sie mussten also hier warten, bis ihre Retter kamen. Sie lauschten – die Rufe ertönten offenbar in immer größerer Entfernung; einen Augenblick später – und sie waren ganz verhallt. Oh, diese herzzerreißende Verzweiflung! Tom schrie, tobte, brüllte, bis er ganz heiser war, doch vergebens! Er sprach tröstend auf Becky ein; aber es verging eine Ewigkeit und kein Laut wurde hörbar.

Die Kinder tasteten sich wieder an die Quelle zurück, lange, schwere Stunden schleppten sich träge dahin; sie schliefen ein und erwachten hungrig und trostlos. Tom glaubte, es müsse jetzt wohl Dienstag sein.

Da kam ihm ein Gedanke! Ganz in der Nähe befanden sich ein paar Seitenwege. Es war immerhin noch besser, sie zu erforschen, anstatt die Last der träge dahinfließenden Zeit untätig zu vertrödeln. Er zog eine Drachenschnur aus der Tasche, schlang sie um einen Felsvorsprung und schritt dann, indem er die Schnur im Weitergehen aufrollte, vorwärts. Becky folgte ihm. Nach etwa zwanzig Schritten endete der Gang in einer Vertiefung. Tom ließ sich auf die Knie nieder und tastete nach unten und so weit um die Felsenecke herum, wie er mit den Händen reichen konnte. Eben machte er den Versuch, sich noch mehr nach rechts zu wenden, als sich plötzlich, keine zehn Meter von ihm entfernt, eine Hand hinter einem Felsen vorstreckte, die ein Licht hielt. Tom stieß einen Freudenschrei aus, und sofort folgte der Hand der ganze Mensch! Es war Indianer-Joe. Tom war vor Schreck wie gelähmt, er konnte kein

Glied rühren. Zu seiner Verblüffung sah er, wie der »Spanier« sich im nächsten Augenblick umwandte und verschwunden war. Er konnte nicht begreifen, dass er seine Stimme nicht erkannt und ihm nicht sofort wegen seiner Aussage vor Gericht den Garaus gemacht hatte. Das Echo musste wohl seine Stimme unkenntlich gemacht haben, anders konnte er sich's nicht erklären. Toms Angst lähmte jeden Muskel seines Körpers. Er nahm sich vor, wenn noch Kraft genug in ihm sei, sich zur Quelle zurückzuschleppen und dort zu bleiben. Nichts in der Welt könne ihn bewegen, sich der Gefahr auszusetzen, noch einmal Indianer-Joe in die Hände zu laufen. Er verheimlichte Becky, was er gesehen hatte, und behauptete, nur auf gut Glück gerufen zu haben.

Hunger und Elend trugen aber schließlich doch den Sieg über diese Angst davon. Ein neuer bleierner Schlaf und eine neue schreckliche Zeit des Harrens und Bangens an der Quelle änderten Toms Entschluss. Er glaubte, es müsse Mittwoch oder Donnerstag, ja, vielleicht sogar Freitag oder Samstag sein, und die Suche nach ihnen hätte man wohl schon als erfolglos aufgegeben. Er schlug vor, einen anderen Seitengang zu erforschen. Er fühlte sich jetzt entschlossen, es mit Indianer-Joe und allen anderen Schrecken aufzunehmen. Aber Becky war zu schwach; sie war in eine träumerische Teilnahmslosigkeit versunken, aus der nichts sie aufrütteln konnte. Sie erklärte, sie wolle, wo sie jetzt sei, warten und dann sterben, lange könne es ja nicht mehr dauern. Aber Tom solle nur den Gang mit der Drachenleine weiter erforschen, doch sie beschwor ihn, immer nach kurzer Zeit wiederzukommen und mit ihr zu reden. Er musste ihr auch versprechen, wenn dann das Schlimmste und Letzte einträte, ihre Hand zu halten, bis alles vorüber sei. Tom küsste sie, seine Kehle war ihm wie zugeschnürt, doch er gab sich den Anschein, als rechne er sicher darauf, die Suchenden oder den Ausgang aus der Höhle zu finden. Dann griff er zur Leine und kroch auf Händen und Füßen voran, von Hunger ganz ermattet und von Todesahnungen gequält.

33. Kapitel

Der Dienstagnachmittag kam und näherte sich schon der Dämmerung. Das Städtchen St. Petersburg trauerte, denn die verlorenen Kinder waren noch immer nicht gefunden worden. In der Kirche wurde öffentlich für sie gebetet, und wie viele Gebete mochten im Stillen aus qualvollen Herzen zum Himmel emporgestiegen sein! Aber noch immer kam keine hoffnungsvollere Nachricht aus der Höhle. Die Mehrzahl der Suchenden hatte ihre Bemühungen aufgegeben und war zu ihrer täglichen Beschäftigung zurückgekehrt, da nach ihrer Meinung die Kinder wohl niemals wieder gefunden würden. Mrs Thatcher war schwer erkrankt und lag meistens in hitzigen Fieberphantasien. Die Leute sagten, es sei geradezu herzzerreißend, mit anzuhören, wie sie nach ihrem Kind rufe, den Kopf hebe, lausche und ihn dann mit einem Seufzer wieder in die Kissen zurücksinken lasse. Tante Polly war in tiefste Schwermut versunken, ihre grauen Haare waren beinah ganz weiß geworden. Alles im Städtchen ging Dienstagnacht traurig und hoffnungslos zur Ruhe.

Gegen Mitternacht aber tönten mit einem Mal die Kirchenglocken laut und schallend. Im nächsten Augenblick waren die Straßen erfüllt mit halb angekleideten Menschen, die wie wahnsinnig schrien: »Heraus! Heraus! Sie sind gefunden!« Blechdeckel und Hörner verstärkten das Getöse noch mehr; die Menschenansammlung wurde immer größer und drängte sich dem Fluss zu, sie wollte die Kinder in Empfang nehmen, die in einem offenen Wagen daherkamen, der von jubelnden Bürgern gezogen wurde. Im Nu war der Wagen dicht umringt, und mit Hurrarufen bewegte sich der Zug durch die Straßen.

Das Städtchen wurde festlich beleuchtet, niemand ging mehr zu Bett, es war die großartigste Nacht, die man je in dem kleinen Nest erlebt hatte. Während der ersten halben Stunde zog eine wahre Prozession durch das Haus des Richters. Man umarmte und küsste die Geretteten, drückte Mrs Thatchers Hand, versuchte zu sprechen und konnte es nicht und ging wieder weinend von dannen.

Tante Pollys Glückseligkeit war vollkommen und die Mrs Thatchers beinahe, denn vollständig konnte ihr Glück erst sein, sobald der Bote, den man in die Höhle geschickt hatte, dem dort immer noch trostlos umherirrenden Vater die Freudenbotschaft überbracht haben würde.

Tom lag auf dem Sofa, von einem wissbegierigen Auditorium umgeben, dem er die Geschichte seiner wunderbaren Abenteuer berichtete, wobei er nicht versäumte, manch wirkungsvollen Zug aus freier Erfindung zur Ausschmückung beizufügen. Zum Schluss gab er eine besonders ausführliche Beschreibung davon, wie er Becky verlassen hatte, um auf eine neue Forschungsreise auszuziehen; wie er sich durch zwei Gänge, so weit die Drachenschnur reichte, tastete; wie er auch noch einen dritten in der ganzen Länge der Leine verfolgte und gerade umkehren wollte, als er ganz, ganz fern einen Strahl erspähte, der wie Tageslicht flimmerte. Da habe er die Leine fallen lassen und sei drauflosgekrochen, habe Kopf und Schultern durch ein schmales Loch gezwängt und plötzlich die Fluten des Mississippi dahinströmen sehen! Wenn es aber zufällig Nacht gewesen wäre, dann hätte er den Lichtschimmer niemals entdeckt und wäre umgekehrt, ohne den Gang weiter zu untersuchen. Er erzählte, wie er sich dann zurück zu Becky getastet habe, um ihr die Glücksbotschaft zu überbringen, und wie sie ihm sagte, er solle sie doch nicht zum Besten halten mit solchem Unsinn, denn sie sei müde und überzeugt, dass sie bald sterben werde – und sie wünsche sich den Tod herbei. Er beschrieb, welche Mühe er gehabt habe, um sie zu überzeugen, und wie sie dann wirklich beinahe vor Freude gestorben sei, als sie mühsam bis dahin gekrochen war, wo sie den blauen Streifen des Tageslichtes sehen konnte. Wie er sich zuerst durch das Loch gezwängt und dann ihr herausgeholfen und wie sie dann draußen gesessen und vor Freude und Glück geweint hätten. Und dann, erzählte er weiter, seien ein paar Männer mit einem Boot vorbeigekommen, er habe sie gerufen und ihnen seine und Beckys Lage und ihren halb verhungerten Zustand geschildert. Aber die Männer hätten ihnen zuerst nicht glauben wollen, »denn«, sagten sie, »ihr seid ja ganze fünf Meilen stromaufwärts von der Bucht entfernt, in der die Höhle liegt«. Schließlich hätten sie sie doch an Bord genommen, sie zu einem Haus gerudert und ihnen ein Abendessen gegeben, sie dann zwei oder drei Stunden lang schlafen lassen und endlich hierher gebracht.

Vor Tagesanbruch wurden dann auch noch Richter Thatcher und die paar Sucher, die ihm noch immer halfen, mit dem Leitfaden, den sie hinter sich herlaufen ließen, ausfindig gemacht und von der frohen Botschaft unterrichtet. Nun herrschte eitel Freude und Entzücken!

Drei Tage und drei Nächte der Aufregung und des Hungers lassen sich jedoch nicht auf einmal abschütteln, wie Becky und Tom bald erfahren sollten. Mittwoch und Donnerstag blieben sie im Bett und schienen nur immer müder und erschöpfter zu werden. Tom konnte am Donnerstag schon wieder etwas auf sein, zeigte sich am Freitag auf der Straße und war am Samstag schon beinahe wieder der Alte; aber Becky verließ das Zimmer nicht vor Sonntag und sah dann noch aus, als ob sie eine schwere Krankheit durchgemacht hätte.

Tom hörte von Hucks Krankheit und wollte ihn am Freitag besuchen, wurde aber nicht zu ihm gelassen, selbst am Samstag und Sonntag noch nicht. Nachher durfte er ihn täglich sehen; es wurde ihm aber geraten, über sein Abenteuer zu schweigen und überhaupt jedes aufregende Gespräch zu vermeiden. Die Witwe Douglas saß stets dabei und passte auf, dass er gehorchte. Zu Hause erfuhr Tom dann von den Ereignissen am Cardiffhügel; auch, dass man den Leichnam des zerlumpten »Fremden« im Fluss, nahe der Landungsstelle, gefunden habe – er war sicherlich bei der Flucht angeschossen worden und ertrunken.

Ungefähr vierzehn Tage nach seiner Rettung machte sich Tom wieder einmal zu einem Besuch bei Huck auf, der inzwischen so weit bei Kräften war, dass er ein aufregendes Gespräch vertragen konnte. An Stoff fehlte es Tom wahrlich nicht. Der Weg führte ihn an dem Haus von Richter Thatcher vorüber, und er trat ein, um Becky zu begrüßen. Ihr Vater und ein paar seiner Freunde zogen Tom ins Gespräch und fragten ihn im Scherz, ob er nicht gern wieder einmal in die Höhle wolle.

»Warum nicht«, sagte Tom, »ich habe nichts dagegen.«

»Ja«, meinte der Richter, »ich will's glauben, dass es noch mehr solche Tollköpfe gibt wie dich. Aber wir haben schon dafür gesorgt, dass sich keiner mehr dort verlaufen kann!«

»Wieso?«

»Weil ich das schwere Eichentor mit Eisen beschlagen und dreifach verschließen lassen habe und weil ich den Schlüssel selbst aufbewahre.«

Tom wurde so weiß wie der Kalk an der Wand.

»Was ist dir, mein Junge? Schnell, hol einer ein Glas Wasser!«

Das Wasser wurde gebracht und Tom damit bespritzt.

»So, so, nun bist du ja wieder in Ordnung! Was war denn mit dir, Tom?«

»Ach, Herr Richter, in – in der Höhle ist doch Indianer-Joe!«

34. KAPITEL

In wenigen Minuten hatte sich die Neuigkeit über den ganzen Ort verbreitet, und kurz darauf war ein Dutzend Bootsladungen von Menschen unterwegs zur Douglas-Höhle, denen bald die voll gestopfte Dampffähre folgte. Tom Sawyer begleitete den Richter in seinem Boot. Als man das Tor der Höhle öffnete, bot sich ein schauriger Anblick. Auf der Erde lag Indianer-Joe, tot und kalt, das Gesicht dicht am Türspalt, als ob sein Auge bis zur letzten Minute sehnsüchtig das Licht der freien Welt da draußen angestarrt hätte. Tom war ergriffen, denn er wusste ja aus eigener Erfahrung nur zu gut, was der Bösewicht erduldet haben musste. Er hatte Mitleid, trotzdem empfand er aber ein überquellendes Gefühl der Erleichterung, und das zeigte ihm erst, wie schwer die Bürde der Angst auf ihm gelastet hatte, seit jenem Tag, als er vor Gericht gegen den Unmenschen seine Stimme erhoben hatte.

Das lange Jagdmesser von Indianer-Joe lag mit zweimal durchbrochener Klinge dicht neben ihm. Die dicke eichene Türschwelle war mit unendlicher Mühe von ihm angeschnitten und schließlich auch durchbohrt worden, aber die schwere Arbeit war erfolglos geblieben, weil der Pfosten mit der Außenseite an der harten Felswand aufsaß, und die leistete selbst dem schärfsten Messer Widerstand, an dem es endlich zersplittern musste. Jedoch auch ohne dieses steinerne Hindernis würde alle Mühe umsonst gewesen sein, denn er hätte seinen Körper unmöglich unter der Tür durchzwängen können – und er wusste das. So hatte er denn wohl nur weitergeschnitzt, um überhaupt etwas zu tun, um die träge dahinschleichende Zeit auszufüllen und seine Qualen zu betäuben.

Gewöhnlich fand man in dieser Vorhalle der Höhle eine ganze Anzahl Lichtstümpfchen, die Besucher dort zurückgelassen hatten, heute entdeckte man kein einziges. Der Gefangene hatte sie wohl alle zusammengesucht und aufgegessen. Auch einige Fledermäuse musste er zu demselben Zwecke gefangen haben, wie man aus den herumliegenden Klauen ersehen konnte. Der unglückliche Mensch war verhungert.

Nicht weit von ihm stand ein Tropfstein, der sich im Laufe vieler, vieler Jahrhunderte durch die herabrieselnden Wassertropfen gebildet hatte. Indianer-Joe hatte ihm die Spitze abgebrochen und auf den Stumpf einen Stein gelegt, den er zuvor ausgehöhlt hatte, um darin den kostbaren Tropfen aufzufangen, der alle zwanzig Minuten einmal herunterfiel, mit der langsamen Pünktlichkeit eines Uhrpendels, und im Verlauf des ganzen Tages ungefähr einen Teelöffel füllte. Dieser Tropfen fiel schon, als die Pyramiden erbaut wurden, er fiel, als Troja sank und als Rom gegründet wurde. Er fiel, als Christus den Kreuztod erlitt und als Wilhelm der Eroberer das britische Reich schuf, als Kolumbus aufs weite Meer hinaussegelte und als das Blutbad von Lexington die Tagesneuigkeit bildete. Er fällt heute, und er wird noch fallen, wenn all diese Dinge längst dem Spätnachmittag der Geschichte oder der Dämmerung der Sage angehören, ja, wenn sie schon lange das Dunkel der Vergessenheit verschlungen hat. Hat alles seinen Zweck und seine Bestimmung? Musste solch ein Tropfen geduldig durch fünftausend Jahre niederfallen, um zur bestimmten Stunde für die Bedürfnisse dieser menschlichen Eintagsfliege bereit zu sein? Wer kann das sagen? Manch langes Jahr ist schon verflossen, seit der glücklose Indianer den Stein aushöhlte, um den kostbaren Tropfen aufzufangen. Bis zum heutigen Tag verweilt jeder Besucher noch immer am längsten bei diesem Stein, der ihm als »Becher des Indianer-Joe« gezeigt wird und mit dem kein anderes Wunder der Höhle, selbst nicht »Aladins Palast«, als Sehenswürdigkeit konkurrieren kann.

Indianer-Joe wurde dicht beim Höhlenausgang begraben. Die Leute strömten zu Boot und Wagen herbei und brachten ihre Kinder mit, sie kamen von allen Städten und Farmen und Dörfern im Umkreis von sieben Meilen, hatten sich mit Vorräten versehen und gaben zu, dass dieses Begräbnis sie fast ebenso befriedige, als wenn man den Indianer aufgeknüpft hätte.

Am Morgen nach der Beerdigung nahm Tom seinen Freund Huck beiseite, um etwas Wichtiges mit ihm zu besprechen. Huck hatte inzwischen Toms Abenteuer von dem Walliser und der Witwe erfahren, aber Tom meinte, es gäbe wohl noch etwas, von dem er sicher nichts gehört hätte, und gerade darüber wollte er jetzt mit ihm reden. Hucks Gesicht verfinsterte sich. »Ich weiß schon, was es ist«, sagte er. »Bist du in Nummer zwei gewesen und hast dort nix als Whisky gefunden, was? Es hat mir niemand gesagt, dass du's warst, aber ich hab mir's gleich gedacht, wie ich von der Whiskygeschichte gehört hab. Geld hast du keins gefunden, das weiß ich, sonst hättest du's mich auf irgend-'ne Weise wissen lassen. Na, Tom, ich hatte ja immer so 'ne Ahnung, dass es Essig ist mit dem Schatz.«

»Aber Huck, ich will ja gar nicht von dem Wirt reden – mit seiner Wirtschaft war ja noch alles in Ordnung, wie ich am Samstag zu dem Picknick gegangen bin. Weißt du nicht mehr? Du solltest doch in der Nacht dort wachen?«

»Natürlich weiß ich's, aber es kommt mir vor, als wär's 'n Jahr her. Es war dieselbe Nacht, wo ich Joe zur Witwe nachgeschlichen bin.«

»Du bist ihm nachgeschlichen?«

»Ja, aber halt den Mund, hörst du. Ich fürchte, der Freund vom Indianer-Joe lebt noch. Ich möcht ihn wahrhaftig nicht auf mich hetzen. Wenn ich nicht gewesen wär, würd er jetzt schon heil und sicher drunten in Texas sitzen.«

Und Huck teilte nun dem Freund im Vertrauen sein ganzes Abenteuer mit, denn wie alle andern hatte Tom bisher nur den Teil gekannt, den der Walliser von der Sache wusste.

»Na«, schloss Huck, indem er auf die Hauptsache zurückkam, »wer den Whisky in Nummer zwei weggeschnappt hat, der hat auch das Geld, denk ich, jedenfalls ist's uns beiden flöten gegangen!«

»Huck, das Geld ist niemals in Nummer zwei gewesen!«

»Was?« Huck starrte seinem Kameraden verdutzt ins Gesicht. »Tom, bist du am Ende dem Schatz noch mal auf der Spur?«

»Huck, er ist in der Höhle!«

Hucks Augen funkelten. »Sag's noch mal, Tom!«

»Das Geld ist in der Höhle!«

»Tom – auf Ehr und Seligkeit –, ist das nun Spaß oder Ernst?«

»Ernst, Huck! Ich bin in meinem ganzen Leben nicht ernsthafter gewesen! Willst du mitkommen und 's rausholen?«

»Und ob ich will! Das heißt, wenn's wo liegt, wo wir's finden können – ohne den Weg zu verlieren.«

»Huck, wir können's ohne die geringste Gefahr von der Welt!«

»Dann bin ich dabei! Aber, warum glaubst du, dass das Geld ...«

»Wart nur, bis wir drin sind. Wenn wir's nicht finden, schenk ich dir meine Trommel und alles, was ich hab, so gewiss wie ...«

»Gut! Ist 'n Wort! Wann also?«

»Gleich jetzt, wenn du willst. Bist du wieder stark genug?«

»Ist's weit drin in der Höhle? Ich bin seit drei Tagen wieder auf den Beinen, aber mehr als 'ne Meile, glaub ich, werd ich noch nicht schaffen, sie sind noch zu wacklig!«

»Auf dem gewöhnlichen Weg sind's allerdings beinah fünf Meilen, aber ich weiß noch 'n andern, der ordentlich abschneidet und den ich ganz allein kenn. Ich bring dich im Boot hin und wieder zurück, ohne dass du 'ne Hand zu rühren brauchst.«

»Na, dann also los, Tom!«

»Gut! Wir brauchen nur 'n bisschen Brot und Fleisch und ein oder zwei kleine Säcke und zwei oder drei Drachenschnüre und dann noch 'n paar von dem neumodischen Zeugs, das sie Streichhölzer nennen. Ich sag dir, ich wär elend froh gewesen, wenn ich neulich solche Dinger gehabt hätt.«

Kurz nach Mittag »pumpten« sich die Jungens von einem Mann, der grad nicht daheim war, ein Boot und machten sich gleich auf den Weg. Als sie ein paar Meilen unterhalb der Höhlenbucht waren, sagte Tom: »Siehst du,

Huck! Die ganze steile Uferstrecke von der Bucht bis hierher sieht überall ganz gleich aus, kein Haus, kein Wald, nur Gestrüpp. Aber, guck mal, dort oben der weiße Fleck, wo mal 'n Erdrutsch gewesen sein muss, das ist mein Erkennungszeichen, da legen wir an!«

Sie taten es. »Jetzt, Huck, könntest du das Loch, aus dem wir damals rausgekrochen sind, mit 'ner Angelrute berühren. Such mal, ob du's findest.«

Huck suchte vergeblich überall herum, da ging Tom stolz auf ein dichtes Gewirr von Sumachbüschen zu und sagte: »Hier ist's! Sieh dir's nur an, Huck, ist das nicht das beste Loch, das man im ganzen Lande finden kann? Dass du aber 's Maul hältst! Ich hab mir schon lange gewünscht Räuber zu werden, aber dazu braucht man eben so was wie das Loch hier, nur konnt ich nie was Passendes finden. Jetzt hab ich's, und wir reden mit keiner Menschenseele drüber als mit Joe Harper und Ben Rogers, denn wir müssen doch 'ne ganze Bande haben, sonst hat die Geschichte keinen Stil. Tom Sawyers Bande! Klingt gut, nicht?«

»Jawoll, Tom, ganz prima! Und wer wird ausgeraubt?«

»Na, fast alle! Wir lauern den Leuten auf, wie man's eben immer macht.«

»Und töten sie?«

»Nee, immer nicht! Wir schleppen sie in die Höhle und verlangen 'n Lösegeld.«

»Was ist denn das?«

»Geld natürlich! Ihre Freunde müssen alles zusammenkratzen, was sie kriegen können, und wenn du sie 'n Jahr lang gefangen gehalten hast und das Geld kommt nicht, dann werden sie getötet. Das ist so der normale Weg. Nur

Frauen tötet man nicht, die sperrt man bloß ein. Die sind immer schön und reich und furchtbar ängstlich. Man nimmt ihnen die Uhren ab und ihre anderen Sachen, aber man muss sie immer sehr höflich behandeln und immer den Hut abnehmen, wenn man mit ihnen spricht. Es gibt nix Höflicheres als Räuber, das kannst du in jedem Buch lesen. Na, und die Weiber, die lieben einen dann, und nach zwei oder drei Wochen hören sie auf zu weinen und nachher kann man sie gar nicht wieder loswerden. Schmeißt man sie raus, dann kehren sie sofort um und kommen wieder zurück. So steht's in allen Büchern!«

»Du, das ist verdammt lustig! Ich glaub, das ist noch hundertmal besser als Seeräuber sein!«

»Ja, 's ist in mancher Hinsicht besser, schon weil man's näher nach Hause hat und zum Zirkus und so 'n Zeugs!«

Inzwischen hatten die Jungens alles vorbereitet und sie schlüpften in die Höhle. Tom hatte die Führung. Sie krochen mühsam bis an das andere Ende des Ganges, dann befestigten sie ihre aufgewickelten Drachenleinen und arbeiteten sich weiter vor. Wenige Schritte brachten sie zu der Quelle, und Tom schauderte. Er zeigte Huck das letzte Dochtendchen, das noch mit dem Lehm an der Felswand klebte, und beschrieb ihm, wie er und Becky das letzte Aufflammen und Erlöschen beobachtet hatten.

Sie redeten nur noch im Flüsterton, denn die Stille und Düsterkeit bedrückten sie. Tom ging von Huck gefolgt voran, betrat den andern Gang und schritt weiter bis zu dem »Abgrund«, an dem er damals hatte Halt machen müssen. Beim Schein der Kerzen stellte sich heraus, dass es kein richtiger Abgrund, sondern nur eine steile Lehmwand war, die zwanzig bis dreißig Fuß tief abfiel.

Tom flüsterte: »Jetzt will ich dir was zeigen, Huck!« Er hielt seine Kerze in die Höhe und sagte: »Guck mal so weit um die Ecke rum, wie du kannst. Siehst du was? Dort, an dem großen Felsbrocken da über dir – mit Kerzenrauch angezeichnet?«

»Tom, das ist ein Kreuz!«

»Na, und wo ist deine Nummer zwei? Da, ›unter dem Kreuz‹, he? – Gerade da, von wo ich Indianer-Joe mit der Kerze rausleuchten sah, Huck!«

Huck starrte auf das geheimnisvolle Zeichen und sagte mit zitternder Stimme: »Tom, wir wollen machen, dass wir wegkommen.«

»Was, jetzt? Und den Schatz hier lassen?«

»Ja, lass ihn da. Indianer-Joe spukt hier sicher irgendwo rum!«

»Der denkt gar nicht dran! Der spukt doch an der Stelle, wo er gestorben ist, am Höhlenausgang, fünf Meilen von hier!«

»Nee, Tom, das glaub ich nicht. Er kommt doch nicht von der Stelle los, wo das Geld versteckt liegt, ich weiß doch, wie's Geister machen, und du weißt's auch!«

Tom begann zu fürchten, dass Huck Recht haben könnte. Böse Ahnungen stiegen in ihm auf, dann aber kam ihm ein erlösender Gedanke: »Aber Huck, was sind wir doch für Esel! Indianer-Joe kann doch nicht an 'ner Stelle spuken, wo 'n Kreuz ist!«

Der Einwand war schlagend. »Ach, natürlich, Tom, daran hab ich gar nicht gedacht. Was für 'n Glück für uns, dass 'n Kreuz dasteht. Ich denk, wir klettern mal runter und suchen nach der Kiste.«

Tom ging wieder zuerst und machte sich daran, grobe

Stufen in die Lehmwand zu hauen. Huck folgte ihm. Vier Gänge öffneten sich von der kleinen Höhle aus, in welcher der Felsblock stand. Drei davon untersuchten die Jungens ohne Erfolg. Sie entdeckten nur einen kleinen Schlupfwinkel, in dem ein paar Decken, ein alter Hosenträger, ein Stück abgeknabberte Speckschwarte und einige abgenagte Geflügelknochen herumlagen. Aber von einer Geldkiste nicht die Spur! Sie durchsuchten alles wieder und wieder – aber vergebens! Tom meinte: »Er sagte doch: ›unter dem Kreuz‹. Ja, und hier sind wir am nächsten drunter. Es kann doch nicht unter dem Felsblock sein, der wächst ganz fest aus dem Boden raus.«

Wieder suchten sie überall herum und setzten sich dann ganz entmutigt nieder. Huck wusste keinen Rat, aber Tom sagte nach einer Weile: »Guck doch mal her, Huck! Da sind Fußspuren und Kerzenspritzer an der einen Seite von dem Fels! Nur an einer Seite, an der anderen nicht! Was bedeutet das? Am Ende liegt das Geld doch unter dem Felsen! Ich werd mal hier im Lehm graben!«

»Das ist 'n guter Gedanke, Tom!«, erwiderte Huck lebhaft.

Toms »echtes Hornmesser« trat sofort in Aktion, und ehe er noch vier Zoll tief gegraben hatte, stieß er auf Holz. »Hoho, hörst du's?«

Jetzt begann auch Huck zu graben und zu kratzen, und bald waren ein paar Bretter bloßgelegt und herausgezogen. Sie hatten eine natürliche Spalte verborgen, die unter den Felsen führte. Tom kroch hinein und hielt seine Kerze so tief hinunter, wie er nur konnte, vermochte aber das Ende der Spalte nicht zu erkennen. Er schlug daher vor, noch weiter zu forschen, schlüpfte hinunter und kroch auf dem etwas abschüssigen Weg vorwärts. Er folgte seinen Windungen, erst rechts, dann links, und Huck blieb ihm immer dicht auf den Fersen. Plötzlich machte Tom noch eine kleine Wendung und schrie: »Herr du meines Lebens – sieh nur, Huck!«

Da stand die Schatzkiste, wirklich und wahrhaftig, in einer kleinen hübschen Höhlung! Daneben lagen ein leeres Pulverhorn, ein paar Gewehre in Lederhüllen und anderes Zeug, das ganz vom herabrieselnden Wasser durchnässt war.

»Gefunden, endlich gefunden!«, jauchzte Huck, während er mit den Händen in den funkelnden Münzen herumwühlte. »Wie sind wir jetzt aber reich, Tom!«

»Ich hab ja immer geglaubt, dass wir's kriegen, Huck, aber jetzt kommt mir's doch viel zu schön vor, als dass es wahr sein könnt! Aber so viel ist sicher: Wir haben den Schatz! Jetzt bloß nicht rumtrödeln, schaffen wir's weg! Zeig mal her, ob ich die Kiste tragen kann.« Sie wog vielleicht fünfzig Pfund. Tom konnte sie nur mit großer Mühe ein bisschen heben, an ein Fortschaffen war nicht zu denken. »Hab mir's gleich gedacht, damals im Spukhaus haben die Kerle dran geschleppt, als ob's ziemlich schwer wär, hab's wohl bemerkt. Gut, dass wir die kleinen Säcke mitgenommen haben.«

Das Geld wurde rasch in die Säcke verteilt, und die Jungens trugen es zu dem Felsen mit dem Kreuzzeichen.

»Jetzt wollen wir noch die Flinten und das andre Zeugs holen«, sagte Huck.

»Nee, Huck, lass das nur ruhig dort liegen. Das sind doch gerade Sachen, die wir gut brauchen können als Räuber. Hier wollen wir auch unsere Orgien abhalten, 's ist 'n richtig gemütliches Plätzchen für Orgien!«

»Orgien? Was ist denn das?«

»Ja, das – das weiß ich selber nicht, aber Räuber halten immer Orgien ab und deshalb müssen wir's auch. Komm jetzt, Huck, wir sind schon furchtbar lange hier, 's wird spät, glaub ich. Und 'n Bärenhunger hab ich auch; wir wollen gleich essen und rauchen, wenn wir aufs Boot kommen!«

Kurz darauf schlüpften sie wieder ins Sumachgebüsch, spähten vorsichtig nach allen Seiten aus, sahen, dass die Luft rein war, und saßen bald essend und rauchend im Boot. Als die Sonne am Horizont niedersank, stießen sie vom Ufer ab und machten sich auf den Weg. Tom ruderte in der zunehmenden Dämmerung die Küste entlang und plauderte lustig mit Huck und machte kurz nach Einbruch der Dunkelheit fest.

»Jetzt hör zu, Huck. Wir wollen das Geld im Holzschuppen von der Witwe Douglas verstecken. Morgen komm ich dann in aller Herrgottsfrühe und wir zählen und teilen und dann vergraben wir's im Wald an 'nem sichren Platz. Du bleibst hier und bewachst den Kram, solange ich Benny Taylors kleinen Schubkarren hole. Bin sofort wieder da!«

Er verschwand und erschien wirklich nach kurzer Zeit mit dem Karren. Er lud die beiden kleinen Säcke auf, warf allerlei alte Lumpen drüber, und beide zogen ihren Schatz hinter sich her. Am Hause des Wallisers hielten sie an, um ein bisschen zu verschnaufen. Als sie gerade weitergehen wollten, trat der Alte heraus und rief: »Hallo, wer ist denn da?«

»Huck und Tom Sawyer!«

»Bestens, kommt nur mit, Jungens. Alles wartet auf

euch! Schnell, macht vorwärts, ich will den Karren schon ziehen, her damit! Na, der ist aber nicht so leicht, wie er aussieht! Habt ihr Backsteine drauf oder altes Eisen?«

»Altes Metall!«, sagte Tom.

»Dacht mir's doch. Die Jungens hier in der Stadt machen sich mehr Mühe und vertrödeln mehr Zeit, um so altes Zeugs zusammenzuscharren, für das sie in der Gießerei doch nur 'n paar Pfennige kriegen, als sie an Zeit brauchen würden, um zweimal so viel mit ehrlicher Arbeit zu verdienen. Na, 's liegt mal so in der menschlichen Natur! Jetzt aber vorwärts, vorwärts!«

Die Jungens wollten gern wissen, weshalb sie sich so beeilen sollten. »Fragt jetzt nicht lange – nur zu, werdet's schon sehen, wenn ihr zur Witwe Douglas kommt!«

Huck, der schon lange daran gewöhnt war, zu Unrecht beschuldigt zu werden, sagte ängstlich zu dem Alten: »Ach, Mr Jones, wir haben aber gar nichts getan.«

Der Alte lachte. »Na, ich weiß nicht, Huck, mein Junge, ich weiß nicht; bist du denn nicht gut Freund mit der Witwe?«

»Ja-a, wenigstens ist sie immer freundlich zu mir gewesen!«

»Na also! Was fürchtest du dich dann?«

Huck war sich noch nicht ganz klar über diese Frage geworden, als er schon mit Tom ins Wohnzimmer der Witwe geschoben wurde. Mr Jones ließ den Karren an der Tür stehen und folgte ihnen.

Das Zimmer war festlich beleuchtet und wer irgendetwas im Städtchen zu bedeuten hatte, war anwesend. Thatchers waren da und Harpers und Rogers, Tante Polly, Sid, Mary, der Prediger, der Zeitungsverleger und noch 'ne ganze Menge Leute – und alle in ihren besten Kleidern. Die Witwe empfing die Jungens so herzlich, wie man zwei derartig aussehende Menschenkinder überhaupt empfangen konnte. Sie waren über und über mit Lehm und Talg beschmiert. Tante Polly errötete vor Scham, runzelte drohend die Stirn und schüttelte vorwurfsvoll den weißen Kopf. Keiner aber konnte sich unbehaglicher fühlen als die beiden Burschen selber.

Mr Jones sagte: »Tom war nicht zu Hause, ich hatte schon alle Hoffnung aufgegeben, ihn zu finden, da hab ich ihn aber grad noch vor meiner Haustür mit Huck aufgegabelt und sie beide so schnell wie möglich hergebracht.«

»Das war recht«, sagte die Witwe. »Kommt mit mir, Jungens!« Sie führte sie in ein Schlafzimmer und sagte: »So, jetzt wascht euch und zieht euch an! Hier sind zwei neue Anzüge, Hemden, Strümpfe – alles vollständig. Die gehören dir, Huck – nein, bedank dich nicht –, der eine ist von Mr Jones, der andere von mir. Du leihst Tom den einen wohl heute Abend, sie werden euch beiden schon passen! Also flink, wir warten solange. Kommt schnell herunter, wenn ihr euch schön rausgeputzt habt!« Und sie ging.

35. KAPITEL

Tom«, flüsterte Huck, »wenn wir 'n Strick finden, können wir uns vom Fenster runterlassen, es ist nicht hoch!«

»Blödsinn! Weshalb sollen wir denn zum Fenster raus?«

»Ich – ich bin nicht an so 'n Haufen Menschen gewöhnt – das kann ich nicht aushalten, ich verdufte, Tom!«

»Quatsch! Da ist doch nix dabei. Mir macht's kein bisschen was aus. Komm nur, ich pass schon auf dich auf!«

Da erschien Sid. »Tom«, sagte er, »Tante hat den ganzen Nachmittag auf dich gewartet, und Mary hat deine Sonntagskleider zurechtgelegt, und niemand hat gewusst, wo du bist. Sag mal, ist das nicht Talg und Lehm an euren Kleidern?«

»Kümmern Sie sich gefälligst um Ihre eigenen Angelegenheiten, Mr Siddy! Sag aber mal, weshalb ist denn der ganze Rummel da unten?«

»'s ist einfach so 'ne Gesellschaft, wie sie die Witwe ja oft mal gibt, diesmal macht sie's für den Alten und seine Söhne, von wegen neulich nachts. Und dann – dann kann ich dir noch was verraten, wenn du's wissen willst!«

»Na, was denn?«

»Ach, der alte Jones will die Gesellschaft noch mit was überraschen, ich hab's gehört, wie er's heute Mittag der Tante erzählt hat, als 'n großes Geheimnis natürlich, ist aber jetzt schon keins mehr. Jeder weiß es – selbst die Witwe, wenn sie auch so tut, als wüsst sie von nix. Ja, und Mr Jones wollt dafür sorgen, dass Huck auch hier wär, denn ohne den Huck wär ja natürlich sein großes Geheimnis nicht die Bohne wert gewesen.«

»Was für 'n Geheimnis, Sid?«

»Na, dass der Huck hinter den Räubern hergeschlichen ist bis zur Witwe, weiter nix. Ich kann mir richtig vorstellen, wie der Alte da 'n großes Getue mit seiner Überraschung machen wollt; jetzt wird sie aber wohl 'n bisschen mager ausfallen.« Sid lachte hämisch und selbstzufrieden vor sich hin.

»Sid, wer hat geklatscht?«

»Ist doch ganz schnuppe, einer hat's gesagt, so viel ist sicher.«

»Sid, 's gibt nur einen Kerl in der Stadt, der so hundsgemein ist, so was zu tun, und der bist du! Wenn du an Hucks Stelle gewesen wärst, hättest du dich rückwärts den Hügel runtergeschlichen und keinem Menschen was von den Räubern erzählt! Du kennst überhaupt nix als Niederträchtigkeiten und kannst's nicht hören, wenn mal 'n anderer gelobt wird. Da – und ›bedank dich nicht‹, wie die Witwe sagt.« Und Tom packte Sid bei den Ohren und beförderte ihn unter nicht gerade zarten Püffen vor die Türe. »Jetzt lauf und petz es der Tante, wenn du dich traust. Ich zahl dir's dann morgen schon wieder heim!«

Wenige Minuten später waren die Gäste um den Esstisch der Witwe versammelt. Zur gegebenen Zeit hielt dann Mr Jones eine Rede, in der er der gütigen Witwe für die ihm und seinen Söhnen erwiesene Ehre dankte, aber da wäre noch ein anderer, sagte er, der auch anwesend sei, dem es nur die Bescheidenheit verbiete ... Und so weiter, und so weiter! Und nun zog er das große Geheimnis von Hucks Anteil an dem Abenteuer ans Tageslicht, und zwar, so dramatisch er konnte, trotzdem aber hatte die Überraschung einen mehr künstlichen Anstrich und war nicht so lärmend und ursprünglich, wie's unter günstigeren Umständen hätte sein können. Jedoch die Witwe verstand es vorzüglich, eine höchst erstaunte Miene aufzusetzen und Huck mit so vielen Komplimenten und so heißen Dankesversicherungen zu überschütten, dass er beinah das Unbehagen, das ihm durch die neuen Kleider verursacht wurde, über dem noch stärkeren vergaß, alle Blicke auf sich gerichtet zu sehen und die allgemeinen Lobsprüche mit anhören zu müssen.

Die Witwe erklärte, sie beabsichtige, Huck ein Heim unter ihrem Dache geben und ihn erziehen zu wollen und ihm später, soweit es in ihren Kräften stünde, zu einem Beruf zu verhelfen.

Jetzt war Toms Augenblick gekommen, er platzte los: »Das braucht Huck gar nicht, Huck ist reich!«

Nur die angestrengten Bemühungen der Gesellschaft, die guten Manieren zu wahren, konnten das Gelächter über diesen glänzenden Witz zurückhalten; aber das Schweigen war etwas unbehaglich. Tom brach es: »Huck hat Geld, auch wenn Sie's nicht glauben, sogar 'n ganzen Haufen! Sie brauchen gar nicht darüber zu lachen, ich kann's Ihnen zeigen. Warten Sie nur 'n Augenblick!«

Er rannte zur Tür hinaus. Die Anwesenden sahen sich erstaunt an und schauten dann fragend auf Huck, der gänzlich die Sprache verloren hatte.

»Sid, was ist denn mit Tom?«, fragte Tante Polly. »Er – na, da werd mal einer klug aus dem Bengel. Ich …«

Da kam der Bengel wieder rein und keuchte mühsam unter der Last seiner Säcke. Tante Polly blieb mitten in ihrem

Satz stecken. Tom schüttete den Haufen blinkender Goldstücke auf den Tisch und rief triumphierend: »Na, glaubt ihr mir jetzt? Was hab ich euch gesagt? Die eine Hälfte davon gehört Huck, die andere mir!«

Der Anblick raubte allen den Atem. Jeder starrte auf die glänzenden Goldstücke und niemand fand im ersten Augenblick ein Wort. Dann aber verlangten alle stürmisch nach einer Erklärung. Tom sagte, die könne er geben, und er gab sie auch. Die Geschichte war lang, aber hochinteressant. Man hörte kaum eine Bemerkung, die ihren Reiz etwa hätte zerstören oder auch nur schmälern können. Als Tom fertig war, wurde das Geld gezählt, die Summe belief sich auf etwas über zwölftausend Dollar. Es war mehr, als irgendeiner der Anwesenden jemals beisammen gesehen hatte, wenn auch einige von ihnen bedeutend mehr als diese Summe an Grundbesitz ihr Eigen nannten.

36. Kapitel

Der Leser kann überzeugt sein, dass dieser Fund in dem kleinen St. Petersburg ein riesiges Aufsehen machte. Solch eine Riesensumme in barem Geld grenzte ans Unglaubliche. Man sprach darüber, man freute sich darüber und lobte die beiden, bis der gesunde Menschenverstand vieler Bürger unter dieser ungesunden Aufregung zu leiden begann. Jedes Haus, in dem es nur irgend spuken sollte, wurde in St. Petersburg und den angrenzenden Orten auf den Kopf gestellt, die Dielen aufgerissen, die Grundmauern aufgewühlt und nach verborgenen Schätzen durchforscht, und das nicht etwa von Jungens, sondern von Männern – von ernsten, verständigen, meist nichts weniger als romantischen Männern. Wo sich Tom und Huck zeigten, wurden sie bewundert, umschmeichelt und angestarrt. Sie konnten sich nicht erinnern, dass man ihren Bemerkungen je zuvor irgendein Gewicht beigemessen hatte, jetzt aber wurde aus jedem ihrer Worte ein großes Aufheben gemacht. Alles, was sie taten, was sie redeten, schien bemerkenswert, sie hatten offensichtlich die Fähigkeit verloren, irgendetwas Alltägliches zu sagen oder zu tun. Ihre ganze Vergangenheit wurde unter die Lupe genommen, und man entdeckte auch da Spuren außerordentlicher Begabung, ja, das Wochenblättchen veröffentlichte sogar biographische Skizzen der Jungen. Die Witwe Douglas legte Hucks Geld in sechsprozentigen Papieren an, und dasselbe tat Richter Thatcher auf Tante Pollys Bitte mit Toms Anteil. Jeder der Jungen hatte nun ein geradezu märchenhaftes Einkommen: einen Dollar für jeden Wochentag und einen halben für sonntags. Es war genauso viel, wie der Prediger bekam, oder vielmehr, wie er bekommen sollte, denn meistens kam nicht so viel zusammen. Einundeinviertel Dollar war in jenen alten Zeiten in der Woche vollkommen ausreichend für Kost, Wohnung und Schulgeld eines Jungen, und dabei konnte man ihn noch pflegen und gut kleiden.

Richter Thatcher hatte von Tom eine hohe Meinung gewonnen; er sagte, einem ganz gewöhnlichen Jungen wäre es nie und nimmer gelungen, seine Tochter aus der Höhle zu befreien. Als ihm Becky einmal im strengsten Vertrauen

erzählte, wie Tom in der Schule ihre Prügel auf sich genommen hatte, war er sichtlich bewegt, und als sie versuchte, die Lüge zu entschuldigen, durch die Tom ihre
Schuld auf die eigenen Schultern geladen hatte, meinte der
Richter ganz begeistert, das sei eine edle und großmütige,
ja, eine hochherzige Lüge gewesen, eine Lüge, für die man
den Kopf hochtragen dürfe, eine Lüge, die es wohl wert
sei, neben Washingtons viel gerühmter Wahrheitsliebe auf
den Blättern der Geschichte zu glänzen! Nie zuvor war
Becky ihr eigener Vater so groß und herrlich erschienen
wie jetzt, da er hin- und herging, aufstampfte und diese
Rede hielt. Sie lief schnurstracks zu Tom und erzählte ihm
alles.

Mr Thatcher hoffte, Tom einmal entweder als großen
Rechtsgelehrten oder als berühmten Krieger zu sehen. Er
versicherte, dafür sorgen zu wollen, dass er in der Landes-
militärakademie erzogen werde und später noch auf die
beste Juristenschule des Landes komme, sodass er vollständig ausgebildet wäre für den einen oder den andern Beruf –
oder auch für alle beide.

Huck Finn wurde durch seinen Reichtum und den
Schutz der Witwe in die Gesellschaft eingeführt – nein, hi-
neingestoßen, hineingezerrt – und seine Leiden wurden nahezu unerträglich. Die Dienstboten der Witwe hielten ihn
sauber und rein – wuschen, kämmten und bürsteten ihn
täglich und betteten ihn nachts erbarmungslos zwischen
unsympathische blütenweiße Leintücher, die nicht einen
einzigen Flecken oder Makel aufwiesen, den er freudig als
alten Freund ans Herz hätte drücken können. Er musste
mit Messer und Gabel essen, eine Serviette, Tasse und Tel-
ler benutzen, musste seine Aufgaben lernen und zur Kirche

gehen, musste sich so fein ausdrücken, dass ihm die Sprache aus seinem Mund ganz saft- und kraftlos vorkam. Kurz, wie er sich auch drehte und wendete, immer schnitten ihm die Fesseln der Zivilisation tief ins Fleisch und banden ihn an Händen und Füßen.

Drei Wochen lang trug er sein Elend heldenhaft, dann war er plötzlich verschwunden. Achtundvierzig Stunden ließ die verzweifelte Witwe überall nach ihm suchen. Die Öffentlichkeit nahm Anteil; man suchte hier und dort, an

allen Ecken und Enden, und durchforschte den Fluss nach seiner Leiche. In der Frühe des dritten Morgens ging Tom Sawyer klugerweise zum verlassenen Schlachthaus hinunter und steckte seinen Kopf in die alten leeren Fässer, die dort herumlagen, und in einem von ihnen entdeckte er den Flüchtling. Huck hatte dort geschlafen, sich von allerlei gestohlenen Dingen ernährt und lag nun behaglich da, die Pfeife im Mund. Er war ungewaschen und ungekämmt und

in dieselben Lumpen gehüllt, die ihm in den alten glücklichen Tagen der Freiheit einen so malerischen Anstrich
verliehen hatten. Tom rüttelte ihn auf, erzählte ihm von
dem Kummer, den er verursacht hatte, und drängte ihn,
wieder heimzugehen. Aus Hucks Gesicht schwand der
Ausdruck wohliger Zufriedenheit und machte dem tiefer
Melancholie Platz. Er sagte: »Sprich mir nicht davon,
Tom! Ich hab's ja versucht und wieder versucht, aber 's
geht nicht, Tom! Es ist einfach nix für mich, ich bin an so
was nicht gewöhnt! Die Witwe ist gewiss gut und freundlich zu mir, aber dieses Leben halt der Kuckuck aus! Jeden
Morgen zur selben Zeit raus und dann schrubben und
scheuern sie mich, dass die Fetzen fliegen. Im Holzschuppen darf ich nicht schlafen und muss die verflixten Kleider
tragen, in denen ich keine Luft krieg, Tom. Und so eklig
fein sind sie, dass man nicht drin sitzen und liegen und
noch weniger sich drin rumwälzen kann. Ich bin seit – ach,
es kommt mir wie Jahre vor – nicht mehr auf 'ner Kellertür
rumgerutscht! Ich muss in die Kirche gehn und steif dasit-
zen und schwitzen – und dann die verdammt langen Pre-
digten! Ich darf keine Fliege fangen, nicht Tabak kauen
und sonntags muss ich sogar noch Stiefel anziehen! Wenn
die Witwe isst, bimmelt 'ne Glocke, geht sie zu Bett, bimmelt's wieder, und wenn sie morgens aufsteht, auch noch.
's ist alles so grässlich regelmäßig – das kann der Teufel
aushalten, ich nicht!«

»Huck, so macht's aber doch jeder anständige Mensch!«

»Ist mir ganz schnuppe, Tom, ich bin eben kein anständiger Mensch, und ich halt's nun mal nicht aus! 's ist abscheulich, so gebunden zu sein! Und 's Futter fliegt einem
auch nur so ins Maul, dass es einem gar nicht mehr

schmeckt. Soll fragen, wenn ich fischen gehn will, fragen, wenn ich baden gehn will – hol's der Henker, wenn man wegen jedem Dreck erst fragen muss! Und ich hab so fein reden müssen, dass es mir gar keinen Spaß mehr gemacht hat, das Maul überhaupt aufzutun. Ich hab einfach auf den Speicher steigen müssen, um wieder mal jeden Tag 'n paar kräftige Flüche in den Mund zu nehmen, sonst wäre ich von all der Feinheit erstickt, sag ich dir. Rauchen durft ich nicht und nicht brüllen und nicht gähnen und nicht rumrekeln und mich nicht mal am Kopf kratzen, wenn einer dabei war. Und«, fuhr er mit einem Ausdruck ganz besonderen Ärgers und besonderer Kränkung fort, »hol mich der Henker, den ganzen Tag betet sie. In meinem Leben hab ich noch nie so 'ne Frau gesehen. Ich musst mich verdrücken, Tom, es ging nicht anders! Weißt du was, Tom, reich sein ist nicht halb so schön, wie man immer sagt. Nix wie Plage und Schinderei hat man davon, sodass man lieber tot sein möcht! Diese Kleider hier gefallen mir und das Fass hier, und da bringt mich keiner mehr raus! Tom, ich wär nie in diese ganze Misere hineingeraten, wenn das verflixte Geld nicht gewesen wär. Nimm du's einfach allein für dich und schenk mir manchmal 'n Zehner, aber nicht oft, weil ich kein bisschen nach was frag, was so leicht zu haben ist! Aber geh hin und bitt mich von der Witwe los, Tom!«

»Ach, Huck, du weißt ganz genau, dass ich so was nicht tun kann, weil's einfach nicht anständig von mir wär. Und dann – versuch's nur noch 'ne Weile, dann gewöhnst du dich an das bessere Leben und 's wird dir schon gefallen.«

»Gefallen! Ja, so ungefähr wie 'n heißer Ofen, wo man draufsitzen soll. Nee, Tom, ich will nicht reich sein und nicht in den verfluchten stickigen Häusern wohnen, ich brauch den Wald und den Fluss und 'n leeres Fass, und dabei bleib ich! Hol der Teufel die ganze Geschichte! Ausgerechnet jetzt, wo wir Gewehre und 'ne Höhle haben und alles so fein für die Räuberei vorbereitet ist, kommt der verdammte Blödsinn und verdirbt uns alles!«

Tom nahm die Gelegenheit wahr: »Hör mal, Huck, das Reichsein hält mich doch nicht davon ab, Räuber zu werden!«

»Nicht? Lieber Himmel, ist das dein voller Ernst, Tom?«

»So gewiss, wie ich hier sitz! Aber, Huck, wir können dich nicht in die Bande aufnehmen, wenn du kein anständiger Mensch bist, weißt du!«

Hucks Freude wurde erheblich gedämpft. »Nicht aufnehmen, Tom? Ich war doch aber auch bei den Seeräubern!«

»Ja, das ist was andres, ein Räuber ist was viel Nobleres als so 'n Pirat, wenigstens meistens! In manchen Ländern gehören sie zum allerhöchsten Adel, Herzöge und so was sind mit drunter.«

»Aber, Tom, du bist doch immer gut zu mir gewesen, du wirst mich doch auch jetzt nicht ausschließen, Tom, nicht wahr? Du wirst das doch nicht tun, Tom?«

»Huck, ich möcht's nicht tun – bei Gott nicht, aber was würden dann die Leute sagen? Pah, würden sie machen, Tom Sawyers Bande! Schön lumpige Kerls drunter! Und damit würden sie dich meinen, Huck. Das möchtest du doch nicht und ich auch nicht!«

Eine Zeit lang war Huck ganz still, er kämpfte sichtlich einen schweren Seelenkampf, endlich sagte er: »Na, auf'n Monat oder so könnt ich ja schließlich zur Witwe zurück

und versuchen, ob ich's aushalten kann. Ja, das könnt ich –
wenn ich in die Bande eintreten darf, Tom.«

»Ist 'n Wort, Huck. Komm, alter Kerl, und ich will sehen, ob ich die Witwe bereden kann, dir's 'n bisschen leichter zu machen.«

»Willst du das tun, Tom, wirklich, willst du's? Das ist
gut! Wenn sie bei den schlimmsten Sachen 'n bisschen gnä-
diger sein würde, will ich auch nur heimlich rauchen und
fluchen und sehn, wie ich durchkomm – oder krepieren.
Wann soll nun die Bande gegründet werden?«

»Na, so schnell wie möglich! Wir trommeln gleich die
Jungens zusammen, und dann kann heute Nacht schon die
Initiation sein.«

»Was sein?«

»Die Initiation!«

»Was ist denn das?«

»Na, da schwört man, dass man zueinander hält und
niemals die Geheimnisse der Bande verrät, auch nicht,
wenn man zu Kochfleisch zerhackt werden soll. Und jeden
tötet samt seiner ganzen Familie, der irgendeinem von der
Bande was tut.«

»Das ist prima, Tom, einfach prima!«

»Na, und wie! Und der Schwur muss um Mitternacht an
dem allereinsamsten und schauerlichsten Platz, den man
finden kann, geleistet werden. Am besten wär 'n Spukhaus,
aber die haben sie ja alle abgerissen.«

»Ja, Mitternacht ist gut, Tom!«

»Ja, ja, und man muss auf'n Sarg schwören und mit Blut
unterschreiben.«

»Na, das ist doch wenigstens noch was. Zum Teufel, das
ist ja noch Millionen Mal besser als die ganze Seeräuberei!

Ich will mich an die Witwe kleben, bis ich verfaul! Und wenn ich mal so 'n richtiger Prachtkerl von Räuber bin, Tom, und alle Welt von mir spricht, dann ist sie gewiss ordentlich stolz drauf, dass sie mich aus dem Dreck rausgezogen hat.«

Schlusswort

Hiermit endet diese Chronik. Da sie nun einmal ausschließlich die Geschichte eines Jungen ist, muss sie hier aufhören; sie könnte nicht sehr viel weiter erzählt werden, ohne die Geschichte eines Mannes zu werden. Wenn jemand einen Roman über erwachsene Leute schreibt, dann weiß er genau, wo er aufzuhören hat – nämlich bei einer Heirat; schreibt er aber über Heranwachsende, so muss er aufhören, wo es ihm am passendsten erscheint.

Die meisten Personen, die in diesem Buch vorkommen, leben noch, sie sind gut versorgt und glücklich. Eines Tages mag es der Mühe wert sein, die Geschichte über die Jüngeren wieder aufzugreifen und zu sehen, was für Männer und Frauen aus ihnen geworden sind; deshalb wird es das Klügste sein, von diesem Teil ihres Lebens an dieser Stelle nichts zu enthüllen.

Nachwort

Mark Twain wurde am 30. November 1835 in der Ortschaft Florida im Staate Missouri als jüngstes von sechs Geschwistern geboren. (Sein richtiger Name war Samuel Langhorne Clemens.) Der Vater war Friedensrichter und Farmer; er zog viel herum, und als Samuel vier Jahre alt war, ließ er sich mit seiner Familie in Hannibal nieder, ebenfalls im Staate Missouri. Das war ein kleiner Ort von 500 Seelen am Mississippi, und wer Tom Sawyer gelesen hat, der kennt es genau: Man kann sogar heute noch den berühmten hohen, weiß angestrichenen Zaun vor dem Hause bewundern, in dem Samuel vor ungefähr anderthalb Jahrhunderten angeblich gewohnt haben soll. Samuel hat also wie Tom gelebt, hat vor allem wie er den Fluss geliebt und später immer wieder über ihn geschrieben. Als Samuel zwölf wurde, starb der Vater, und ein Jahr später begann der Junge eine Lehre als Setzer. Mit vierzehn Jahren nahm ihn der Bruder Orion, der eine Lokalzeitung herausgab, in seinen Betrieb auf und Samuel schrieb seine ersten Artikel und Satiren. Doch als er achtzehn Jahre alt war, hielt er es in dem kleinen friedlichen Nest im Mittelwesten nicht mehr aus, in dem außer der Ankunft des Dampfschiffes nicht viel Neues geschah. Es lockte ihn in den Osten der Staaten, in die großen Städte, und er zog dorthin und arbeitete eine Zeit lang als Setzer in Philadelphia und New York. Doch dann muss die Sehnsucht nach dem Mississippi unwiderstehlich geworden sein, er kehrte zu seinem Fluss zurück und fuhr jahrelang als Matrose und später als Lotse auf einem der großen weißen Dampfer mit den Schaufelrädern zwischen New Orleans und St. Louis hin und her. Dort ist der Fluss oft gefährlich flach und war damals noch nicht reguliert, also musste stets ein Matrose die Wassertiefe mit dem Fadenlot messen. Gab er nur »einen Faden« an, »Mark one«, so musste der Kapitän die Fahrt seines Schiffes zur Vorsicht stoppen. Bei zwei Faden Tiefe, »Mark twain«, hatte er genug Wasser unter dem Bug. Zur Erinnerung an diese Jahre auf dem Mississippi nannte sich Samuel später als Schriftsteller Mark Twain.

1861 brach der Bürgerkrieg aus, der Sezessionskrieg, die Nordstaaten kämpften gegen die Südstaaten, und da Missouri ein so genannter Sklaven haltender Staat war, kämpfte auch Samuel Clemens auf der Seite der Konföderierten und brachte es bis zum Leutnant. Das Ende des Krieges änderte alles: Die Vereinigten Staaten von Amerika begannen zu entstehen. Ein ungeheurer Wiederaufbau und wirtschaftlicher Aufschwung begann. Die schwarzen Sklaven wurden frei. Die Eisenbahnlinien eroberten den Kontinent. Das Geld und das schnelle Geldmachen spielten eine Rolle. Die Technik wurde auch von Samuel Clemens voller Begeisterung als Mittel zum Fortschritt für alle begrüßt. Er aber hatte, wie so viele nach einem verlorenen Krieg, keine Arbeit und nahm deshalb jede an. Er ging als Goldgräber und Silberschürfer nach Kalifornien, hatte aber bald nichts als Schulden und begann zu schreiben, als Reporter in Nevada, Redakteur in Virginia und wieder Reporter in San Franzisco und nun endlich als Mark Twain. Er schrieb eine erste sehr erfolgreiche Kurzgeschichte, kurz darauf den *Tom Sawyer*, er reiste durch die ganze Welt, heiratete 1870 ein wunderschönes reiches junges Mädchen aus bestem Hause, schrieb einen Roman nach dem anderen, wurde weltberühmt, ging mit der Entwicklung einer Setzmaschine fast Pleite, gründete einen eigenen Verlag und verlor durch ihn 1894 sein gesamtes Vermögen. Dann starben seine Frau und seine beiden Töchter – das war das Leben eines Mannes, der als Humorist in die Literaturgeschichte einging und der mit dazu beigetragen hat, der neuen Sprache der Vereinigten Staaten, in die so viele andere Sprachen und Dialekte eingegangen sind, einen ersten ganz eigenen Stil zu verleihen. Und er schenkte der jungen Nation mit *Tom Sawyer* und erst recht mit *Huckleberry Finn* zwei Romane, die zu Symbolen wurden für Kindheit in den alten Südstaaten, die aber auf der ganzen Welt gelesen und geliebt wurden, bis zum heutigen Tag.

Sybil Gräfin Schönfeldt

Mark Twain

PRINZ UND BETTELKNABE

Was würde der kleine Prinz Edward dafür geben, einmal ein freies Leben führen zu können wie die Gassenjungen, die vor dem Schloss toben. Und tatsächlich geht sein Wunsch eines Tages in Erfüllung: Durch Zufall lernt er den gleichaltrigen Tom Canty aus dem Armenviertel kennen. Beim Spiel tauschen sie ihre Kleider und da sie sich verblüffend ähnlich sehen, nimmt die Verwechslung ihren Lauf. Von den Wachen aus dem Palast gejagt, erfährt Edward das harte Los seiner Untertanen am eigenen Leib. Täglich ist er nun Hunger und Demütigungen ausgesetzt. Unterdessen quält sich Tom mit langweiligen Amtsgeschäften. Da stirbt plötzlich der König. Kann Edward beweisen, dass er der rechtmäßige Thronfolger ist?

DRESSLER KLASSIKER

Mark Twain

DIE ABENTEUER
DES HUCKLEBERRY FINN

»Ihr kennt mich nicht, außer ihr habt n Buch gelesen, was ›Die Abenteuer des Tom Sawyer‹ heißt, aber drauf kommts nicht an. Das Buch hat Mr. Mark Twain gemacht, und was er drin erzählt, ist wahr – mehr oder weniger.«
So beginnt Huckleberry Finns Geschichte, die zu den größten Werken der Weltliteratur zählt. Auch nach mehr als hundert Jahren hat diese einmalige Abenteuererzählung nichts von ihrem Charme verloren. Mit der Neuübersetzung von Wolf Harranth legt der Cecilie Dressler Verlag erstmals eine deutsche Ausgabe vor, in der die verschiedenen Dialektschattierungen des Originals treffend wiedergegeben werden.

DRESSLER KLASSIKER

Robert Louis Stevenson

ENTFÜHRT – DIE ABENTEUER DES DAVID BALFOUR

Erst wird er entführt, dann erleidet er Schiffbruch und schließlich muss er auch noch vor den Verfolgern seines Freundes Alan Breck fliehen – David Balfours Reise zu seinem Onkel, von dem er sein rechtmäßiges Erbe erwartet, ist voll von Wagnissen und Gefahren. Aber unerschrocken und tollkühn meistert er alle noch so aussichtslosen Situationen.

Wie schon in seinem Klassiker „Die Schatzinsel" nimmt Stevenson den Leser auch hier mit in eine Welt voller Spannung und Abenteuer; und das schottische Hochland erweist sich als mindestens ebenso aufregend wie die ferne Südsee.

DRESSLER KLASSIKER